HUGO

LES MISÉRABLES

ROMAN

EXTRAITS

D0167992

Texte conforme à l'édition originale.

*Notes explicatives, questionnaires, bilans,
documents et parcours thématique*

établis par

Monique BOUCHARD-LESPINGAL
et Brigitte RÉAUTÉ,
certifiées de Lettres classiques.

Classiques Hachette

Couverture : Laurent Carré

Crédits photographiques :

pp. 4, 9, 11, 12, 19, 35, 40, 42, 49, 65, 88, 91, 92 (Cosette devant la « dame », peinture de F. Flameng, 1865), **102, 121, 125, 126** (dessin de Victor Hugo), **132, 148, 157** (détail du char du panneau central du triptyque, musée du Prado, Madrid), **165, 182, 185, 186** (caricature des *Misérables* par Cham, parue dans le *Journal amusant*), **201, 210, 215, 229, 232, 238** (Gavroche devant les barricades, peinture de Léon-Adolphe Willette, Salon de 1905), **265** (Jean Valjean et Marius dans les égouts, dessin de Brion, gravure sur bois de Yon et Perrichon), **267, 287, 297, 310, 322, 338, 346** : photographies Hachette.

p. 8 (dessin de Victor Hugo, cliché Hachette) : photographie Bibliothèque Nationale.

pp. 17, 283 : photographies Kobal.

pp. 72 (cliché le Strat), **83**, (cliché Corbeau), **85** (cliché le Strat), **104** (cliché Corbeau), **117** (cliché le Strat), **167** (cliché le Strat), **236** (Mise en scène de Robert Hossein, 1982. Cliché le Strat), **237** (Jean Valjean [Lino Ventura] et Cosette, mise en scène de Robert Hossein, 1982. Cliché Denizet), **257** (cliché Corbeau), **285** (cliché Corbeau) : photographies Kipa.

pp. 130, 155 (Giani Esposito dans le rôle de Marius, mise en scène de Jean-Paul Le Chanois, 1957), **255, 316** (Bourvil dans le rôle de Thénardier, mise en scène de Jean-Paul Le Chanois, 1957), **339** (Gabin dans le rôle de Jean Valjean, avec le petit ramoneur, mise en scène de Jean-Paul Le Chanois, 1957) : photographies Édimédia.

p. 143 : photographie Kharbine-Tapabor.

p. 208 : © Museum of Modern Art/Film Stills Archive.

Les mots suivis d'une puce ronde (•) renvoient au lexique du roman, page 347, et ceux suivis d'un astérisque (*), au lexique littéraire, page 349.

© HACHETTE LIVRE, 2005, 43, quai de Grenelle, 75905 Paris Cedex 15

ISBN : 978-2-01-169184-2

www.hachette-education.com

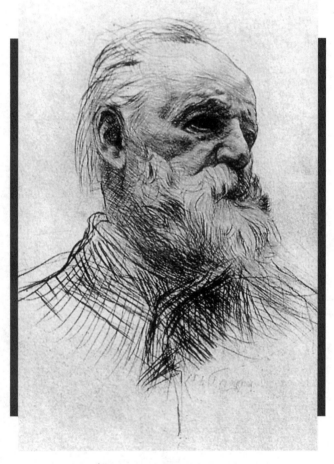

Étude de la tête de Victor Hugo par Rodin.
Pointe sèche datée de 1884.

En 1862, à la fois exilé et glorieux,
Victor Hugo réussit la performance d'être, en France,
l'absent qui parle et dont on parle, le phare qui,
depuis son île de Guernesey, envoie sa lumière.
À soixante ans, qu'a-t-il donc fait de sa vie
pour jouir d'un tel prestige ?
Il a beaucoup écrit et beaucoup publié : des poèmes
surtout, <u>Les Contemplations</u> (1856), <u>La Légende des
Siècles</u> (1859). C'est son premier titre de gloire : on
s'incline unanimement devant son talent. Il a aussi
beaucoup participé à la vie publique. Comme Marius,
il accomplit un long parcours politique : royaliste par
éducation maternelle, il découvre avec admiration
Napoléon qu'a suivi son père comme officier de
l'armée révolutionnaire puis impériale.
Nommé pair de France en 1845, il se fait élire député
en 1848 sur une liste conservatrice. Mais sa sensibilité
et sa générosité ne lui permettent pas de rester muet
devant la misère du peuple. Alors, peu à peu, il
prononce des discours qui dérangent la bonne
conscience bourgeoise, vote à gauche, soutient les
partisans du Progrès et notamment un certain
Louis-Napoléon Bonaparte...
Victor Hugo n'en a pas moins profité de la vie :
il a aimé, voyagé, rencontré.
Il aurait pu rester installé au faîte de sa gloire. Mais,
en 1851, quand Louis-Napoléon Bonaparte prend le
pouvoir par la force, il part. Au nom de la liberté,
comme Gavroche. Au nom de la démocratie, comme
les Amis de l'ABC. Et le voici exilé, banni, proscrit,
lui, le grand homme. Il s'entête même dans ce refus
du compromis, puisqu'en 1859 il ne profite pas de
l'amnistie pour retrouver sa place. Autant dire que
cette longue maturation donne une autre ampleur à
son manuscrit, commencé dès 1845 et qu'il reprend
en 1860 : il ne s'agit pas tant de rivaliser avec
Eugène Sue ou Balzac pour faire un roman réaliste et
social que d'écrire l'épopée d'une âme et de la société
en marche vers le Progrès.
Ce sont <u>Les Misérables</u>.

De 1802 à 1862

LE PEUPLE	LES ÉCRIVAINS
• Revendications politiques : deux révolutions (1830 et 1848) pour obtenir plus de démocratie.	• Bon nombre d'intellectuels sont démocrates.
• Nouveau public de lecteurs : le peuple, mieux alphabétisé, réclame des livres, mais veut beaucoup d'action, des sujets et des personnages proches de lui.	• Le romantisme rejette les règles de l'écriture classique : on veut exprimer librement ses sentiments, mêler les genres.

ESSOR DU ROMAN :
• il comporte peu de règles,
• il est facile à lire : l'action tient en haleine,
• il peut traduire une réalité quotidienne populaire.

ROMAN **POPULAIRE** / ROMAN-FEUILLETON (ISSU DU ROMANTISME)	ROMAN **ROMANTIQUE**	ROMAN FONDÉ SUR **L'OBSERVATION RÉALISTE**
Roman **noir** : Frédéric Soulié, *Les Mémoires du diable* (1837).	Roman **historique** : Hugo, *Notre-Dame de Paris* (1831).	Stendhal, *Le Rouge et le Noir* (1830).
Roman de **mœurs** : Eugène Sue, *Les Mystères de Paris* (1842).	Roman **personnel** : Musset, *La Confession d'un enfant du siècle* (1836).	Balzac, *Eugénie Grandet* (1833), et tous les romans de *La Comédie humaine* (1830-1850).
Roman **historique** : Alexandre Dumas, *Le Comte de Monte-Cristo* (1844).	Roman **social** : George Sand, *Le Compagnon du Tour de France* (1841).	Flaubert, *Madame Bovary* (1857).

LES MISÉRABLES
(1862)
• Sujet social et intrigue mouvementée dans un cadre historique.
• Personnages et idéaux romantiques.
• Procédés réalistes.

Les Misérables sont de ces quelques livres qu'on
emporterait sur une île déserte : on y a de quoi lire !
Plus de mille pages et tous les romans à la fois.
On y rit, on y pleure, on y aime, on y tremble.
De froid ou de colère, de fatigue ou d'ardeur.
On y chante quand on meurt, on y vit de passion :
pour une femme, pour sa fille, pour la liberté,
pour la justice, pour la Révolution, pour l'esprit
qui nous fait hommes.
On y rencontre même Dieu...
Suivons le roman policier avec Javert,
le roman à l'eau de rose avec Cosette,
le roman noir avec Thénardier,
le roman historique avec tous ces personnages
dont les destinées s'entrecroisent
sur fond d'événements politiques,
et le roman philosophique avec l'auteur.
Découvrons l'argot et la langue sublime, descendons
dans les égouts, puis remontons à l'air libre mais pour
gravir le Golgotha. Ayons l'innocence des enfants et la
vitalité de certains vieillards. Sachons vivre de rien
mais pour tout et pour tous, comme Gavroche.
Et de Jean Valjean, partageons l'épopée,
apprenons à grandir.
Et puis surtout respirons : l'air du large,
comme Victor Hugo en son île, l'air des cimes,
l'air d'une «cime» : le Progrès.
En leur fin de siècle, Flaubert, Baudelaire
et autres compères d'une génération désenchantée
n'ont pu partager l'élan généreux
et optimiste de ce livre.
En notre fin de siècle, nous sommes aussi, souvent,
amèrement revenus de tout :
des utopies communautaires, d'une possible fraternité
et même du Progrès.
Alors lisons ce livre car il nous parle encore
de foi et d'enthousiasme :
Victor Hugo et ses *Misérables* nous rendent
une précieuse candeur.

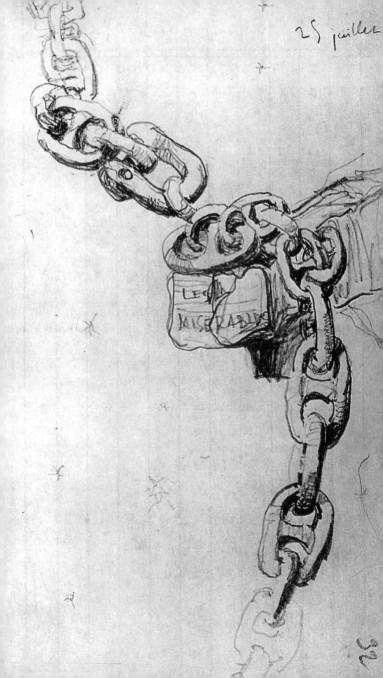

VICTOR HUGO

LES

MISÉRABLES

PREMIÈRE PARTIE

FANTINE

I

59

PARIS

PAGNERRE, LIBRAIRE-ÉDITEUR

18 RUE DE SEINE 18

M DCCC LXII

Tous droits réservés

1862

Tant qu'il existera, par le fait des lois et des mœurs, une damnation sociale créant artificiellement, en pleine civilisation, des enfers, et compliquant d'une fatalité humaine la destinée qui est divine ; tant que les trois problèmes du siècle, la dégradation de l'homme par le prolétariat[1], la déchéance de la femme par la faim, l'atrophie de l'enfant par la nuit, ne seront pas résolus ; tant que, dans de certaines régions, l'asphyxie sociale sera possible ; en d'autres termes, et à un point de vue plus étendu encore, tant qu'il y aura sur la terre ignorance et misère, des livres de la nature de celui-ci pourront ne pas être inutiles.*

Hauteville-House, 1862.

---

1. le prolétariat : la condition des ouvriers à bas salaire.

PREMIÈRE PARTIE

FANTINE

Illustration de Brion pour l'édition Hetzel des Misérables,
gravure de Yon et Perrichon, Paris, 1865.

I

9

M. Myriel

Myriel

1806

Myriel

Myriel

*Fac-Similé de la première page du premier livre des Misérables,
écrite et corrigée par Victor Hugo.*

LIVRE PREMIER

Un juste

1

M. MYRIEL

En 1815, M. Charles-François-Bienvenu Myriel était
évêque de Digne[1]. C'était un vieillard d'environ
soixante-quinze ans; il occupait le siège de Digne depuis
1806.
5 Quoique ce détail ne touche en aucune manière au fond
même de ce que nous avons à raconter, il n'est peut-être
pas inutile, ne fût-ce que pour être exact en tout, d'indiquer ici les bruits et les propos qui avaient couru sur son
compte au moment où il était arrivé dans le diocèse[2].
10 Vrai ou faux, ce qu'on dit des hommes tient souvent
autant de place dans leur vie et surtout dans leur destinée que ce qu'ils font. M. Myriel était fils d'un conseiller
au parlement[3] d'Aix; noblesse de robe[4]. On contait que
son père, le réservant pour hériter de sa charge, l'avait
15 marié de fort bonne heure, à dix-huit ou vingt ans, sui-
vant un usage assez répandu dans les familles parlementaires. Charles Myriel, nonobstant[5] ce mariage, avait,
disait-on, beaucoup fait parler de lui. Il était bien fait de
sa personne, quoique d'assez petite taille, élégant, gra-
20 cieux, spirituel; toute la première partie de sa vie avait
été donnée au monde et aux galanteries.
La révolution survint, les événements se précipitèrent,

---

1. *Digne* : ville des Alpes-de-Haute-Provence.
2. *diocèse* : territoire sous l'autorité d'un évêque, équivalant à un département.
3. *parlement* : cour de justice.
4. *noblesse de robe* : noblesse acquise par l'exercice d'une magistrature judiciaire.
5. *nonobstant* : malgré.

les familles parlementaires décimées, chassées, traquées, se dispersèrent. M. Charles Myriel, dès les premiers
25 jours de la révolution, émigra en Italie. Sa femme y mourut d'une maladie de poitrine dont elle était atteinte depuis longtemps. Ils n'avaient point d'enfants. Que se passa-t-il ensuite dans la destinée de M. Myriel ? L'écroulement de l'ancienne société française, la chute
30 de sa propre famille, les tragiques spectacles de 93[1], plus effrayants encore peut-être pour les émigrés qui les voyaient de loin avec le grossissement de l'épouvante, firent-ils germer en lui des idées de renoncement et de solitude ? Fut-il, au milieu d'une de ces distractions et de
35 ces affections qui occupaient sa vie, subitement atteint d'un de ces coups mystérieux et terribles qui viennent quelquefois renverser, en le frappant au cœur, l'homme que les catastrophes publiques n'ébranleraient pas en le frappant dans son existence et dans sa fortune ? Nul
40 n'aurait pu le dire ; tout ce qu'on savait, c'est que, lorsqu'il revint d'Italie, il était prêtre.
En 1804, M. Myriel était curé de B. (Brignoles[2]). Il était déjà vieux, et vivait dans une retraite profonde.
Vers l'époque du couronnement[3], une petite affaire de sa
45 cure[4], on ne sait plus trop quoi, l'amena à Paris. Entre autres personnes puissantes, il alla solliciter pour ses paroissiens[5] M. le cardinal[6] Fesch. Un jour que l'empereur était venu faire sa visite à son oncle, le digne curé, qui attendait dans l'antichambre, se trouva sur le pas-
50 sage de sa majesté. Napoléon, se voyant regarder avec une certaine curiosité par ce vieillard, se retourna, et dit brusquement :
– Quel est ce bonhomme qui me regarde ?
– Sire, dit M. Myriel, vous regardez un bonhomme, et

---

1. Époque de la Terreur révolutionnaire (on dénombra environ 42 000 exécutions).
2. *Brignoles* : ville du Var.
3. Celui de Napoléon Ier (2 décembre 1804).
4. *cure* : charge d'une paroisse (territoire équivalent à une commune où un curé exerce ses fonctions).
5. *paroissiens* : habitants d'une paroisse.
6. *cardinal* : prêtre de haut rang, proche du pape ; le cardinal Fesch était l'oncle de Napoléon Ier.

55 moi je regarde un grand homme. Chacun de nous peut
profiter.
L'empereur, le soir même, demanda au cardinal le nom
de ce curé, et quelque temps après M. Myriel fut tout
surpris d'apprendre qu'il était nommé évêque de Digne.
[...]

2

M. MYRIEL DEVIENT MONSEIGNEUR BIENVENU

Le palais épiscopal[1] de Digne était attenant à l'hôpital[2].
Le palais épiscopal était un vaste et bel hôtel bâti en
pierre au commencement du siècle dernier par monseigneur Henri Puget, docteur en théologie[3] de la faculté
5 de Paris, abbé de Simore, lequel était évêque de Digne
en 1712. Ce palais était un vrai logis seigneurial. Tout y
avait grand air, les appartements de l'évêque, les salons,
les chambres, la cour d'honneur, fort large, avec prome-
noirs à arcades, selon l'ancienne mode florentine, les
10 jardins plantés de magnifiques arbres. Dans la salle à
manger, longue et superbe galerie qui était au rez-
de-chaussée et s'ouvrait sur les jardins, monseigneur
Henri Puget avait donné à manger en cérémonie le
20 juillet 1714 à messeigneurs Charles Brûlart de Gen-
15 lis, archevêque[4] prince d'Embrun, Antoine de Mesgri-
gny, capucin[5], évêque de Grasse, Philippe de Vendôme,
grand prieur de France[6], abbé de Saint-Honoré de
Lérins, François de Berton de Crillon, évêque, baron de

1. *épiscopal* : de l'évêque.
2. *hôpital* : à l'époque, établissement charitable où l'on soignait les pauvres.
3. *théologie* : étude des questions religieuses.
4. *archevêque* : supérieur de l'évêque.
5. *capucin* : religieux de l'ordre de Saint-François.
6. *grand prieur de France* : directeur d'un domaine des chevaliers de Malte.

Vence, César de Sabran de Forcalquier, évêque, seigneur
20 de Glandève, et Jean Soanen, prêtre de l'oratoire[1],
prédicateur[2] ordinaire du roi, évêque, seigneur de Senez.
Les portraits de ces sept révérends[3] personnages déco-
raient cette salle, et cette date mémorable, 20 juillet
1714, y était gravée en lettres d'or sur une table de
25 marbre blanc.
L'hôpital était une maison étroite et basse, à un seul
étage, avec un petit jardin.
Trois jours après son arrivée, l'évêque visita l'hôpital. La
visite terminée, il fit prier le directeur de vouloir bien
30 venir jusque chez lui.
— Monsieur le directeur de l'hôpital, lui dit-il, combien
en ce moment avez-vous de malades ?
— Vingt-six, monseigneur.
— C'est ce que j'avais compté, dit l'évêque.
35 — Les lits, reprit le directeur, sont bien serrés les uns
contre les autres.
— C'est ce que j'avais remarqué.
— Les salles ne sont que des chambres, et l'air s'y renou-
velle difficilement.
40 — C'est ce qui me semble.
— Et puis, quand il y a un rayon de soleil, le jardin est
bien petit pour les convalescents.
— C'est ce que je me disais.
— Dans les épidémies, nous avons eu cette année le
45 typhus[4], nous avons eu une suette miliaire• il y a deux
ans, cent malades quelquefois, nous ne savons que faire.
— C'est la pensée qui m'était venue.
— Que voulez-vous, monseigneur ? dit le directeur, il faut
se résigner.
50 Cette conversation avait lieu dans la salle à manger-
galerie du rez-de-chaussée.
L'évêque garda un moment le silence, puis il se tourna
brusquement vers le directeur de l'hôpital.

---

1. *oratoire* : congrégation religieuse de savants et de professeurs.
2. *prédicateur* : personne qui prêche, qui enseigne la parole de Dieu.
3. *révérends* : honorables (terme propre aux membres du clergé).
4. *typhus* : maladie infectieuse très grave transmise par les poux ou les puces.

16

– Monsieur, dit-il, combien pensez-vous qu'il tiendrait
55 de lits rien que dans cette salle ?
– Dans la salle à manger de monseigneur ? s'écria le
directeur stupéfait.
L'évêque parcourait la salle du regard et semblait y faire
avec les yeux des mesures et des calculs.
60 – Il y tiendrait bien vingt lits ! dit-il, comme se parlant à
lui-même ; puis élevant la voix : – Tenez, monsieur le
directeur de l'hôpital, je vais vous dire. Il y a évidemment une erreur. Vous êtes vingt-six personnes dans
cinq ou six petites chambres. Nous sommes trois[1] ici, et
65 nous avons place pour soixante. Il y a erreur, je vous dis.
Vous avez mon logis, et j'ai le vôtre. Rendez-moi ma
maison. C'est ici chez vous.
Le lendemain, les vingt-six pauvres malades étaient ins-
tallés dans le palais de l'évêque, et l'évêque était à l'hô-
70 pital.

[« Indulgent et doux », charitable au point de consacrer la
presque totalité de ses revenus aux pauvres et à des œuvres
de bienfaisance, l'évêque n'est bientôt plus appelé que par
son prénom : « monseigneur Bienvenu ».]

Gino Cervi (Jean Valjean) dans le film de R. Freda (1948).

---

1. *Nous sommes trois* : monsieur Myriel vit avec sa sœur et une servante.

Compréhension

• L'exergue*

1. *Selon Hugo, qui est responsable de l'ignorance et de la misère ? Quels mots insistent sur le fait que ces phénomènes ne sont pas naturels et pourraient donc être évités ?*

2. *En quoi le prolétariat peut-il être dégradant pour l'homme ? À quelle déchéance la faim peut-elle contraindre la femme ? Quels sont ici les sens figurés des mots « atrophie » et « nuit » ?*

3. *L'individu misérable peut-il échapper à sa misère ? Justifiez votre réponse par des termes précis du texte.*

• Le contexte historique

4. *En quelle année Hugo fait-il débuter l'action de son roman ? Que s'est-il passé d'important en France cette année-là ?*

5. *Quels autres faits et personnages historiques sont évoqués lors de la présentation de M. Myriel (chap. 1) ?*

• « Un juste »

6. *Quels sont les traits dominants de la personnalité de M. Myriel aux différentes époques de sa vie ? Justifiez précisément vos réponses.*

Écriture / Réécriture

7. *Dans la première proposition de l'exergue, quelle métaphore* Hugo utilise-t-il ? Quels mots, juxtaposés en antithèse*, marquent le côté révoltant de la misère ? Quel procédé de style est utilisé à la fin de l'exergue ? Justifiez son emploi.*

8. *L'ensemble du chapitre 1 est-il la suite chronologique de la première phrase ? Par quel anglicisme désigne-t-on ce procédé narratif ?*

9. *Au chapitre 1, l'auteur-narrateur feint de ne pas connaître tous les éléments de l'histoire qu'il raconte : dans quels passages ? Quel est l'effet produit ?*

10. *Comparez les descriptions du palais épiscopal et de l'hôpital (chap. 2, l. 1 à 27) : que constatez-vous ? Que dénonce ici Hugo ?*

11. *Si vous écriviez un roman sur la misère de nos jours, de quelle sorte de personnage pourriez-vous faire le portrait dans les premiers chapitres? Justifiez votre choix. Rédigez un paragraphe de ce début de roman.*

Mise en perspective / Mise en images

12. *Résumez en une phrase le but que se fixe Hugo en publiant ce roman.*

13. *Quel est l'intérêt de situer ainsi dans l'Histoire un roman sur la misère? Avec quelle idée de l'exergue* est-ce en accord?*

14. *Quels thèmes* essentiels d'un roman sur les misérables apparaissent dès ce livre premier? Vous pouvez vous aider, pour répondre, du Parcours thématique, pp. 323 à 345.*

15. *Recherchez dans la presse des photographies pouvant illustrer l'exergue et dénoncer la misère encore présente de nos jours, les phénomènes d'exclusion en France et dans le monde. Composez un panneau mettant en rapport ces photos et des extraits du texte de Hugo.*

Jean Valjean au bagne, gravure de Neuville.

LIVRE DEUXIÈME

La chute

1

LE SOIR D'UN JOUR DE MARCHE

Dans les premiers jours du mois d'octobre 1815, une heure environ avant le coucher du soleil, un homme qui voyageait à pied entrait dans la petite ville de Digne. Les rares habitants qui se trouvaient en ce moment à leurs fenêtres ou sur le seuil de leurs maisons regardaient ce voyageur avec une sorte d'inquiétude. Il était difficile de rencontrer un passant d'un aspect plus misérable. C'était un homme de moyenne taille, trapu et robuste, dans la force de l'âge. Il pouvait avoir quarante-six ou quarante-huit ans. Une casquette à visière de cuir rabattue cachait en partie son visage brûlé par le soleil et le hâle et ruisselant de sueur. Sa chemise de grosse toile jaune, rattachée au col par une petite ancre d'argent, laissait voir sa poitrine velue ; il avait une cravate tordue en corde, un pantalon de coutil[1] bleu usé et râpé, blanc à un genou, troué à l'autre, une vieille blouse grise en haillons, rapiécée à l'un des coudes d'un morceau de drap vert cousu avec de la ficelle, sur le dos un sac de soldat fort plein, bien bouclé et tout neuf, à la main un énorme bâton noueux, les pieds sans bas dans des souliers ferrés, la tête tondue et la barbe longue.
La sueur, la chaleur, le voyage à pied, la poussière, ajoutaient je ne sais quoi de sordide à cet ensemble délabré. Les cheveux étaient ras, et pourtant hérissés ; car ils

---

1. *coutil* : tissu serré et solide, utilisé pour les vêtements de travail.

25 commençaient à pousser un peu, et semblaient n'avoir
pas été coupés depuis quelque temps.
Personne ne le connaissait. Ce n'était évidemment
qu'un passant. D'où venait-il ? Du midi. Des bords de la
mer peut-être. Car il faisait son entrée dans Digne par la
30 même rue qui sept mois auparavant avait vu passer l'empereur Napoléon allant de Cannes à Paris[1]. Cet homme
avait dû marcher tout le jour. Il paraissait très fatigué.
Des femmes de l'ancien bourg qui est au bas de la ville
l'avaient vu s'arrêter sous les arbres du boulevard Gas-
35 sendi et boire à la fontaine qui est à l'extrémité de la
promenade. Il fallait qu'il eût bien soif, car des enfants
qui le suivaient le virent encore s'arrêter et boire, deux
cents pas plus loin, à la fontaine de la place du marché.
Arrivé au coin de la rue Poichevert, il tourna à gauche et
40 se dirigea vers la mairie. Il y entra ; puis sortit un quart
d'heure après. Un gendarme était assis près de la porte
sur le banc de pierre où le général Drouot[2] monta le
4 mars pour lire à la foule effarée des habitants de Digne
la proclamation du golfe Juan[3]. L'homme ôta sa cas-
45 quette et salua humblement le gendarme.
Le gendarme, sans répondre à son salut, le regarda avec
attention, le suivit quelque temps des yeux, puis entra
dans la maison de ville.
Il y avait alors à Digne une belle auberge à l'enseigne de
50 *La Croix-de-Colbas*. Cette auberge avait pour hôtelier un
nommé Jacquin Labarre, homme considéré dans la ville
pour sa parenté avec un autre Labarre, qui tenait à Grenoble l'auberge des *Trois-Dauphins* et qui avait servi
dans les guides. Lors du débarquement de l'empereur,
55 beaucoup de bruits avaient couru dans le pays sur cette
auberge des *Trois-Dauphins*. On contait que le général
Bertrand, déguisé en charretier, y avait fait de fréquents

---

1. *de Cannes à Paris* : lors des Cent-Jours, au retour de l'île d'Elbe (mars 1815). La
population fit un accueil enthousiaste à Napoléon, et les troupes envoyées contre lui
se rallièrent à leur ancien chef.
2. Le général Drouot était très dévoué à Napoléon, au point de le suivre à l'île
d'Elbe.
3. *golfe Juan* : endroit où Napoléon Ier débarqua au début des Cent-Jours.

voyages au mois de janvier, et qu'il avait distribué des
croix d'honneur à des soldats et des poignées de
60 napoléons à des bourgeois. La réalité est que l'empereur,
entré dans Grenoble, avait refusé de s'installer à l'hôtel
de la préfecture ; il avait remercié le maire en disant : *Je
vais chez un brave homme que je connais,* et il était allé
aux *Trois-Dauphins.* Cette gloire du Labarre des *Trois-*
65 *Dauphins* se reflétait à vingt-cinq lieues• de distance
jusque sur le Labarre de *la Croix-de-Colbas.* On disait de
lui dans la ville : *C'est le cousin de celui de Grenoble.*
L'homme se dirigea vers cette auberge, qui était la meilleure du pays. Il entra dans la cuisine, laquelle s'ouvrait
70 de plain-pied sur la rue. Tous les fourneaux étaient allu-
més ; un grand feu flambait gaiement dans la cheminée.
L'hôte, qui était en même temps le chef, allait de l'âtre[1]
aux casseroles, fort occupé et surveillant un excellent
dîner destiné à des rouliers• qu'on entendait rire et par-
75 ler à grand bruit dans une salle voisine. Quiconque a
voyagé sait que personne ne fait meilleure chère que les
rouliers. Une marmotte grasse, flanquée de perdrix
blanches et de coqs de bruyère, tournait sur une longue
broche devant le feu ; sur les fourneaux cuisaient deux
80 grosses carpes du lac de Lauzet et une truite du lac d'Al-
loz.
L'hôte, entendant la porte s'ouvrir et entrer un nouveau
venu, dit sans lever les yeux de ses fourneaux :
– Que veut monsieur ?
85 – Manger et coucher, dit l'homme.
– Rien de plus facile, reprit l'hôte. En ce moment il
tourna la tête, embrassa d'un coup d'œil tout l'ensemble
du voyageur, et ajouta : En payant.
L'homme tira une grosse bourse de cuir de la poche de
90 sa blouse et répondit :
– J'ai de l'argent.
– En ce cas on est à vous, dit l'hôte.
L'homme remit sa bourse en poche, se déchargea de son
sac, le posa à terre près de la porte, garda son bâton à la

---

1. *âtre* : foyer d'une cheminée.

95 main, et alla s'asseoir sur une escabelle[1] basse près du feu. Digne est dans la montagne. Les soirées d'octobre y sont froides.

Cependant, tout en allant et venant, l'hôte considérait le voyageur.

100 – Dîne-t-on bientôt ? dit l'homme.

– Tout à l'heure, dit l'hôte.

Pendant que le nouveau venu se chauffait, le dos tourné, le digne aubergiste Jacquin Labarre tira un crayon de sa poche, puis il déchira le coin d'un vieux journal qui traî-

105 nait sur une petite table près de la fenêtre. Sur la marge blanche il écrivit une ligne ou deux, plia sans cacheter et remit ce chiffon de papier à un enfant qui paraissait lui servir tout à la fois de marmiton[2] et de laquais. L'aubergiste dit un mot à l'oreille du marmiton, et l'enfant partit

110 en courant dans la direction de la mairie.

Le voyageur n'avait rien vu de tout cela.

Il demanda encore une fois : – Dîne-t-on bientôt ?

– Tout à l'heure, dit l'hôte.

L'enfant revint. Il rapportait le papier. L'hôte le déplia

115 avec empressement, comme quelqu'un qui attend une réponse. Il parut lire attentivement, puis hocha la tête, et resta un moment pensif. Enfin, il fit un pas vers le voyageur qui semblait plongé dans des réflexions peu sereines.

120 – Monsieur, dit-il, je ne puis vous recevoir.

L'homme se dressa à demi sur son séant.

– Comment ! avez-vous peur que je ne paye pas ? voulez-vous que je paye d'avance ? J'ai de l'argent, vous dis-je.

125 – Ce n'est pas cela.

– Quoi donc ?

– Vous avez de l'argent...

– Oui, dit l'homme.

– Et moi, dit l'hôte, je n'ai pas de chambre.

---

1. *une escabelle* : un tabouret.
2. *marmiton* : jeune aide-cuisinier.

130 L'homme reprit tranquillement : – Mettez-moi à l'écurie.
– Je ne puis.
– Pourquoi ?
– Les chevaux prennent toute la place.
135 – Eh bien, repartit l'homme, un coin dans le grenier. Une botte de paille. Nous verrons cela après dîner.
– Je ne puis vous donner à dîner.
Cette déclaration, faite d'un ton mesuré, mais ferme, parut grave à l'étranger. Il se leva.
140 – Ah bah ! mais je meurs de faim, moi. J'ai marché dès le soleil levé. J'ai fait douze lieues. Je paye. Je veux manger.
– Je n'ai rien, dit l'hôte.
L'homme éclata de rire et se tourna vers la cheminée et les fourneaux.
145 – Rien ! et tout cela ?
– Tout cela m'est retenu.
– Par qui ?
– Par ces messieurs les rouliers•.
– Combien sont-ils ?
150 – Douze.
– Il y a là à manger pour vingt.
– Ils ont tout retenu et tout payé d'avance.
L'homme se rassit et dit sans hausser la voix :
– Je suis à l'auberge, j'ai faim, et je reste.
155 L'hôte alors se pencha à son oreille, et lui dit d'un accent qui le fit tressaillir : – Allez-vous-en.
Le voyageur était courbé en cet instant et poussait quelques braises dans le feu avec le bout ferré de son bâton ; il se retourna vivement, et, comme il ouvrait la bouche
160 pour répliquer, l'hôte le regarda fixement et ajouta toujours à voix basse : – Tenez, assez de paroles comme cela. Voulez-vous que je vous dise votre nom ? Vous vous appelez Jean Valjean. Maintenant voulez-vous que je vous dise qui vous êtes ? En vous voyant entrer, je me
165 suis douté de quelque chose, j'ai envoyé à la mairie, et voici ce qu'on m'a répondu. Savez-vous lire ?
En parlant ainsi il tendait à l'étranger, tout déplié, le papier qui venait de voyager de l'auberge à la mairie et de la mairie à l'auberge. L'homme y jeta un regard. L'au-
170 bergiste reprit après un silence :

24

– J'ai l'habitude d'être poli avec tout le monde. Allez-vous-en.

L'homme baissa la tête, ramassa le sac qu'il avait déposé à terre, et s'en alla.

[*L'information se répand en ville et toutes les portes se ferment devant l'homme qui erre, affamé, dans la nuit et le froid. Même à la prison on ne veut pas de lui et un dogue menaçant le chasse de la niche où il s'était réfugié. Près de la cathédrale, il passe devant l'endroit où furent imprimées les proclamations de Napoléon à son retour de l'île d'Elbe.*]

175 Épuisé de fatigue et n'espérant plus rien, il se coucha sur le banc de pierre qui est à la porte de cette imprimerie. Une vieille femme sortait de l'église en ce moment. Elle vit cet homme étendu dans l'ombre. – Que faites-vous là, mon ami? dit-elle.

180 Il répondit durement et avec colère : – Vous le voyez, bonne femme, je me couche.

La bonne femme, bien digne de ce nom en effet, était madame la marquise de R.

– Sur ce banc? reprit-elle.

185 – J'ai eu pendant dix-neuf ans un matelas de bois, dit l'homme; j'ai aujourd'hui un matelas de pierre.

– Vous avez été soldat?

– Oui, bonne femme. Soldat.

– Pourquoi n'allez-vous pas à l'auberge?

190 – Parce que je n'ai pas d'argent.

– Hélas! dit madame de R., je n'ai dans ma bourse que quatre sous.

– Donnez toujours.

L'homme prit les quatre sous. Madame de R. continua :

195 – Vous ne pouvez vous loger avec si peu dans une auberge. Avez-vous essayé pourtant? Il est impossible que vous passiez ainsi la nuit. Vous avez sans doute froid et faim. On aurait pu vous loger par charité.

– J'ai frappé à toutes les portes.

200 – Eh bien?

– Partout on m'a chassé.

La «bonne femme» toucha le bras de l'homme et lui

montra de l'autre côté de la place une petite maison basse à côté de l'évêché.

205   – Vous avez, reprit-elle, frappé à toutes les portes?
– Oui.
– Avez-vous frappé à celle-là?
– Non.
– Frappez-y.

2

LA PRUDENCE CONSEILLÉE À LA SAGESSE

[Ce soir-là, comme à l'accoutumée, Mgr Myriel s'apprête à dîner avec sa sœur, mademoiselle Baptistine. Mais madame Magloire, leur servante, a appris qu'un vagabond suspect était en ville. Elle tente de persuader l'évêque de fermer, pour une fois, sa porte à clef.]

Alors madame Magloire recommença toute l'histoire, en l'exagérant quelque peu, sans s'en douter. Il paraîtrait qu'un bohémien, un va-nu-pieds, une espèce de mendiant dangereux serait en ce moment dans la ville. Il
5 s'était présenté pour loger chez Jacquin Labarre qui n'avait pas voulu le recevoir. On l'avait vu arriver par le boulevard Gassendi et rôder dans les rues à la brune•. Un homme de sac et de corde[1] avec une figure terrible.
– Vraiment! dit l'évêque.
10 Ce consentement à l'interroger encouragea madame Magloire; cela lui semblait indiquer que l'évêque n'était pas loin de s'alarmer; elle poursuivit triomphante :
– Oui, monseigneur. C'est comme cela. Il y aura quelque malheur cette nuit dans la ville. Tout le monde le
15 dit. Avec cela que la police est si mal faite (répétition[2] utile). Vivre dans un pays de montagnes, et n'avoir pas

---

1. *homme de sac et de corde* : brigand bon à être pendu (« *sac* » signifie saccage).
2. *répétition* : elle a déjà usé du même argument avec mademoiselle Baptistine.

même de lanternes la nuit dans les rues! On sort. Des fours, quoi! Et je dis, monseigneur, et mademoiselle que voilà dit comme moi...

20 – Moi, interrompit la sœur, je ne dis rien. Ce que mon frère fait est bien fait.

Madame Magloire continua comme s'il n'y avait pas eu de protestation :

– Nous disons que cette maison-ci n'est pas sûre du
25 tout; que si monseigneur le permet, je vais aller dire à Paulin Musebois, le serrurier, qu'il vienne remettre les anciens verrous[1] de la porte; on les a là, c'est une minute; et je dis qu'il faut des verrous, monseigneur, ne serait-ce que pour cette nuit; car je dis qu'une porte qui
30 s'ouvre du dehors avec un loquet, par le premier passant venu, rien n'est plus terrible; avec cela que monseigneur a l'habitude de toujours dire d'entrer, et que d'ailleurs, même au milieu de la nuit, ô mon Dieu! on n'a pas besoin d'en demander la permission...

35 En ce moment, on frappa à la porte un coup assez violent.

– Entrez, dit l'évêque.

3

HÉROÏSME DE L'OBÉISSANCE PASSIVE[2]

La porte s'ouvrit.

Elle s'ouvrit vivement, toute grande, comme si quelqu'un la poussait avec énergie et résolution.

Un homme entra.

5 Cet homme, nous le connaissons déjà. C'est le voyageur que nous avons vu tout à l'heure errer cherchant un gîte.

1. *les anciens verrous* : l'évêque les avait fait retirer, estimant que la porte d'un prêtre devait toujours être ouverte.
2. *obéissance passive* : dans l'armée, obéissance sans réflexion personnelle.

Il entra, fit un pas et s'arrêta, laissant la porte ouverte
derrière lui. Il avait son sac sur l'épaule, son bâton à la
main, une expression rude, hardie, fatiguée et violente
10 dans les yeux. Le feu de la cheminée l'éclairait. Il était
hideux. C'était une sinistre apparition.
Madame Magloire n'eut pas même la force de jeter un
cri. Elle tressaillit, et resta béante•.
Mademoiselle Baptistine se retourna, aperçut l'homme
15 qui entrait et se dressa à demi d'effarement, puis, rame-
nant peu à peu sa tête vers la cheminée, elle se mit à
regarder son frère, et son visage redevint profondément
calme et serein.
L'évêque fixait sur l'homme un œil tranquille.
20 Comme il ouvrait la bouche, sans doute pour demander
au nouveau venu ce qu'il désirait, l'homme appuya ses
deux mains à la fois sur son bâton, promena ses yeux
tour à tour sur le vieillard et les femmes, et, sans
attendre que l'évêque parlât, dit d'une voix haute :
25 – Voici. Je m'appelle Jean Valjean. Je suis un galérien•.
J'ai passé dix-neuf ans au bagne. Je suis libéré depuis
quatre jours et en route pour Pontarlier[1] qui est ma destination. Quatre jours que je marche depuis Toulon.
Aujourd'hui, j'ai fait douze lieues• à pied. Ce soir, en
30 arrivant dans ce pays, j'ai été dans une auberge, on m'a
renvoyé à cause de mon passeport jaune[2] que j'avais
montré à la mairie. Il avait fallu. J'ai été à une auberge.
On m'a dit : Va-t'en ! Chez l'un, chez l'autre. Personne
n'a voulu de moi. J'ai été à la prison, le guichetier ne
35 m'a pas ouvert. J'ai été dans la niche d'un chien. Ce
chien m'a mordu et m'a chassé, comme s'il avait été un
homme. On aurait dit qu'il savait qui j'étais. Je m'en suis
allé dans les champs pour coucher à la belle étoile. Il n'y
avait pas d'étoile. J'ai pensé qu'il pleuvrait, et qu'il n'y
40 avait pas de bon Dieu pour empêcher de pleuvoir, et je
suis rentré dans la ville pour y trouver le renfoncement

1. *Pontarlier* : ville du Doubs, entre le Jura et la Suisse.
2. *passeport jaune* : passeport indiquant la condition d'ancien bagnard et que son
porteur doit faire viser dans toutes les villes où il passe.

d'une porte. Là, dans la place, j'allais me coucher sur une pierre, une bonne femme m'a montré votre maison et m'a dit : Frappe là. J'ai frappé. Qu'est-ce que c'est
45 ici ? êtes-vous une auberge ? J'ai de l'argent. Ma masse[1]. Cent neuf francs quinze sous que j'ai gagnés au bagne par mon travail en dix-neuf ans. Je payerai. Qu'est-ce que cela me fait ? j'ai de l'argent. Je suis très fatigué, douze lieues à pied, j'ai bien faim. Voulez-vous que je
50 reste ?
— Madame Magloire, dit l'évêque, vous mettrez un couvert de plus.
L'homme fit trois pas et s'approcha de la lampe qui était sur la table. — Tenez, reprit-il, comme s'il n'avait pas
55 bien compris, ce n'est pas ça. Avez-vous entendu ? Je suis un galérien•. Un forçat. Je viens des galères•. — Il tira de sa poche une grande feuille de papier jaune qu'il déplia. — Voilà mon passe-port. Jaune, comme vous voyez. Cela sert à me faire chasser de partout où je vais.
60 Voulez-vous lire ? Je sais lire, moi. J'ai appris au bagne. Il y a une école pour ceux qui veulent. Tenez, voilà ce qu'on a mis sur le passe-port : «Jean Valjean, forçat libéré, natif de... – cela vous est égal... – Est resté dix-neuf ans au bagne. Cinq ans pour vol avec effraction.
65 Quatorze ans pour avoir tenté de s'évader quatre fois. Cet homme est très dangereux. » – Voilà ! Tout le monde m'a jeté dehors. Voulez-vous me recevoir, vous ? Est-ce une auberge ? Voulez-vous me donner à manger et à coucher ? avez-vous une écurie ?
70 — Madame Magloire, dit l'évêque, vous mettrez des draps blancs au lit de l'alcôve•.
Nous avons déjà expliqué de quelle nature était l'obéissance des deux femmes.
Madame Magloire sortit pour exécuter ces ordres.
75 L'évêque se tourna vers l'homme.
— Monsieur, asseyez-vous et chauffez-vous. Nous allons

---

1. *masse* : somme remise à un prisonnier libéré, représentant les retenues faites sur son salaire pendant sa captivité (système d'économies obligatoires).

souper dans un instant, et l'on fera votre lit pendant que vous souperez.

Ici l'homme comprit tout à fait. L'expression de son
80 visage, jusqu'alors sombre et dure, s'empreignit de stupéfaction, de doute, de joie, et devint extraordinaire. Il se mit à balbutier comme un homme fou :

– Vrai ? quoi ! vous me gardez ? vous ne me chassez pas ? un forçat ! Vous m'appelez *monsieur !* vous ne me tutoyez
85 pas ? Va-t'en, chien ! qu'on me dit toujours. Je croyais bien que vous me chasseriez. Aussi j'avais dit tout de suite qui je suis. Oh ! la brave femme qui m'a enseigné ici ! Je vais souper ! Un lit avec des matelas et des draps ! comme tout le monde ! Un lit ! il y a dix-neuf ans que je
90 n'ai couché dans un lit ! Vous voulez bien que je ne m'en aille pas ! Vous êtes de dignes gens ! D'ailleurs j'ai de l'argent. Je payerai bien. Pardon, monsieur l'aubergiste, comment vous appelez-vous ? Je payerai tout ce qu'on voudra. Vous êtes un brave homme. Vous êtes auber-
95 giste, n'est-ce pas ?

– Je suis, dit l'évêque, un prêtre qui demeure ici.

– Un prêtre ! reprit l'homme. Oh ! un brave homme de prêtre ! Alors vous ne me demandez pas d'argent ? Le curé, n'est-ce pas ? le curé de cette grande église ? Tiens !
100 c'est vrai, que je suis bête ! je n'avais pas vu votre calotte[1].

[*Tandis que la conversation se poursuit, madame Magloire, à la demande de l'évêque, honore le visiteur en plaçant sur la table deux chandeliers d'argent. Avec six couverts en argent eux aussi, ils constituent le seul luxe apprécié de Mgr Bienvenu.*]

Cependant, madame Magloire avait servi le souper. Une soupe faite avec de l'eau, de l'huile, du pain et du sel, un peu de lard, un morceau de viande de mouton, des
105 figues, un fromage frais, et un gros pain de seigle. Elle

---

1. *calotte* : très petit bonnet rond porté par les membres du clergé catholique.

avait d'elle-même ajouté à l'ordinaire de M. l'évêque une bouteille de vieux vin de Mauves[1].

Le visage de l'évêque prit tout à coup cette expression de gaîté propre aux natures hospitalières : – À table !
110 dit-il vivement. – Comme il en avait coutume lorsque quelque étranger soupait avec lui, il fit asseoir l'homme à sa droite. Mademoiselle Baptistine, parfaitement paisible et naturelle, prit place à sa gauche.

L'évêque dit le bénédicité[2], puis servit lui-même la
115 soupe, selon son habitude. L'homme se mit à manger avidement.

Tout à coup l'évêque dit : – Mais il me semble qu'il manque quelque chose sur cette table.

Madame Magloire en effet n'avait mis que les trois cou-
120 verts absolument nécessaires. Or c'était l'usage de la maison, quand M. l'évêque avait quelqu'un à souper, de disposer sur la nappe les six couverts d'argent, étalage innocent. Ce gracieux semblant de luxe était une sorte d'enfantillage plein de charme dans cette maison douce
125 et sévère qui élevait la pauvreté jusqu'à la dignité.

Madame Magloire comprit l'observation, sortit sans dire un mot, et un moment après les trois couverts réclamés par l'évêque brillaient sur la nappe, symétriquement arrangés devant chacun des trois convives.

[Pendant le dîner, l'évêque parle à Jean Valjean d'un travail possible à Pontarlier, sans lui demander, par délicatesse, de raconter son histoire.]

---

1. *vin de Mauves* : ce vin provient des côtes du Rhône, il est donc de qualité supérieure.
2. *le bénédicité* : la prière que l'on fait avant le repas.

5

TRANQUILLITÉ

Après avoir donné le bonsoir à sa sœur, monseigneur Bienvenu prit sur la table un des deux flambeaux d'argent, remit l'autre à son hôte, et lui dit :

– Monsieur, je vais vous conduire à votre chambre.

5 L'homme le suivit.

Comme on a pu le remarquer dans ce qui a été dit plus haut[1], le logis était distribué de telle sorte que, pour passer dans l'oratoire• où était l'alcôve• ou pour en sortir, il fallait traverser la chambre à coucher de l'évêque.

10 Au moment où ils traversaient cette chambre, madame Magloire serrait l'argenterie dans le placard qui était au chevet du lit. C'était le dernier soin qu'elle prenait chaque soir avant de s'aller coucher.

L'évêque installa son hôte dans l'alcôve. Un lit blanc et

15 frais y était dressé. L'homme posa le flambeau sur une petite table.

– Allons, dit l'évêque, faites une bonne nuit. Demain matin, avant de partir, vous boirez une tasse de lait de nos vaches, tout chaud.

20 – Merci, monsieur l'abbé, dit l'homme.

À peine eut-il prononcé ces paroles pleines de paix que, tout à coup et sans transition, il eut un mouvement étrange et qui eût glacé d'épouvante les deux saintes filles, si elles en eussent été témoins. Aujourd'hui même

25 il nous est difficile de nous rendre compte de ce qui le poussait en ce moment. Voulait-il donner un avertissement ou jeter une menace ? Obéissait-il simplement à une sorte d'impulsion instinctive et obscure pour lui-même ? Il se tourna brusquement vers le vieillard, croisa

30 les bras, et, fixant sur son hôte un regard sauvage, il s'écria d'une voix rauque :

– Ah çà ! décidément ! vous me logez chez vous, près de vous comme cela !

---

1. Passage supprimé dans cette édition.

Il s'interrompit et ajouta avec un rire où il y avait quel-
35 que chose de monstrueux :
— Avez-vous bien fait toutes vos réflexions ? Qui est-ce
qui vous dit que je n'ai pas assassiné ?
L'évêque répondit :
— Cela regarde le bon Dieu.
40 Puis, gravement et remuant les lèvres comme quelqu'un
qui prie ou qui se parle à lui-même, il dressa les deux
doigts de sa main droite et bénit l'homme qui ne se
courba pas, et, sans tourner la tête et sans regarder derrière lui, il rentra dans sa chambre.
45 Quand l'alcôve• était habitée, un grand rideau de serge•
tiré de part en part dans l'oratoire• cachait l'autel.
L'évêque s'agenouilla en passant devant ce rideau et fit
une courte prière.
Un moment après, il était dans son jardin, marchant,
50 rêvant, contemplant, l'âme et la pensée tout entières à
ces grandes choses mystérieuses que Dieu montre la nuit
aux yeux qui restent ouverts.
Quant à l'homme, il était vraiment si fatigué qu'il n'avait
même pas profité de ces bons draps blancs. Il avait souf-
55 flé sa bougie avec sa narine à la manière des forçats et
s'était laissé tomber tout habillé sur le lit, où il s'était
tout de suite profondément endormi.
Minuit sonnait comme l'évêque rentrait de son jardin
dans son appartement.
60 Quelques minutes après, tout dormait dans la petite
maison.

Compréhension

1. *Au chapitre 1, Napoléon est évoqué plusieurs fois : dans quels passages ? Jean Valjean fait le même trajet que lui, mais quelle différence constatez-vous quant à l'accueil qui lui est réservé ?*

• **« Un homme de sac et de corde »** (chap. 1 à 5)

2. *En quoi Jean Valjean est-il effrayant ? En quoi est-il pitoyable ?*

3. *Quelles définitions du mot « misérable » trouvez-vous dans le dictionnaire ? Conviennent-elles au personnage ?*

4. *Quelle disposition du code pénal est critiquée ici ? Pourquoi ?*

• **La société bien-pensante**

5. *Quels sont, devant le misérable, les sentiments respectifs de Jacquin Labarre, de madame Magloire et de la marquise de R. ?*

6. *Qu'est-ce qui atténue le mérite de la marquise ?*

7. *Que provoque chez Jean Valjean le rejet des habitants ? Citez le texte en montrant l'évolution de l'attitude du personnage.*

• **L'évêque**

8. *Dans le titre du chapitre 2, quelle est la différence de sens entre « prudence » et « sagesse » ? Qui est prudent ? Qui est sage ? Pourquoi ? En quoi ce titre est-il ironique ?*

9. *Justifiez le titre du chapitre 3 (expliquez et citez le texte).*

10. *Quels sentiments éprouve Jean Valjean pour son hôte ? Justifiez votre réponse par des passages précis.*

11. *Quels traits de la personnalité de l'évêque sont-ils ainsi mis en valeur ?*

Écriture

12. *De quel point de vue* est décrit Jean Valjean au début du chapitre 1 (l. 1 à 48) ? Quel est l'intérêt de ce point de vue ?*

13. *Deux questions se posent au lecteur au chapitre 1, lesquelles ? Quand ce suspense prend-il fin ?*

14. *Quelle question se pose à la fin du chapitre 5 ? Pourquoi plusieurs suites sont-elles possibles ?*

Mise en scène

15. *Qu'est-ce qui, dans l'attitude de Jean Valjean au chapitre 3, montre qu'il ne s'attend pas à être reçu ?*

Jean Valjean, dessin de Brion, Hetzel, 1865.
Gravure de Yon et Perrichon.

6

JEAN VALJEAN

Vers le milieu de la nuit, Jean Valjean se réveilla.

Jean Valjean était d'une pauvre famille de paysans de la Brie[1]. Dans son enfance, il n'avait pas appris à lire. Quand il eut l'âge d'homme, il était émondeur[2] à Fave-
5 rolles[3]. Sa mère s'appelait Jeanne Mathieu ; son père s'appelait Jean Valjean ou Vlajean, sobriquet probable-ment, et contraction de *Voilà Jean*.

Jean Valjean était d'un caractère pensif sans être triste, ce qui est le propre des natures affectueuses. Somme
10 toute, pourtant, c'était quelque chose d'assez endormi et d'assez insignifiant, en apparence du moins, que Jean Valjean. Il avait perdu en très bas âge son père et sa mère. Sa mère était morte d'une fièvre de lait[4] mal soi-gnée. Son père, émondeur comme lui, s'était tué en
15 tombant d'un arbre. Il n'était resté à Jean Valjean qu'une sœur plus âgée que lui, veuve, avec sept enfants, filles et garçons. Cette sœur avait élevé Jean Valjean, et tant qu'elle eut son mari elle logea et nourrit son jeune frère. Le mari mourut. L'aîné des sept enfants avait huit
20 ans, le dernier un an. Jean Valjean venait d'atteindre, lui, sa vingt-cinquième année. Il remplaça le père, et soutint à son tour sa sœur qui l'avait élevé. Cela se fit simplement, comme un devoir, même avec quelque chose de bourru de la part de Jean Valjean. Sa jeunesse
25 se dépensait ainsi dans un travail rude et mal payé. On ne lui avait jamais connu de « bonne amie » dans le pays. Il n'avait pas eu le temps d'être amoureux.

Le soir il rentrait fatigué et mangeait sa soupe, sans dire un mot. Sa sœur, mère Jeanne, pendant qu'il mangeait,
30 lui prenait souvent dans son écuelle le meilleur de son

---

1. *Brie* : région fertile, donc riche, du Bassin parisien.
2. *émondeur* : personne qui taille les arbres.
3. *Faverolles* : village de Seine-et-Marne.
4. *fièvre de lait* : fièvre faisant suite à un accouchement.

repas, le morceau de viande, la tranche de lard, le cœur
de chou, pour le donner à quelqu'un de ses enfants ; lui,
mangeant toujours, penché sur la table, presque la tête
dans sa soupe, ses longs cheveux tombant autour de son
35 écuelle et cachant ses yeux, avait l'air de ne rien voir et
laissait faire. Il y avait à Faverolles, pas loin de la chau-
mière Valjean, de l'autre côté de la ruelle, une fermière
appelée Marie-Claude ; les enfants Valjean, habituellement affamés, allaient quelquefois emprunter au nom de
40 leur mère une pinte[1] de lait à Marie-Claude, qu'ils
buvaient derrière une haie ou dans quelque coin d'allée,
s'arrachant le pot, et si hâtivement que les petites filles
s'en répandaient sur leur tablier et dans leur goulotte[2].
La mère, si elle eût su cette maraude[3], eût sévèrement
45 corrigé les délinquants. Jean Valjean, brusque et bou-
gon, payait en arrière de la mère la pinte de lait à Marie-
Claude, et les enfants n'étaient pas punis.
Il gagnait dans la saison de l'émondage dix-huit sous par
jour, puis il se louait comme moissonneur, comme
50 manœuvre, comme garçon de ferme bouvier[4], comme
homme de peine. Il faisait ce qu'il pouvait. Sa sœur travaillait de son côté, mais que faire avec sept petits
enfants ? C'était un triste groupe que la misère enveloppa et étreignit peu à peu. Il arriva qu'un hiver fut
55 rude. Jean n'eut pas d'ouvrage. La famille n'eut pas de
pain. Pas de pain. À la lettre. Sept enfants.
Un dimanche soir, Maubert Isabeau, boulanger sur la
place de l'église, à Faverolles, se disposait à se coucher,
lorsqu'il entendit un coup violent dans la devanture gril-
60 lée et vitrée de sa boutique. Il arriva à temps pour voir
un bras passé à travers un trou fait d'un coup de poing
dans la grille et dans la vitre. Le bras saisit un pain et
l'emporta. Isabeau sortit en hâte ; le voleur s'enfuyait à
toutes jambes ; Isabeau courut après lui et l'arrêta. Le

1. *pinte* : ancienne mesure représentant 0,93 litre.
2. *goulotte* : creux entre le cou et un vêtement qui bâille.
3. *cette maraude* : ce vol de nourriture.
4. *bouvier* : personne qui garde les bœufs.

65 voleur avait jeté le pain, mais il avait encore le bras
ensanglanté. C'était Jean Valjean.
Ceci se passait en 1795, Jean Valjean fut traduit devant
les tribunaux du temps «pour vol avec effraction la nuit
dans une maison habitée». Il avait un fusil dont il se
70 servait mieux que tireur au monde, il était quelque peu
braconnier; ce qui lui nuisit. Il y a contre les bra-
conniers un préjugé légitime. Le braconnier, de même
que le contrebandier, côtoie de fort près le brigand.
Pourtant, disons-le en passant, il y a encore un abîme
75 entre ces races d'hommes et le hideux assassin des
villes. Le braconnier vit dans la forêt; le contrebandier
vit dans la montagne ou sur la mer. Les villes font des
hommes féroces, parce qu'elles font des hommes cor-
rompus. La montagne, la mer, la forêt, font des hommes
80 sauvages. Elles développent le côté farouche, mais
souvent sans détruire le côté humain.
Jean Valjean fut déclaré coupable. Les termes du code[1]
étaient formels. Il y a dans notre civilisation des heures
redoutables; ce sont les moments où la pénalité pro-
85 nonce un naufrage. Quelle minute funèbre que celle où
la société s'éloigne et consomme l'irréparable abandon
d'un être pensant! Jean Valjean fut condamné à cinq
ans de galères•.

*[Jean Valjean tenta plusieurs fois de s'évader. Toujours
repris, il fut puni chaque fois d'un allongement de sa peine.
En tout, dix-neuf ans au bagne de Toulon. Indigné de l'injustice de son sort, il condamna à sa haine une société
incapable de supprimer la misère mais démesurément sévère
envers le misérable.]*

---

1. La loi de 1791 prévoyait jusqu'à huit années de fers pour un vol avec effraction,
peine augmentée de deux ans si le délit avait été commis dans une maison habitée,
de deux ans encore s'il avait été commis de nuit.

7

LE DEDANS DU DÉSESPOIR

[...]

Pour résumer, en terminant, ce qui peut être résumé et traduit en résultats positifs dans tout ce que nous venons d'indiquer, nous nous bornerons à constater qu'en dix-
5 neuf ans, Jean Valjean, l'inoffensif émondeur de Fave-rolles, le redoutable galérien* de Toulon, était devenu capable, grâce à la manière dont le bagne l'avait façonné, de deux espèces de mauvaises actions : pre-mièrement, d'une mauvaise action rapide, irréfléchie,
10 pleine d'étourdissement, toute d'instinct, sorte de représaille[1] pour le mal souffert ; deuxièmement, d'une mauvaise action grave, sérieuse, débattue en conscience et méditée avec les idées fausses que peut donner un pareil malheur. Ses préméditations passaient par les
15 trois phases successives que les natures d'une certaine trempe peuvent seules parcourir, raisonnement, volonté, obstination. Il avait pour mobiles l'indignation habi-tuelle, l'amertume de l'âme, le profond sentiment des iniquités[2] subies, la réaction, même contre les bons, les
20 innocents et les justes, s'il y en a. Le point de départ comme le point d'arrivée de toutes ses pensées était la haine de la loi humaine ; cette haine qui, si elle n'est arrêtée dans son développement par quelque incident providentiel, devient, dans un temps donné, la haine de
25 la société, puis la haine du genre humain, puis la haine de la création, et se traduit par un vague et incessant et brutal désir de nuire, n'importe à qui, à un être vivant quelconque. – Comme on voit, ce n'était pas sans raison que le passeport qualifiait Jean Valjean d'*homme très*
30 *dangereux*.

D'année en année, cette âme s'était desséchée de plus en plus, lentement, mais fatalement. À cœur sec, œil sec. À sa sortie du bagne, il y avait dix-neuf ans qu'il n'avait versé une larme.

---

1. *représaille* : vengeance.
2. *iniquités* : injustices.

Jean Valjean s'enfuyant de la demeure de Mgr Myriel,
dessin de Brion, gravure sur bois d'A.-F. Pannemaker.

Compréhension

1. *Qu'est-ce qui, dans l'histoire de Jean Valjean (chap. 6), contribue à faire de lui et de sa famille une illustration type de la misère ? À quel conte célèbre peuvent faire penser les sept enfants à nourrir ?*

• Jean Valjean « antihéros »

2. *Quels sont les qualités dominantes de Jean Valjean tel qu'il est présenté au chapitre 6 ? En quoi ressemble-t-il peu aux héros* habituels ?*

3. *Des qualités plus « héroïques » se révèlent après l'expérience du bagne : lesquelles ? Quel passage du chapitre 6 laissait sous-entendre que le personnage avait peut-être des capacités insoupçonnées ?*

• La condamnation de Jean Valjean

4. *L'inculpation de Jean Valjean (chap. 6, l. 67 à 69) et sa condamnation sont-elles légalement justes ? Quel passage, dans la suite du chapitre, exprime une critique ? Que déplore Hugo ?*

5. *Quels sentiments le bagne a-t-il développés chez Jean Valjean (chap. 7) ? Quelle qualité essentielle a-t-il perdue ?*

6. *La société a-t-elle tiré un profit de ses dix-neuf ans de captivité ?*

Écriture

7. *Au chapitre 6, quel point de vue* la première phrase semble-t-elle déterminer pour le récit ? En fait, aux lignes 6-7, qui parle ? Relevez d'autres passages où ce point de vue apparaît nettement.*

8. *De quel point de vue particulier est raconté le vol (l. 57 à 66) ?*

9. *En quoi ces deux focalisations* (questions 7. et 8.) présentent-elles Jean Valjean de deux manières différentes ?*

10. *« Les villes font des hommes féroces. [...] La montagne, la mer, la forêt, font des hommes sauvages » (chap. 6, l. 77 à 80) : quelle différence de sens voyez-vous entre les deux adjectifs ?*

11. *La « haine de la société, puis la haine du genre humain, puis la haine de la création » (chap. 7, l. 24 à 26) : en quoi est-ce une*

haine de plus en plus grave ? Comment s'appelle ce procédé de style ?

12. Quelle idée importante exprime l'adverbe «fatalement» à la fin du chapitre 7 (l. 32) ? Dans quel texte précédent était-elle déjà exprimée ?

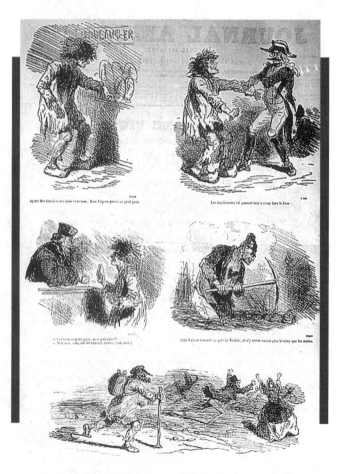

Caricature des Misérables parue dans le Journal amusant.

10

L'HOMME RÉVEILLÉ

[Cette nuit-là, à Digne, Jean Valjean ne parvient pas à se rendormir.]

Ces six couverts d'argent l'obsédaient. – Ils étaient là.
– À quelques pas. – À l'instant où il avait traversé la
chambre d'à côté pour venir dans celle où il était, la
vieille servante les mettait dans un petit placard à la tête
du lit. – Il avait bien remarqué ce placard. – À droite, en
entrant par la salle à manger. – Ils étaient massifs. – Et
de vieille argenterie. – Avec la grande cuiller, on en tire-
rait au moins deux cents francs. – Le double de ce qu'il
avait gagné en dix-neuf ans. – Il est vrai qu'il eût gagné
davantage si l'*administration* ne l'avait pas *volé*.
Son esprit oscilla toute une grande heure dans des fluc-
tuations auxquelles se mêlait bien quelque lutte. Trois
heures sonnèrent. Il rouvrit les yeux, se dressa brusquement sur son séant, étendit le bras et tâta son havresac[1]
qu'il avait jeté dans le coin de l'alcôve•, puis il laissa
pendre ses jambes et poser ses pieds à terre, et se
trouva, presque sans savoir comment, assis sur son lit.

[Il vole les couverts d'argent et s'enfuit.]

12

L'ÉVÊQUE TRAVAILLE

Le lendemain, au soleil levant, monseigneur Bienvenu se

---

1. *havresac* : sac porté sur le dos à l'aide de bretelles.

promenait dans son jardin. Madame Magloire accourut vers lui toute bouleversée.

– Monseigneur, monseigneur, cria-t-elle, votre grandeur
5   sait-elle où est le panier d'argenterie ?

– Oui, dit l'évêque.

– Jésus-Dieu soit béni ! reprit-elle. Je ne savais ce qu'il était devenu.

L'évêque venait de ramasser le panier dans une plate-
10 bande. Il le présenta à madame Magloire.

– Le voilà.

– Eh bien ? dit-elle. Rien dedans ? et l'argenterie ?

– Ah ! repartit l'évêque. C'est donc l'argenterie qui vous occupe ? Je ne sais où elle est.

15 – Grand bon Dieu ! elle est volée ! C'est l'homme d'hier soir qui l'a volée !

En un clin d'œil, avec toute sa vivacité de vieille alerte, madame Magloire courut à l'oratoire•, entra dans l'alcôve• et revint vers l'évêque. L'évêque venait de se bais-
20 ser et considérait en soupirant un plant de cochléaria[1] des Guillons que le panier avait brisé en tombant à travers la plate-bande. Il se redressa au cri de madame Magloire.

– Monseigneur, l'homme est parti ! l'argenterie est
25 volée !

Tout en poussant cette exclamation, ses yeux tombaient sur un angle du jardin où l'on voyait des traces d'escalade. Le chevron[2] du mur avait été arraché.

– Tenez ! c'est par là qu'il s'en est allé. Il a sauté dans la
30 ruelle Cochefilet ! Ah ! l'abomination ! Il nous a volé notre argenterie !

L'évêque resta un moment silencieux, puis leva son œil sérieux, et dit à madame Magloire avec douceur :

– Et d'abord, cette argenterie était-elle à nous ?

35 Madame Magloire resta interdite•. Il y eut encore un silence, puis l'évêque continua :

– Madame Magloire, je détenais à tort et depuis

---

1. *cochléaria* : plante (raifort) dont la racine est aromatique et médicinale.
2. *Le chevron* : La pièce de bois qui soutient (le mur).

longtemps cette argenterie. Elle était aux pauvres.
Qu'était-ce que cet homme ? Un pauvre évidemment.
40 – Hélas Jésus ! repartit madame Magloire. Ce n'est pas
pour moi ni pour mademoiselle. Cela nous est bien égal.
Mais c'est pour monseigneur. Dans quoi monseigneur
va-t-il manger maintenant ?
L'évêque la regarda d'un air étonné.
45 – Ah çà ! est-ce qu'il n'y a pas des couverts d'étain ?
Madame Magloire haussa les épaules.
– L'étain a une odeur.
– Alors, des couverts de fer.
Madame Magloire fit une grimace expressive.
50 – Le fer a un goût.
– Eh bien, dit l'évêque, des couverts de bois.
Quelques instants après, il déjeunait à cette même table
où Jean Valjean s'était assis la veille. Tout en déjeunant,
monseigneur Bienvenu faisait gaîment remarquer à sa
55 sœur qui ne disait rien et à madame Magloire qui grom-
melait sourdement qu'il n'est nullement besoin d'une
cuiller ni d'une fourchette, même en bois, pour tremper
un morceau de pain dans une tasse de lait.
– Aussi a-t-on idée ! disait madame Magloire toute seule
60 en allant et venant, recevoir un homme comme cela ! et
le loger à côté de soi ! et quel bonheur encore qu'il n'ait
fait que voler ! Ah mon Dieu ! cela fait frémir quand on
songe !
Comme le frère et la sœur allaient se lever de table, on
65 frappa à la porte.
– Entrez, dit l'évêque.
La porte s'ouvrit. Un groupe étrange et violent apparut
sur le seuil. Trois hommes en tenaient un quatrième au
collet•. Les trois hommes étaient des gendarmes ; l'autre
70 était Jean Valjean.
Un brigadier de gendarmerie, qui semblait conduire le
groupe, était près de la porte. Il entra et s'avança vers
l'évêque en faisant le salut militaire.
– Monseigneur... dit-il.
75 À ce mot, Jean Valjean, qui était morne et semblait
abattu, releva la tête d'un air stupéfait.
– Monseigneur ! murmura-t-il. Ce n'est donc pas le
curé...

– Silence, dit un gendarme. C'est monseigneur
80 l'évêque.

Cependant monseigneur Bienvenu s'était approché aussi vivement que son grand âge le lui permettait.

– Ah! vous voilà! s'écria-t-il en regardant Jean Valjean. Je suis aise[1] de vous voir. Eh bien, mais! je vous avais
85 donné les chandeliers aussi, qui sont en argent comme le reste et dont vous pourrez bien avoir deux cents francs. Pourquoi ne les avez-vous pas emportés avec vos couverts?

Jean Valjean ouvrit les yeux et regarda le vénérable•
90 évêque avec une expression qu'aucune langue humaine ne pourrait rendre.

– Monseigneur, dit le brigadier de gendarmerie, ce que cet homme disait était donc vrai? Nous l'avons rencontré. Il allait comme quelqu'un qui s'en va. Nous
95 l'avons arrêté pour voir. Il avait cette argenterie.

– Et il vous a dit, interrompit l'évêque en souriant, qu'elle lui avait été donnée par un vieux bonhomme de prêtre chez lequel il avait passé la nuit? Je vois la chose. Et vous l'avez ramené ici? C'est une méprise[2].

100 – Comme cela, reprit le brigadier, nous pouvons le laisser aller?

– Sans doute[3], répondit l'évêque.

Les gendarmes lâchèrent Jean Valjean qui recula.

– Est-ce que c'est vrai qu'on me laisse? dit-il d'une voix
105 presque inarticulée et comme s'il parlait dans le sommeil.

– Oui, on te laisse, tu n'entends donc pas? dit un gendarme.

– Mon ami, reprit l'évêque, avant de vous en aller, voici
110 vos chandeliers. Prenez-les.

Il alla à la cheminée, prit les deux flambeaux d'argent et les apporta à Jean Valjean. Les deux femmes le regardaient faire sans un mot, sans un geste, sans un regard qui pût déranger l'évêque.

---

1. *aise* : content.
2. *méprise* : erreur.
3. *Sans doute* : Sans aucun doute, certainement.

115 Jean Valjean tremblait de tous ses membres. Il prit les
deux chandeliers machinalement et d'un air égaré.
– Maintenant, dit l'évêque, allez en paix. – À propos,
quand vous reviendrez, mon ami, il est inutile de passer
par le jardin. Vous pourrez toujours entrer et sortir par la
120 porte de la rue. Elle n'est fermée qu'au loquet jour et
nuit.
Puis se tournant vers la gendarmerie :
– Messieurs, vous pouvez vous retirer.
Les gendarmes s'éloignèrent.
125 Jean Valjean était comme un homme qui va s'évanouir.
L'évêque s'approcha de lui, et lui dit à voix basse :
– N'oubliez pas, n'oubliez jamais que vous m'avez promis d'employer cet argent à devenir honnête homme.
Jean Valjean, qui n'avait aucun souvenir d'avoir rien
130 promis, resta interdit*. L'évêque avait appuyé sur ces
paroles en les prononçant. Il reprit avec solennité :
– Jean Valjean, mon frère, vous n'appartenez plus au
mal, mais au bien. C'est votre âme que je vous achète ; je
la retire aux pensées noires et à l'esprit de perdition[1] ; et
135 je la donne à Dieu.

[«Jean Valjean sortit de la ville comme s'il s'échappait.» *Tandis que son esprit, bouleversé par l'attitude de
l'évêque, se débat* «au milieu de tant d'obsessions inouïes
et nouvelles», *l'instinct brutal du bagnard lui fait voler
une pièce à Petit-Gervais, jeune Savoyard d'une dizaine
d'années : l'argent a roulé à terre et l'homme pose stupide-
ment le pied dessus. Quand son intelligence se réveille, il est
trop tard : l'enfant, effrayé, s'est enfui, et la pièce ne peut
être rendue.* «Alors son cœur creva et il se mit à pleurer.
C'était la première fois qu'il pleurait depuis dix-neuf
ans.»]

---

1. *perdition* : perte de son âme par le péché, la mauvaise conduite.

Compréhension

• **Le prêtre**

1. *Au début du chapitre 12, Mgr Myriel s'est-il déjà aperçu du vol? Semble-t-il contrarié? Justifiez vos réponses par des passages précis du texte.*

2. *Pour quelles raisons particulières l'évêque aurait-il pu en vouloir à son voleur (cf., entre autres, résumé p. 30)?*

3. *Quelle vertu chrétienne l'évêque met-il en œuvre? Se soucie-t-il de justice? Quel but poursuit-il? Justifiez vos réponses.*

4. *En quoi Mgr Myriel «rachète»-t-il l'âme de Jean Valjean, au sens propre et au sens religieux?*

5. *En quoi l'évêque croit-il à la force de la parole (l. 127 à 135)?*

6. *Pourquoi Jean Valjean est-il totalement dominé?*

• **Le pécheur**

7. *Quelle est la réaction immédiate de Jean Valjean au pardon de l'évêque? Et dans les heures qui suivent (épisode de Petit-Gervais)? Pourquoi?*

8. *Pourquoi seul un acte de pardon pouvait-il rompre le cours fatal de la chute de Jean Valjean?*

Écriture / Réécriture

9. *Justifiez le titre du chapitre 12.*

10. *Quel personnage exprime les réactions courantes après un vol? Quelles expressions lui donne un aspect comique? Quelle est son utilité romanesque aux côtés de Mgr Myriel? Quels autres «seconds rôles» remplissant la même fonction connaissez-vous en littérature ou au cinéma?*

11. *Comment comprenez-vous la phrase: «quand vous reviendrez, [...] il est inutile de passer par le jardin» (l. 118-119)? Écoutez la chanson de Georges Brassens* Stances à un cambrioleur, *et trouvez un passage exprimant la même idée.*

12. *Mgr Myriel fait relâcher un voleur: quelles critiques pourrait-on lui adresser? Comment le défendriez-vous? Présentez ces arguments dans un devoir rédigé et organisé.*

Mise en scène

13. *La scène célèbre du pardon de l'évêque se retrouve dans toutes les adaptations cinématographiques du roman : comparez la scène dans les films de Raymond Bernard, Jean-Paul Le Chanois et Glenn Jordan (cf. Filmographie, p. 352). Laquelle vous semble la plus fidèle à Hugo (idées, psychologie des personnages, atmosphère, dialogues, action...) ?*

Mgr Myriel donne ses chandeliers à Jean Valjean,
dessin de Brion, gravure de Yon et Perrichon.

[À Paris, en l'année 1817, nous découvrons la gaie et charmante Fantine, jeune orpheline pauvre native de Montreuil-sur-Mer, dans le Pas-de-Calais, venue naguère dans la capitale «chercher fortune» :

«Fantine était belle et resta pure le plus longtemps qu'elle put. C'était une jolie blonde avec de belles dents. Elle avait de l'or et des perles pour dot, mais son or était sur sa tête et ses perles étaient dans sa bouche.

Elle travailla pour vivre ; puis, toujours pour vivre, car le cœur a sa faim aussi, elle aima.

Elle aima Tholomyès.

Amourette pour lui, passion pour elle.»

Cette année-là, le jeune bourgeois l'abandonne, avec leur petite fille de deux ans, Cosette. La misère guette. Gaieté et coquetterie s'envolent, la mère réserve rubans et dentelles à sa fille, «seule vanité qui lui restât, et sainte celle-là». Pourtant, quand elle décide de retourner dans sa ville natale, elle sait qu'une mère célibataire y trouvera difficilement du travail. Aussi se résout-elle à confier sa fille à un couple d'aubergistes, les Thénardier, dont les enfants lui semblent bien soignés. En fait, ce sont des gens brutaux qui ne s'intéressent qu'à l'argent de la pension, et Cosette, l'étrangère, deviendra bientôt le souffre-douleur de la maison. Mais Fantine croit avoir agi pour le mieux lorsqu'elle s'éloigne, en pleurant, sur la route de Montreuil-sur-Mer.]

LIVRE CINQUIÈME

La descente

1

HISTOIRE D'UN PROGRÈS
DANS LES VERROTERIES NOIRES

[...]

Fantine avait quitté sa province depuis une dizaine d'années. Montreuil-sur-Mer avait changé d'aspect. Tandis
que Fantine descendait lentement de misère en misère,
sa ville natale avait prospéré.

Depuis deux ans environ, il s'y était accompli un de ces
faits industriels qui sont les grands événements des
petits pays.

Ce détail importe, et nous croyons utile de le développer ; nous dirions presque, de le souligner.

De temps immémorial[1], Montreuil-sur-Mer avait pour
industrie spéciale l'imitation des jais[2] anglais et des verroteries noires d'Allemagne. Cette industrie avait toujours végété[3], à cause de la cherté des matières premières qui réagissait sur la main-d'œuvre. Au moment
où Fantine revint à Montreuil-sur-Mer, une transformation inouïe s'était opérée dans cette production des
« articles noirs ». Vers la fin de 1815, un homme, un
inconnu, était venu s'établir dans la ville et avait eu
l'idée de substituer, dans cette fabrication, la gomme-
laque[4] à la résine et, pour les bracelets en particulier, les

---

1. *immémorial* : si ancien qu'on ne se rappelle plus l'origine.
2. *jais* : pierre noire ; on fabrique des bijoux en vrai et en faux jais.
3. *avait toujours végété* : s'était depuis toujours peu développée.
4. *gomme-laque* : substance végétale comme la résine, mais moins chère.

coulants en tôle simplement rapprochée aux coulants en tôle soudée. Ce tout petit changement avait été une révolution.

25 Ce tout petit changement en effet avait prodigieusement réduit le prix de la matière première, ce qui avait permis, premièrement, d'élever le prix de la main-d'œuvre, bienfait pour le pays, deuxièmement d'améliorer la fabrication, avantage pour le consommateur, troisième-

30 ment de vendre à meilleur marché tout en triplant le bénéfice, profit pour le manufacturier.

Ainsi pour une idée trois résultats.

En moins de trois ans, l'auteur de ce procédé était devenu riche, ce qui est bien, et avait tout fait riche

35 autour de lui, ce qui est mieux. Il était étranger au département. De son origine, on ne savait rien ; de ses commencements, peu de chose.

On contait qu'il était venu dans la ville avec fort peu d'argent, quelques centaines de francs tout au plus.

40 C'est de ce mince capital, mis au service d'une idée ingénieuse, fécondé par l'ordre et par la pensée, qu'il avait tiré sa fortune et la fortune de tout ce pays.

À son arrivée à Montreuil-sur-Mer, il n'avait que les vêtements, la tournure et le langage d'un ouvrier.

45 Il paraît que, le jour même où il faisait obscurément son entrée dans la petite ville de Montreuil-sur-Mer, à la tombée d'un soir de décembre, le sac au dos et le bâton d'épine[1] à la main, un gros incendie venait d'éclater à la maison commune[2]. Cet homme s'était jeté dans le feu,

50 et avait sauvé, au péril de sa vie, deux enfants qui se trouvaient être ceux du capitaine de gendarmerie ; ce qui fait qu'on n'avait pas songé à lui demander son passeport. Depuis lors, on avait su son nom. Il s'appelait *le père Madeleine*.

---

1. *épine* : bois provenant d'un arbre épineux.
2. *maison commune* : mairie.

2

MADELEINE

[Le père Madeleine se montre généreux envers la ville et les pauvres, mais refuse la mairie et la légion d'honneur. Il mène une vie retirée.]

Quand on l'avait vu gagner de l'argent, on avait dit : c'est un marchand. Quand on l'avait vu semer son argent, on avait dit : c'est un ambitieux. Quand on l'avait vu repousser les honneurs on avait dit : c'est un
5 aventurier. Quand on le vit repousser le monde, on dit : c'est une brute.
En 1820, cinq ans après son arrivée à Montreuil-sur-Mer, les services qu'il avait rendus au pays étaient si éclatants, le vœu de la contrée fut tellement unanime,
10 que le roi le nomma de nouveau maire de la ville. Il refusa encore, mais le préfet résista à son refus, tous les notables[1] vinrent le prier, le peuple en pleine rue le suppliait, l'insistance fut si vive qu'il finit par accepter. On remarqua que ce qui parut surtout le déterminer, ce
15 fut l'apostrophe• presque irritée d'une vieille femme du peuple qui lui cria du seuil de sa porte avec humeur : *Un bon maire, c'est utile. Est-ce qu'on recule devant du bien qu'on peut faire ?*
Ce fut là la troisième phase de son ascension. Le père
20 Madeleine était devenu monsieur Madeleine, monsieur Madeleine devint monsieur le maire.

---

1. *notables* : gens importants par leur fonction, leur titre ou leur fortune.

5

VAGUES ÉCLAIRS À L'HORIZON

[...]
Souvent, quand M. Madeleine passait dans une rue, calme, affectueux, entouré des bénédictions de tous, il arrivait qu'un homme de haute taille vêtu d'une redin-
5 gote gris de fer, armé d'une grosse canne et coiffé d'un chapeau rabattu, se retournait brusquement derrière lui, et le suivait des yeux jusqu'à ce qu'il eût disparu, croisant les bras, secouant lentement la tête, et haussant sa lèvre supérieure avec sa lèvre inférieure jusqu'à son nez,
10 sorte de grimace significative qui pourrait se traduire par : – Mais qu'est-ce que c'est que cet homme-là ? – Pour sûr je l'ai vu quelque part. – En tout cas, je ne suis toujours pas sa dupe[1].
Ce personnage, grave d'une gravité presque menaçante,
15 était de ceux qui, même rapidement entrevus, préoccupent l'observateur.
Il se nommait Javert, et il était de la police.
Il remplissait à Montreuil-sur-Mer les fonctions pénibles, mais utiles, d'inspecteur. Il n'avait pas vu les
20 commencements de Madeleine. Javert devait le poste qu'il occupait à la protection de M. Chabouillet, le secrétaire du ministre d'État comte Anglès, alors préfet de police à Paris. Quand Javert était arrivé à Montreuil-sur-Mer, la fortune du grand manufacturier● était déjà faite,
25 et le père Madeleine était devenu monsieur Madeleine.
[...]
Javert était né dans une prison d'une tireuse de cartes dont le mari était aux galères●. En grandissant, il pensa qu'il était en dehors de la société et désespéra d'y ren-
30 trer jamais. Il remarqua que la société maintient irrémissiblement[2] en dehors d'elle deux classes d'hommes,

---

1. *dupe* : personne que l'on trompe.
2. *irrémissiblement* : de manière définitive, sans jamais leur pardonner.

ceux qui l'attaquent et ceux qui la gardent; il n'avait le choix qu'entre ces deux classes; en même temps il se sentait je ne sais quel fond de rigidité, de régularité et

35 de probité[1], compliqué d'une inexprimable haine pour cette race de bohèmes[2] dont il était. Il entra dans la police. Il y réussit. À quarante ans il était inspecteur. Il avait dans sa jeunesse été employé dans les chiourmes• du Midi[3].

40 Avant d'aller plus loin, entendons-nous sur ce mot face humaine[4] que nous appliquions tout à l'heure à Javert. La face humaine de Javert consistait en un nez camard•, avec deux profondes narines vers lesquelles montaient sur ses deux joues d'énormes favoris[5]. On se sentait mal

45 à l'aise la première fois qu'on voyait ces deux forêts et ces deux cavernes. Quand Javert riait, ce qui était rare et terrible, ses lèvres minces s'écartaient, et laissaient voir, non seulement ses dents, mais ses gencives, et il se faisait autour de son nez un plissement épaté et sauvage

50 comme sur un mufle de bête fauve. Javert sérieux était un dogue; lorsqu'il riait, c'était un tigre. Du reste, peu de crâne, beaucoup de mâchoire, les cheveux cachant le front et tombant sur les sourcils, entre les deux yeux un froncement central permanent comme une étoile de

55 colère, le regard obscur, la bouche pincée et redoutable, l'air du commandement féroce.

Cet homme était composé de deux sentiments très simples et relativement très bons, mais qu'il faisait presque mauvais à force de les exagérer, le respect de

60 l'autorité, la haine de la rébellion; et à ses yeux le vol, le meurtre, tous les crimes, n'étaient que des formes de la rébellion. Il enveloppait dans une sorte de foi aveugle et profonde tout ce qui a une fonction dans l'État, depuis le premier ministre jusqu'au garde champêtre. Il couvrait

---

1. *probité* : très grande honnêteté.
2. *bohèmes* : personnes marginales, sans travail vraiment reconnu par la société.
3. *chiourmes du Midi* : au bagne de Toulon; il a donc pu y voir Jean Valjean.
4. *face humaine* : Hugo, pour caractériser son personnage, a écrit plus haut que Javert était comme un chien fils de louve avec une face humaine.
5. *favoris* : touffes de barbe de chaque côté du visage.

65 de mépris, d'aversion et de dégoût tout ce qui avait franchi une fois le seuil légal du mal. Il était absolu et n'admettait pas d'exceptions. D'une part il disait : – Le fonctionnaire ne peut se tromper ; le magistrat n'a jamais tort. – D'autre part il disait : – Ceux-ci sont irré-
70 médiablement perdus. Rien de bon n'en peut sortir. – Il partageait pleinement l'opinion de ces esprits extrêmes qui attribuent à la loi humaine je ne sais quel pouvoir de faire ou, si l'on veut, de constater des démons, et qui mettent un Styx[1] au bas de la société. Il était stoïque•,
75 sérieux, austère• ; rêveur triste ; humble et hautain comme les fanatiques. Son regard était une vrille[2], cela était froid et cela perçait. Toute sa vie tenait dans ces deux mots : veiller et surveiller. Il avait introduit la ligne droite dans ce qu'il y a de plus tortueux au monde ; il
80 avait la conscience de son utilité, la religion de ses fonc-tions, et il était espion comme on est prêtre. Malheur à qui tombait sous sa main ! Il eût arrêté son père s'éva-dant du bagne et dénoncé sa mère en rupture de ban•. Et il l'eût fait avec cette sorte de satisfaction intérieure
85 que donne la vertu. Avec cela une vie de privations, l'isolement, l'abnégation•, la chasteté•, jamais une dis-traction. C'était le devoir implacable. [...]

[Javert ne cesse d'épier M. Madeleine, d'autant plus que, pour sauver la vie à un vieil homme, le père Fauchelevent écrasé sous une charrette, monsieur le maire a accompli un exploit dont un seul homme, selon Javert, était capable : un forçat du bagne de Toulon.

Fantine trouve du travail dans les usines de M. Made-leine.]

---

1. *Styx* : fleuve qui, selon la mythologie grecque, marquait la frontière entre le monde des vivants et les Enfers, royaume souterrain des morts (et lieu de punition des « méchants » pour les chrétiens) ; Javert croit qu'il existe une frontière nette entre les honnêtes gens et ceux des « bas-fonds ».
2. *vrille* : mèche servant à faire de petits trous dans le bois.

8

MADAME VICTURNIEN DÉPENSE
TRENTE-CINQ FRANCS[1]
POUR LA MORALE

Quand Fantine vit qu'elle vivait, elle eut un moment de
joie. Vivre honnêtement de son travail, quelle grâce du
ciel! Le goût du travail lui revint vraiment. Elle acheta
un miroir, se réjouit d'y regarder sa jeunesse, ses beaux
5   cheveux et ses belles dents, oublia beaucoup de choses,
ne songea plus qu'à sa Cosette et à l'avenir possible, et
fut presque heureuse. Elle loua une petite chambre et la
meubla à crédit sur son travail futur; reste de ses habitudes de désordre.
10 Ne pouvant pas dire qu'elle était mariée, elle s'était bien
gardée, comme nous l'avons déjà fait entrevoir, de parler de sa petite fille.
En ces commencements, on l'a vu, elle payait exactement les Thénardier. Comme elle ne savait que signer,
15 elle était obligée de leur écrire par un écrivain
public.
Elle écrivait souvent. Cela fut remarqué. On commença
à dire tout bas dans l'atelier des femmes que Fantine
«écrivait des lettres» et qu'«elle avait des allures[2]».
20 [...]
On constata qu'elle écrivait, au moins deux fois par
mois, toujours à la même adresse, et qu'elle affran-
chissait la lettre. On parvint à se procurer l'adresse :
Monsieur, Monsieur Thénardier, aubergiste, à Montfer-
25 *meil*[3]. On fit jaser• au cabaret• l'écrivain public, vieux
bonhomme qui ne pouvait pas emplir son estomac de
vin rouge sans vider sa poche aux secrets. Bref, on sut

---

1. Le salaire moyen d'un ouvrier était d'environ 2 francs (soit 40 sous) par jour ;
une famille pouvait vivre pauvrement, sans économies, avec 3,50 francs ; un pain de
4 livres pouvait coûter jusqu'à 12 sous, et même 19 sous certaines années.
2. *elle avait des allures* : elle avait des comportements bizarres, suspects.
3. Montfermeil : ville proche de Paris.

que Fantine avait un enfant. « Ce devait être une espèce
de fille. » Il se trouva une commère qui fit le voyage de
30 Montfermeil, parla aux Thénardier, et dit à son retour :
Pour mes trente-cinq francs, j'en ai eu le cœur net. J'ai
vu l'enfant !
[...]
Tout cela prit du temps. Fantine était depuis plus d'un
35 an à la fabrique, lorsqu'un matin la surveillante de l'atelier lui remit, de la part de M. le maire, cinquante francs,
en lui disant qu'elle ne faisait plus partie de l'atelier et
en l'engageant, de la part de M. le maire, à quitter le
pays.
40 C'était précisément dans ce même mois que les Thénardier, après avoir demandé douze francs au lieu de six,
venaient d'exiger quinze francs au lieu de douze.
Fantine fut atterrée. Elle ne pouvait s'en aller du pays,
elle devait son loyer et ses meubles. Cinquante francs ne
45 suffisaient pas pour acquitter cette dette. Elle balbutia
quelques mots suppliants. La surveillante lui signifia
qu'elle eût à sortir sur-le-champ de l'atelier. Fantine
n'était du reste qu'une ouvrière médiocre. Accablée de
honte plus encore que de désespoir, elle quitta l'atelier
50 et rentra dans sa chambre. Sa faute était donc maintenant connue de tous !
Elle ne se sentit plus la force de dire un mot. On
lui conseilla de voir M. le maire ; elle n'osa pas. M. le
maire lui donnait cinquante francs, parce qu'il était bon,
55 et la chassait, parce qu'il était juste. Elle plia sous cet
arrêt•.

9

SUCCÈS DE MADAME VICTURNIEN

*[En fait la surveillante a pris seule cette décision, sans
consulter M. Madeleine. Fantine ne trouve à s'employer
qu'à des travaux de couture mal rémunérés. La pension de
Cosette lui mange tout ce maigre salaire.]*

Fantine apprit comment on se passe tout à fait de feu en
hiver, comment on renonce à un oiseau qui vous mange
un liard• de millet[1] tous les deux jours, comment on fait
de son jupon sa couverture et de sa couverture son
5 jupon, comment on ménage sa chandelle en prenant
son repas à la lumière de la fenêtre d'en face. On ne sait
pas tout ce que certains êtres faibles, qui ont vieilli dans
le dénuement et l'honnêteté, savent tirer d'un sou. Cela
finit par être un talent. Fantine acquit ce sublime talent
10 et reprit un peu de courage.
À cette époque, elle disait à une voisine : – Bah ! je me
dis : en ne dormant que cinq heures et en travaillant
tout le reste à mes coutures, je parviendrai bien toujours
à gagner à peu près du pain. Et puis, quand on est triste,
15 on mange moins. Eh bien ! des souffrances, des inquié-
tudes, un peu de pain d'un côté, des chagrins de l'autre,
tout cela me nourrira.
Dans cette détresse, avoir sa petite fille eût été un
étrange bonheur. Elle songea à la faire venir. Mais quoi !
20 lui faire partager son dénuement ! Et puis, elle devait aux
Thénardier ! comment s'acquitter ? Et le voyage ! comment le payer ?
[...]
L'excès du travail fatiguait Fantine, et la petite toux
25 sèche qu'elle avait augmenta. Elle disait quelquefois à sa
voisine : – Tâtez donc comme mes mains sont chaudes.
Cependant le matin, quand elle peignait avec un vieux
peigne cassé ses beaux cheveux qui ruisselaient comme
de la soie floche[2], elle avait une minute de coquetterie
30 heureuse.

---

1. *millet* : plante aux graines très appréciées des oiseaux.
2. *soie floche* : soie légèrement tordue en fils, encore floconneuse.

10

SUITE DU SUCCÈS

[...]

Fantine gagnait trop peu. Ses dettes avaient grossi. Les Thénardier, mal payés, lui écrivaient à chaque instant des lettres dont le contenu la désolait et dont le port[1] la 5 ruinait. Un jour ils lui écrivirent que sa petite Cosette était toute nue par le froid qu'il faisait, qu'elle avait besoin d'une jupe de laine, et qu'il fallait au moins que la mère envoyât dix francs pour cela. Elle reçut la lettre, et la froissa dans ses mains tout le jour. Le soir elle entra 10 chez un barbier qui habitait le coin de la rue, et défit son peigne. Ses admirables cheveux blonds lui tombèrent jusqu'aux reins.

– Les beaux cheveux! s'écria le barbier.

– Combien m'en donneriez-vous? dit-elle.

15 – Dix francs.

– Coupez-les.

Elle acheta une jupe de tricot et l'envoya aux Thénardier.

Cette jupe fit les Thénardier furieux. C'était de l'argent 20 qu'ils voulaient. Ils donnèrent la jupe à Éponine[2]. La pauvre Alouette[3] continua de frisonner.

Fantine pensa : – Mon enfant n'a plus froid. Je l'ai habillée de mes cheveux. – Elle mettait de petits bonnets ronds qui cachaient sa tête tondue et avec lesquels 25 elle était encore jolie.

Un travail ténébreux se faisait dans le cœur de Fantine. Quand elle vit qu'elle ne pouvait plus se coiffer, elle commença à tout prendre en haine autour d'elle. Elle avait longtemps partagé la vénération• de tous pour le 30 père Madeleine ; cependant, à force de se répéter que

---

1. *port* : prix de l'acheminement ; avant 1849, date d'émission du premier timbre-poste, le port était payé par le destinataire.
2. *Éponine* : fille aînée des Thénardier.
3. *Alouette* : surnom que les gens du pays donnent à Cosette.

c'était lui qui l'avait chassée, et qu'il était la cause de son malheur, elle en vint à le haïr lui aussi, lui surtout. Quand elle passait devant la fabrique aux heures où les ouvriers sont sur la porte, elle affectait[1] de rire et de 35 chanter.

Une vieille ouvrière qui la vit une fois chanter et rire de cette façon dit : – Voilà une fille qui finira mal.

Elle prit un amant, le premier venu, un homme qu'elle n'aimait pas, par bravade, avec la rage dans le cœur. 40 C'était un misérable, une espèce de musicien mendiant, un oisif* gueux*, qui la battait, et qui la quitta comme elle l'avait pris, avec dégoût.

Elle adorait son enfant.

Plus elle descendait, plus tout devenait sombre autour 45 d'elle, plus ce doux petit ange rayonnait dans le fond de son âme. Elle disait : Quand je serai riche, j'aurai ma Cosette avec moi ; et elle riait. La toux ne la quittait pas, et elle avait des sueurs dans le dos.

Un jour elle reçut des Thénardier une lettre ainsi 50 conçue : «Cosette est malade d'une maladie qui est dans le pays. Une fièvre miliaire*, qu'ils appellent. Il faut des drogues[2] chères. Cela nous ruine et nous ne pouvons plus payer. Si vous ne nous envoyez pas quarante francs avant huit jours, la petite est morte.»

55 Elle se mit à rire aux éclats, et elle dit à sa vieille voisine : – Ah ! ils sont bons ! quarante francs ! que ça ! ça fait deux napoléons ! Où veulent-ils que je les prenne ? Sont-ils bêtes, ces paysans !

Cependant elle alla dans l'escalier près d'une lucarne et 60 relut la lettre.

Puis elle descendit l'escalier et sortit en courant et en sautant, riant toujours.

Quelqu'un qui la rencontra lui dit : – Qu'est-ce que vous avez donc à être si gaie ?

65 Elle répondit : – C'est une bonne bêtise que viennent de

---

1. *affectait* : manifestait des sentiments qu'elle n'éprouvait pas réellement.
2. *drogues* : médicaments.

m'écrire des gens de la campagne. Ils me demandent quarante francs. Paysans, va !

Comme elle passait sur la place, elle vit beaucoup de monde qui entourait une voiture de forme bizarre, sur
70 l'impériale[1] de laquelle pérorait tout debout un homme vêtu de rouge. C'était un bateleur• dentiste en tournée, qui offrait au public des râteliers[2] complets, des opiats[3], des poudres et des élixirs[4].

Fantine se mêla au groupe et se mit à rire comme les
75 autres de cette harangue[5] où il y avait de l'argot pour la canaille et du jargon[6] pour les gens comme il faut. L'arracheur de dents vit cette belle fille qui riait, et s'écria tout à coup : – Vous avez de jolies dents, la fille qui riez là. Si vous voulez me vendre vos deux palettes,
80 je vous donne de chaque un napoléon d'or.

– Qu'est-ce que c'est que ça, mes palettes ? demanda Fantine.

– Les palettes, reprit le professeur dentiste, c'est les dents de devant, les deux d'en haut.
85 – Quelle horreur ! s'écria Fantine.

[Scandalisée par cette proposition, Fantine, rentrée chez elle, discute avec sa voisine de la gravité de la fièvre miliaire• : « Est-ce qu'on en meurt ? – Très bien », répond la vieille Marguerite.]

Le soir elle descendit, et on la vit qui se dirigeait du côté de la rue de Paris où sont les auberges.

Le lendemain matin, comme Marguerite entrait dans la chambre de Fantine avant le jour, car elles travaillaient
90 toujours ensemble et de cette façon n'allumaient qu'une chandelle pour deux, elle trouva Fantine assise sur son lit, pâle, glacée. Elle ne s'était pas couchée. Son bonnet

---

1. *impériale* : étage supérieur d'un véhicule.
2. *râteliers* : dentiers.
3. *opiats* : pâtes molles pharmaceutiques, en particulier pour nettoyer les dents.
4. *élixirs* : médicaments liquides alcoolisés.
5. *cette harangue* : ce discours solennel.
6. *jargon* : langage très technique et compliqué.

était tombé sur ses genoux. La chandelle avait brûlé
toute la nuit et était presque entièrement consumée.
95 Marguerite s'arrêta sur le seuil, pétrifiée de cet énorme
désordre, et s'écria :
– Seigneur! la chandelle qui est toute brûlée! il s'est
passé des événements!
Puis elle regarda Fantine qui tournait vers elle sa tête
100 sans cheveux.
Fantine depuis la veille avait vieilli de dix ans.
– Jésus! fit Marguerite, qu'est-ce que vous avez, Fantine ?
– Je n'ai rien, répondit Fantine. Au contraire. Mon
enfant ne mourra pas de cette affreuse maladie, faute de
105 secours. Je suis contente.
En parlant ainsi, elle montrait à la vieille fille deux
napoléons qui brillaient sur la table.
– Ah, Jésus-Dieu! dit Marguerite. Mais c'est une fortune! Où avez-vous eu ces louis d'or ?
110 – Je les ai eus, répondit Fantine.
En même temps elle sourit. La chandelle éclairait son
visage. C'était un sourire sanglant. Une salive rougeâtre
lui souillait le coin des lèvres, et elle avait un trou noir
dans la bouche.
115 Les deux dents étaient arrachées.
Elle envoya les quarante francs à Montfermeil.
Du reste c'était une ruse des Thénardier pour avoir de
l'argent. Cosette n'était pas malade.

*[Fantine perd toute coquetterie, sort avec des vêtements
sales et rapiécés. Sa toux s'aggrave.]*

Vers le même temps, le Thénardier lui écrivit que déci-
120 dément il avait attendu avec beaucoup trop de bonté, et
qu'il lui fallait cent francs, tout de suite ; sinon qu'il met-
trait à la porte la petite Cosette, toute convalescente de
sa grande maladie, par le froid, par les chemins, et
qu'elle deviendrait ce qu'elle pourrait, et qu'elle crève-
125 rait, si elle voulait. – Cent francs, songea Fantine. Mais
où y a-t-il un état à gagner cent sous par jour ?
– Allons! dit-elle, vendons le reste.
L'infortunée se fit fille publique•.
[...]

Questions

Compréhension

• L'industriel

1. *De quelles qualités M. Madeleine a-t-il fait preuve pour mener à bien ses affaires ?*

2. *Ce personnage est-il sympathique ? Pourquoi ?*

3. *Est-il responsable des malheurs de Fantine ? Pourquoi ?*

• L'ouvrière

4. *Quelles sont les étapes successives de la «descente» de Fantine ? Mettez en évidence la progression.*

5. *Quelles sont les causes de cette «descente» ? Qui est surtout responsable : elle-même ? les autres ? l'organisation sociale ? Justifiez votre réponse.*

6. *Quel jugement vous semble porter Hugo sur les rapports entre l'industrie et la condition ouvrière ? En quoi ce jugement est-il complexe* ?*

• Le policier

7. *En quoi Javert est-il inquiétant (chap. 5) ? Présentez votre réponse de manière ordonnée.*

8. *En tant que policier, quelles sont, selon vous, ses qualités ? ses défauts ?*

9. *Expliquez la phrase : «Il avait introduit la ligne droite dans ce qu'il y a de plus tortueux au monde» (l. 78-79).*

Écriture

• Le suspense

10. *En quoi M. Madeleine est-il un personnage mystérieux ?*

11. *Qui peut-il être ? D'après quels indices ?*

• Le pathétique*

12. *En quoi Fantine est-elle pitoyable ? En quoi est-elle admirable ?*

13. *Dans quel passage dépasse-t-on le pathétique* pour l'horreur ?*

Mise en images

14. En quoi le dessin Miseria *(ci-dessous)*, que Hugo envisageait pour le frontispice* des Misérables, *pourrait-il illustrer le personnage de Fantine ?*

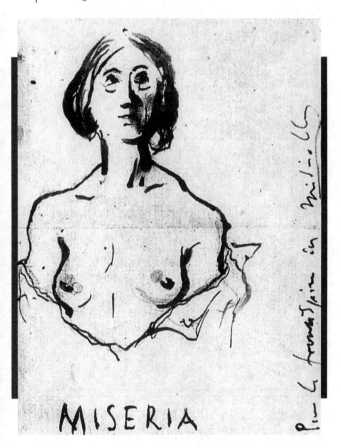

Dessin de Victor Hugo pour le frontispice des Misérables.

12

LE DÉSŒUVREMENT DE M. BAMATABOIS

[...]

Huit ou dix mois donc après ce qui a été raconté dans les pages précédentes, vers les premiers jours de janvier 1823, un soir qu'il avait neigé, un de ces élégants[1],
5   un de ces désœuvrés, un « bien pensant », car il avait un morillo[2], de plus chaudement enveloppé d'un de ces grands manteaux qui complétaient dans les temps froids le costume à la mode, se divertissait à harceler une créature qui rôdait en robe de bal et toute décolletée avec
10   des fleurs sur la tête devant la vitre du café des officiers. Cet élégant fumait, car c'était décidément la mode.

Chaque fois que cette femme passait devant lui, il lui jetait, avec une bouffée de la fumée de son cigare, quelque apostrophe• qu'il croyait spirituelle et gaie, comme :
15   – Que tu es laide ! – Veux-tu te cacher ! – Tu n'as pas de dents ! etc., etc. – Ce monsieur s'appelait monsieur Bamatabois. La femme, triste spectre paré qui allait et venait sur la neige, ne lui répondait pas, ne le regardait même pas, et n'en accomplissait pas moins en silence et
20   avec une régularité sombre sa promenade qui la ramenait de cinq minutes en cinq minutes sous le sarcasme, comme le soldat condamné qui revient sous les verges[3]. Ce peu d'effet piqua sans doute l'oisif• qui, profitant d'un moment où elle se retournait, s'avança derrière elle
25   à pas de loup et en étouffant son rire, se baissa, prit sur le pavé une poignée de neige et la lui plongea brusquement dans le dos entre ses deux épaules nues. La fille poussa un rugissement, se tourna, bondit comme une panthère, et se rua sur l'homme, lui enfonçant ses

---

1. *élégants* : jeunes gens à la mode présentés au début du chapitre (passage supprimé dans cette édition).
2. *morillo* : chapeau à petits bords par lequel les royalistes affichaient leurs opinions politiques.
3. *verges* : baguettes de bois servant à frapper, pour punir.

30 ongles dans le visage, avec les plus effroyables paroles
qui puissent tomber du corps de garde dans le ruisseau[1].
Ces injures, vomies d'une voix enrouée par l'eau-de-vie,
sortaient hideusement d'une bouche à laquelle man-
quaient en effet les deux dents de devant. C'était la Fan-
35 tine.
Au bruit que cela fit, les officiers sortirent en foule du
café, les passants s'amassèrent, et il se forma un grand
cercle riant, huant et applaudissant, autour de ce tourbillon composé de deux êtres où l'on avait peine à
40 reconnaître un homme et une femme, l'homme se
débattant, son chapeau à terre, la femme frappant des
pieds et des poings, décoiffée, hurlant, sans dents et
sans cheveux, livide de colère, horrible.
Tout à coup un homme de haute taille sortit vivement de
45 la foule, saisit la femme à son corsage de satin couvert
de boue, et lui dit : Suis-moi !
La femme leva la tête ; sa voix furieuse s'éteignit subitement. Ses yeux étaient vitreux, de livide elle était devenue pâle, et elle tremblait d'un tremblement de terreur.
50 Elle avait reconnu Javert.
L'élégant avait profité de l'incident pour s'esquiver.

13

SOLUTION DE QUELQUES QUESTIONS
DE POLICE MUNICIPALE

[Fantine est conduite au bureau de police.]

En entrant, la Fantine alla tomber dans un coin, immobile et muette, accroupie comme une chienne qui a
peur.
Le sergent du poste apporta une chandelle allumée sur

---

1. *du corps de garde dans le ruisseau* : le corps de garde symbolise la grossièreté du
langage et le ruisseau (synonyme de « caniveau »), la vulgarité des filles des rues.

5   une table. Javert s'assit, tira de sa poche une feuille de
papier timbré et se mit à écrire.

Ces classes de femmes sont entièrement remises par nos
lois à la discrétion de la police. Elle en fait ce qu'elle
veut, les punit comme bon lui semble, et confisque à son
10   gré ces deux tristes choses qu'elles appellent leur industrie[1] et leur liberté. Javert était impassible ; son visage
sérieux ne trahissait aucune émotion. Pourtant il était
gravement et profondément préoccupé. C'était un de
ces moments où il exerçait sans contrôle, mais avec tous
15   les scrupules d'une conscience sévère, son redoutable
pouvoir discrétionnaire[2]. En cet instant, il le sentait, son
escabeau d'agent de police était un tribunal. Il jugeait. Il
jugeait et il condamnait. Il appelait tout ce qu'il pouvait
avoir d'idées dans l'esprit autour de la grande chose
20   qu'il faisait. Plus il examinait le fait de cette fille, plus il
se sentait révolté. Il était évident qu'il venait de voir
commettre un crime. Il venait de voir, là dans la rue, la
société, représentée par un propriétaire-électeur[3], insul-
tée et attaquée par une créature en dehors de tout. Une
25   prostituée avait attenté à un bourgeois. Il avait vu cela,
lui Javert. Il écrivait en silence.

Quand il eut fini, il signa, plia le papier et dit au sergent
du poste, en le lui remettant : – Prenez trois hommes, et
menez cette fille au bloc. – Puis se tournant vers la Fan-
30   tine : – Tu en as pour six mois.

La malheureuse tressaillit.

– Six mois ! six mois de prison ! cria-t-elle. Six mois à
gagner sept sous par jour ! Mais que deviendra Cosette ?
ma fille ! ma fille ! Mais je dois encore plus de cent francs
35   aux Thénardier, monsieur l'inspecteur, savez-vous cela ?
Elle se traîna sur la dalle mouillée par les bottes
boueuses de tous ces hommes, sans se lever, joignant les
mains, faisant de grands pas avec ses genoux.

---

1. *industrie* : travail (ici, la prostitution).
2. *pouvoir discrétionnaire* : pouvoir, pour un agent de l'État, de prendre librement
certaines décisions, dans le cadre de ses fonctions.
3. *propriétaire-électeur* : à l'époque, il fallait posséder une certaine fortune pour
pouvoir voter (suffrage censitaire).

– Monsieur Javert, dit-elle, je vous demande grâce. Je
40 vous assure que je n'ai pas eu tort. Si vous aviez vu le
commencement, vous auriez vu! [...] Monsieur Javert,
mon bon monsieur l'inspecteur! est-ce qu'il n'y a personne là qui ait vu pour vous dire que c'est bien vrai?
J'ai peut-être eu tort de me fâcher. Vous savez, dans le
45 premier moment, on n'est pas maître. On a des vivaci-
tés. Et puis, quelque chose de si froid qu'on vous met
dans le dos à l'heure que vous ne vous y attendez pas.
J'ai eu tort d'abîmer le chapeau de ce monsieur. Pourquoi s'est-il en allé? je lui demanderais pardon. Oh!
50 mon Dieu, cela me serait bien égal de lui demander pardon. Faites-moi grâce pour aujourd'hui cette fois, monsieur Javert. Tenez, vous ne savez pas ça, dans les pri-
sons on ne gagne que sept sous, ce n'est pas la faute du
gouvernement, mais on gagne sept sous, et figurez-vous
55 que j'ai cent francs à payer, ou autrement on me
renverra ma petite. Ô mon Dieu! je ne peux pas l'avoir
avec moi. C'est si vilain ce que je fais! Ô ma Cosette,
ô mon petit ange de la bonne sainte vierge, qu'est-ce
qu'elle deviendra, pauvre loup!
60 [...]
– Allons! dit Javert! je t'ai écoutée. As-tu bien tout dit?
Marche à présent! Tu as tes six mois; le Père éternel en
personne n'y pourrait plus rien.
À cette solennelle parole, *le Père éternel en personne n'y*
65 *pourrait plus rien,* elle comprit que l'arrêt* était prononcé. Elle s'affaissa sur elle-même en murmurant :
– Grâce!
Javert tourna le dos.
Les soldats la saisirent par le bras.
70 Depuis quelques minutes, un homme était entré sans
qu'on eût pris garde à lui. Il avait refermé la porte, s'y
était adossé, et avait entendu les prières désespérées de
la Fantine.
Au moment où les soldats mirent la main sur la mal-
75 heureuse, qui ne voulait pas se lever, il fit un pas, sortit
de l'ombre, et dit :
– Un instant, s'il vous plaît!
Javert leva les yeux et reconnut M. Madeleine. Il ôta son
chapeau, et saluant avec une sorte de gaucherie fâchée :

80 – Pardon, monsieur le maire...
Ce mot, monsieur le maire, fit sur la Fantine un effet
étrange. Elle se dressa debout tout d'une pièce comme
un spectre qui sort de terre, repoussa les soldats des
deux bras, marcha droit à M. Madeleine avant qu'on eût
85 pu la retenir, et le regardant fixement, l'air égaré, elle
cria :
– Ah ! c'est donc toi qui es monsieur le maire !
Puis elle éclata de rire et lui cracha au visage.
M. Madeleine s'essuya le visage, et dit :
90 – Inspecteur Javert, mettez cette femme en liberté.
Javert se sentit au moment de devenir fou. Il éprouvait
en cet instant, coup sur coup, et presque mêlées
ensemble, les plus violentes émotions qu'il eût ressen-
ties de sa vie. Voir une fille publique cracher au visage
95 d'un maire, cela était une chose si monstrueuse que,
dans ses suppositions les plus effroyables, il eût regardé
comme un sacrilège de le croire possible. D'un autre
côté, dans le fond de sa pensée, il faisait confusément un
rapprochement hideux entre ce qu'était cette femme et
100 ce que pouvait être ce maire, et alors il entrevoyait avec
horreur je ne sais quoi de tout simple dans ce prodigieux
attentat. Mais quand il vit ce maire, ce magistrat•, s'es-
suyer tranquillement le visage et dire : *mettez cette femme
en liberté,* il eut comme un éblouissement de stupeur.
105 [...]
– Monsieur le maire, cela ne se peut pas.
– Comment ? dit M. Madeleine.
– Cette malheureuse a insulté un bourgeois.
– Inspecteur Javert, repartit M. Madeleine avec un
110 accent conciliant et calme, écoutez. Vous êtes un honnête homme, et je ne fais nulle difficulté de m'expliquer
avec vous. Voici le vrai. Je passais sur la place comme
vous emmeniez cette femme, il y avait encore des
groupes, je me suis informé, j'ai tout su, c'est le bour-
115 geois qui a eu tort et qui, en bonne police, eût dû être
arrêté.
Javert reprit :
– Cette misérable vient d'insulter monsieur le maire.
– Ceci me regarde, dit M. Madeleine. Mon injure est à
120 moi peut-être. J'en puis faire ce que je veux.

– Je demande pardon à monsieur le maire. Son injure n'est pas à lui, elle est à la justice.

– Inspecteur Javert, répliqua M. Madeleine, la première justice, c'est la conscience. J'ai entendu cette femme. Je
125 sais ce que je fais.

– Et moi, monsieur le maire, je ne sais pas ce que je vois.

– Alors contentez-vous d'obéir.

– J'obéis à mon devoir. Mon devoir veut que cette
130 femme fasse six mois de prison.

M. Madeleine répondit avec douceur.

– Écoutez bien ceci. Elle n'en fera pas un jour.

À cette parole décisive, Javert osa regarder le maire fixement, et lui dit, mais avec un son de voix toujours pro-
135 fondément respectueux :

– Je suis au désespoir de résister à monsieur le maire, c'est la première fois de ma vie, mais il daignera me permettre de lui faire observer que je suis dans la limite de mes attributions. Je reste, puisque monsieur le maire
140 le veut, dans le fait du bourgeois. J'étais là. C'est cette fille qui s'est jetée sur monsieur Bamatabois, qui est électeur et propriétaire de cette belle maison à balcon qui fait le coin de l'esplanade, à trois étages et toute en pierre de taille. Enfin, il y a des choses dans ce monde !
145 Quoi qu'il en soit, monsieur le maire, cela, c'est un fait de police de la rue qui me regarde, et je retiens la femme Fantine.

Alors M. Madeleine croisa les bras et dit avec une voix sévère que personne dans la ville n'avait encore enten-
150 due :

– Le fait dont vous parlez est un fait de police munici-pale. Aux termes des articles neuf, onze, quinze et soixante-six du code d'instruction criminelle, j'en suis juge. J'ordonne que cette femme soit mise en liberté.
155 Javert voulut tenter un dernier effort.

– Mais, monsieur le maire...

– Je vous rappelle, à vous, l'article quatre-vingt-un de la loi du 13 décembre 1799 sur la détention arbitraire.

– Monsieur le maire, permettez...
160 – Plus un mot.

– Pourtant...

– Sortez, dit M. Madeleine.
Javert reçut le coup, debout, de face, et en pleine poitrine comme un soldat russe. Il salua jusqu'à terre mon-
165 sieur le maire, et sortit.

[*M. Madeleine, informé de la situation de Fantine, la
prend en charge et lui promet de faire venir sa fille. Épuisée
par la tuberculose et les émotions, la jeune femme doit être
transportée à l'infirmerie.*

*Alors qu'il s'apprête à aller chercher Cosette à Mont-
fermeil, M. Madeleine reçoit la visite de Javert. Double révélation : le policier, à de multiples indices, a cru découvrir
que le maire n'était autre que Jean Valjean, ex-forçat en
rupture de ban• et coupable de vol sur un petit Savoyard ; il
l'a donc dénoncé à la préfecture. Mais il vient maintenant
s'excuser de son erreur et réclamer sa destitution au magistrat auquel il a porté atteinte : le «vrai» Jean Valjean vient
en effet d'être arrêté ; il se fait appeler Champmathieu ;
emprisonné pour un simple vol de pommes, il a été formellement reconnu par trois de ses codétenus de Toulon ; il
risque les galères• à perpétuité ; le jugement sera rendu
demain, à Arras.*]

Michel Bouquet (Javert), Evelyne Bouix (Fantine) et Lino Ventura (Jean Valjean)
dans le film de Robert Hossein, 1982.

Questions

Compréhension

• La « déchéance de la femme »

1. Qu'est-ce qui rend M. Bamatabois particulièrement odieux ?

2. Au début du chapitre 13, Fantine semble-t-elle pouvoir être jugée équitablement ? Pourquoi ? Citez le texte.

3. Que fait Fantine pour tenter d'échapper à la prison ? Quel jugement portez-vous sur ce comportement ?

4. Quelle est la portée symbolique* de cette phrase : « Elle se traîna sur la dalle mouillée par les bottes boueuses de tous ces hommes » (l. 36-37) ?

• Javert

5. Javert, tout au long de la scène (chap. 13), est-il de bonne foi ou cherche-t-il à défendre ses intérêts ? Justifiez votre réponse.

6. Pourquoi, selon vous, croit-il de son devoir de défendre un riche propriétaire comme M. Bamatabois ?

7. Reste-t-il respectueux envers M. Madeleine ? Dans son portrait fait au chapitre 5, qu'est-ce qui justifie cette attitude et explique son bouleversement aux lignes 91 à 104 (chap. 13) ?

8. Face à M. Madeleine, est-il ridiculisé ? Justifiez votre réponse.

• M. Madeleine

9. Pourquoi Fantine crache-t-elle au visage de M. Madeleine ? De quelles qualités celui-ci fait-il preuve à ce moment ?

10. Quelles autres qualités manifeste-t-il dans cette scène ?

Écriture / Réécriture

11. En quoi M. Madeleine joue-t-il ici le rôle du héros* traditionnel des récits d'aventures ? Comment appelle-t-on ce type d'événement inattendu qui bouleverse le déroulement de l'action ?

12. Quels rapports peut-on établir entre la scène au poste de police et la suite des événements, résumée à la fin du chapitre ?

13. Imaginez, à notre époque, une scène où une injustice est sur le point d'être commise en raison de préjugés. Comme dans le texte de Hugo, vous alternerez récit et dialogues et vous ménagerez un dénouement heureux, provoqué par une intervention inattendue.

73

LIVRE SEPTIÈME

L'affaire Champmathieu

3

UNE TEMPÊTE SOUS UN CRÂNE

[« Le lecteur a sans doute deviné que M. Madeleine n'est autre que Jean Valjean. » Rentré chez lui après les révélations de Javert sur l'affaire Champmathieu, il est en proie à un terrible cas de conscience.]

Il dîna avec assez d'appétit.

Rentré dans sa chambre il se recueillit.

Il examina la situation et la trouva inouïe ; tellement inouïe qu'au milieu de sa rêverie, par je ne sais quelle
5   impulsion d'anxiété presque inexplicable, il se leva de sa chaise et ferma sa porte au verrou. Il craignait qu'il n'entrât encore quelque chose. Il se barricadait contre le possible.

Un moment après il souffla sa lumière. Elle le gênait.
10   Il lui semblait qu'on pouvait le voir.

Qui, on ?

Hélas ! ce qu'il voulait mettre à la porte était entré ; ce qu'il voulait aveugler, le regardait. Sa conscience.

Sa conscience, c'est-à-dire Dieu.
15   [...]

Tout cela était si violent et si étrange qu'il se fit soudain en lui cette espèce de mouvement indescriptible qu'aucun homme n'éprouve plus de deux ou trois fois dans sa vie, sorte de convulsion de la conscience qui remue tout
20   ce que le cœur a de douteux, qui se compose d'ironie, de joie et de désespoir, et qu'on pourrait appeler un éclat de rire intérieur.

Il ralluma brusquement sa bougie.

74

– Eh bien quoi! se dit-il, de quoi est-ce que j'ai peur?
25 qu'est-ce que j'ai à songer comme cela? Me voilà sauvé.
Tout est fini. Je n'avais plus qu'une porte entrouverte
par laquelle mon passé pouvait faire irruption dans ma
vie; cette porte, la voilà murée! à jamais! Ce Javert qui
me trouble depuis si longtemps, ce redoutable instinct
30 qui semblait m'avoir deviné, qui m'avait deviné, pardieu! et qui me suivait partout, cet affreux chien de
chasse toujours en arrêt sur moi, le voilà dérouté, occupé
ailleurs, absolument dépisté[1]? Il est satisfait désormais,
il me laissera tranquille, il tient son Jean Valjean! [...]
35 Après tout, s'il y a du mal pour quelqu'un, ce n'est
aucunement de ma faute. C'est la providence• qui a tout
fait. C'est qu'elle veut cela apparemment! Ai-je le droit
de déranger ce qu'elle arrange? Qu'est-ce que je
demande à présent? De quoi est-ce que je vais me
40 mêler? Cela ne me regarde pas. Comment! je ne suis
pas content! Mais qu'est-ce qu'il me faut donc? Le but
auquel j'aspire depuis tant d'années, le songe de mes
nuits, l'objet de mes prières au ciel, la sécurité, je
l'atteins? C'est Dieu qui le veut. Je n'ai rien à faire
45 contre la volonté de Dieu. Et pourquoi Dieu le veut-il?
Pour que je continue ce que j'ai commencé, pour que je
fasse le bien, pour que je sois un jour un grand et encou-
rageant exemple, pour qu'il soit dit qu'il y a eu enfin un
peu de bonheur attaché à cette pénitence[2] que j'ai subie
50 et à cette vertu où je suis revenu! Vraiment je ne
comprends pas pourquoi j'ai eu peur tantôt d'entrer
chez ce brave curé et de tout lui raconter comme à un
confesseur[3], et de lui demander conseil, c'est évidemment là ce qu'il m'aurait dit. C'est décidé, laissons aller
55 les choses! laissons faire le bon Dieu!
Il se parlait ainsi dans les profondeurs de sa conscience,
penché sur ce qu'on pourrait appeler son propre abîme.
Il se leva de sa chaise, et se mit à marcher dans la

1. *dépisté* : détourné de la bonne piste.
2. *pénitence* : peine subie pour expier ses fautes.
3. *confesseur* : prêtre à qui l'on avoue ses fautes pour être conseillé et pardonné.

chambre. – Allons, dit-il, n'y pensons plus. Voilà une
60 résolution prise! – Mais il ne se sentit aucune joie.
Au contraire.

On n'empêche pas plus la pensée de revenir à une idée
que la mer de revenir à un rivage. Pour le matelot, cela
s'appelle la marée; pour le coupable, cela s'appelle le
65 remords. Dieu soulève l'âme comme l'océan.
[...]
Il continua de se questionner. Il se demanda sévèrement
ce qu'il avait entendu par ceci : « Mon but est atteint! » Il
se déclara que sa vie avait un but en effet. Mais quel but?
70 cacher son nom? tromper la police? Était-ce pour une
chose si petite qu'il avait fait tout ce qu'il avait fait?
Est-ce qu'il n'avait pas un autre but, qui était le grand,
qui était le vrai? Sauver, non sa personne, mais son âme.
Redevenir honnête et bon. Être un juste! est-ce que ce
75 n'était pas là surtout, là uniquement, ce qu'il avait toujours voulu, ce que l'évêque lui avait ordonné?
[...]
Il se détourna de toute illusion, se détacha de plus en
plus de la terre et chercha la consolation et la force
80 ailleurs. Il se dit qu'il fallait faire son devoir; que peut-
être même ne serait-il pas plus malheureux après avoir
fait son devoir qu'après l'avoir éludé[1], que s'il *laissait
faire*, s'il restait à Montreuil-sur-Mer, sa considération,
sa bonne renommée, ses bonnes œuvres, la déférence[2],
85 la vénération•, sa charité, sa richesse, sa popularité, sa
vertu seraient assaisonnées d'un crime; et quel goût
auraient toutes ces choses saintes liées à cette chose
hideuse! tandis que, s'il accomplissait son sacrifice,
au bagne, au poteau[3], au carcan•, au bonnet vert[4], au
90 travail sans relâche, à la honte sans pitié, il se mêlerait
une idée céleste!
[...]
Il y eut un moment où il considéra l'avenir. Se dénoncer,

---

1. *l'avoir éludé* : s'y être soustrait, l'avoir fui.
2. *déférence* : considération respectueuse pour quelqu'un de supérieur.
3. *poteau* : poteau de supplice.
4. *bonnet vert* : bonnet des condamnés à perpétuité.

grand Dieu! se livrer! Il envisagea avec un immense
95 désespoir tout ce qu'il faudrait quitter, tout ce qu'il faudrait reprendre. Il faudrait donc dire adieu à cette existence si bonne, si pure, si radieuse, à ce respect de tous,
à l'honneur, à la liberté! Il n'irait plus se promener dans
les champs, il n'entendrait plus chanter les oiseaux au
100 mois de mai, il ne ferait plus l'aumône aux petits
enfants! Il ne sentirait plus la douceur des regards de
reconnaissance et d'amour fixés sur lui! Il quitterait
cette maison qu'il avait bâtie, cette petite chambre! Tout
lui paraissait charmant à cette heure. Il ne lirait plus
105 dans ces livres, il n'écrirait plus sur cette petite table de
bois blanc. Sa vieille portière•, la seule servante qu'il
eût, ne lui monterait plus son café le matin. Grand Dieu!
au lieu de cela, la chiourme•, le carcan•, la veste rouge[1],
la chaîne au pied, la fatigue, le cachot, le lit de camp,
110 toutes ces horreurs connues!
[...]
Hélas! toutes ses irrésolutions l'avaient repris. Il n'était
pas plus avancé qu'au commencement.
Ainsi se débattait sous l'angoisse cette malheureuse âme.
115 Dix-huit cents ans avant cet homme infortuné, l'être
mystérieux[2], en qui se résument toutes les saintetés et
toutes les souffrances de l'humanité, avait aussi lui, pendant que les oliviers frémissaient au vent farouche de
l'infini, longtemps écarté de la main l'effrayant calice•
120 qui lui apparaissait ruisselant d'ombre et débordant de
ténèbres dans des profondeurs pleines d'étoiles.

*[Encore incertain sur la conduite à tenir, Jean Valjean se
rend à Arras. En tant que maire honorablement connu, il
obtient une entrée de faveur dans la salle d'audience.]*

---

1. *la veste rouge* : le vêtement, reconnaissable de loin, des bagnards de Toulon.
2. *l'être mystérieux* : Jésus-Christ, qui, dans la nuit précédant son arrestation, avait
prié sur le mont des Oliviers pour que Dieu lui épargnât le supplice.

9

UN LIEU OÙ DES CONVICTIONS SONT
EN TRAIN DE SE FORMER

Il fit un pas, referma machinalement la porte derrière lui, et resta debout, considérant ce qu'il voyait.

C'était une assez vaste enceinte à peine éclairée, tantôt pleine de rumeur, tantôt pleine de silence, où tout
5 l'appareil[1] d'un procès criminel se développait avec sa gravité mesquine et lugubre au milieu de la foule.

À un bout de la salle, celui où il se trouvait, des juges à l'air distrait, en robe usée, se rongeant les ongles ou fermant les paupières ; à l'autre bout, une foule en hail-
10 lons ; des avocats dans toutes sortes d'attitudes ; des soldats au visage honnête et dur ; de vieilles boiseries tachées, un plafond sale, des tables couvertes d'une serge• plutôt jaune que verte, des portes noircies par les mains ; à des clous plantés dans le lambris[2], des quin-
15 quets d'estaminet[3] donnant plus de fumée que de clarté ; sur les tables, des chandelles dans des chandeliers de cuivre ; l'obscurité, la laideur, la tristesse ; et de tout cela se dégageait une impression austère• et auguste•, car on y sentait cette grande chose humaine qu'on appelle la loi
20 et cette grande chose divine qu'on appelle la justice.

Personne dans cette foule ne fit attention à lui. Tous les regards convergeaient vers un point unique, un banc de bois adossé à une petite porte, le long de la muraille, à gauche du président. Sur ce banc, que plusieurs chan-
25 delles éclairaient, il y avait un homme entre deux gendarmes.

Cet homme, c'était l'homme[4].

Il ne le chercha pas, il le vit. Ses yeux allèrent là

---

1. *appareil* : organisation imposante.
2. *lambris* : revêtement de mur.
3. *quinquets d'estaminet* : lampes à huile ou à pétrole utilisées dans les cafés.
4. *c'était l'homme* : Ponce Pilate présenta ainsi le Christ à la foule après son arrestation : « *Ecce homo* » (« Voici l'homme »).

naturellement, comme s'ils avaient su d'avance où était
30 cette figure.
Il crut se voir lui-même, vieilli, non pas sans doute absolument semblable de visage, mais tout pareil d'attitude
et d'aspect, avec ces cheveux hérissés, avec cette prunelle fauve et inquiète, avec cette blouse, tel qu'il était le
35 jour où il entrait à Digne, plein de haine et cachant dans
son âme ce hideux trésor de pensées affreuses qu'il avait
mis dix-neuf ans à ramasser sur le pavé du bagne.
Il se dit avec un frémissement : – Mon Dieu! est-ce que
je redeviendrai ainsi ?
40 Cet être paraissait au moins soixante ans. Il avait je ne
sais quoi de rude, de stupide et d'effarouché.
Au bruit de la porte, on s'était rangé pour lui faire place,
le président avait tourné la tête, et comprenant que le
personnage qui venait d'entrer était M. le maire de
45 Montreuil-sur-Mer, il l'avait salué. L'avocat général, qui
avait vu M. Madeleine à Montreuil-sur-Mer où des opé-
rations de son ministère l'avaient plus d'une fois appelé,
le reconnut, et salua également. Lui s'en aperçut à
peine. Il était en proie à une sorte d'hallucination ; il
50 regardait.
Des juges, un greffier*, des gendarmes, une foule de
têtes cruellement curieuses, il avait déjà vu cela une fois,
il y avait vingt-sept ans. Ces choses funestes, il les
retrouvait ; elles étaient là, elles remuaient, elles exis-
55 taient. Ce n'était plus un effort de sa mémoire, un
mirage de sa pensée, c'étaient de vrais gendarmes et de
vrais juges, une vraie foule et de vrais hommes en chair
et en os. C'en était fait, il voyait reparaître et revivre
autour de lui, avec tout ce que la réalité a de formidable,
60 les aspects monstrueux de son passé. [...]

10

LE SYSTÈME DES DÉNÉGATIONS

[Champmathieu est un pauvre homme qui ne comprend rien à ce qui lui arrive. Reconnu formellement par les trois forçats Brevet, Chenildieu et Cochepaille, il est perdu.]

– Huissiers•, dit le président, faites faire silence. Je vais clore les débats.

En ce moment un mouvement se fit tout à côté du président. On entendit une voix qui criait :

5 – Brevet, Chenildieu, Cochepaille ! regardez de ce côté-ci.

Tous ceux qui entendirent cette voix se sentirent glacés, tant elle était lamentable et terrible. Les yeux se tournèrent vers le point d'où elle venait. Un homme, placé 10 parmi les spectateurs privilégiés qui étaient assis derrière la cour, venait de se lever, avait poussé la porte à hauteur d'appui qui séparait le tribunal du prétoire[1], et était debout au milieu de la salle. Le président, l'avocat général•, M. Bamatabois[2], vingt personnes, le 15 reconnurent, et s'écrièrent à la fois :

– Monsieur Madeleine !

11

CHAMPMATHIEU DE PLUS EN PLUS ÉTONNÉ

C'était lui en effet. La lampe du greffier• éclairait son visage. Il tenait son chapeau à la main, il n'y avait aucun désordre dans ses vêtements, sa redingote était bouton-

---

1. *prétoire* : salle d'audience, où se déroule le procès.
2. M. Bamatabois est l'un des jurés.

née avec soin. Il était très pâle et il tremblait légèrement.
5   Ses cheveux, gris encore au moment de son arrivée à
Arras, étaient maintenant tout à fait blancs. Ils avaient
blanchi depuis une heure qu'il était là.
Toutes les têtes se dressèrent. La sensation fut indescriptible. Il y eut dans l'auditoire un instant d'hésitation. La
10 voix avait été si poignante, l'homme qui était là paraissait si calme, qu'au premier abord on ne comprit pas.
On se demanda qui avait crié. On ne pouvait croire que
ce fût cet homme tranquille qui eût jeté ce cri effrayant.
Cette indécision ne dura que quelques secondes. Avant
15 même que le président et l'avocat général• eussent pu
dire un mot, avant que les gendarmes et les huissiers•
eussent pu faire un geste, l'homme que tous appelaient
encore en ce moment M. Madeleine s'était avancé vers
les témoins Cochepaille, Brevet et Chenildieu.
20 – Vous ne me reconnaissez pas ? dit-il.
Tous trois demeurèrent interdits• et indiquèrent par un
signe de tête qu'ils ne le connaissaient point. Cochepaille
intimidé fit le salut militaire. M. Madeleine se tourna vers
les jurés et vers la cour et dit d'une voix douce :
25 – Messieurs les jurés, faites relâcher l'accusé. Monsieur
le président, faites-moi arrêter. L'homme que vous cherchez, ce n'est pas lui, c'est moi. Je suis Jean Valjean.
[...]
Il se tourna vers les trois forçats :
30 – Eh bien, je vous reconnais, moi ! Brevet ! vous rappe-
lez-vous ?...
Il s'interrompit, hésita un moment, et dit :
– Te rappelles-tu ces bretelles en tricot à damier que tu
avais au bagne ?
35 Brevet eut comme une secousse de surprise et le regarda
de la tête aux pieds d'un air effrayé. Lui continua :
– Chenildieu, qui te surnommais toi-même Je-nie-Dieu,
tu as toute l'épaule droite brûlée profondément, parce
que tu t'es couché un jour l'épaule sur un réchaud plein
40 de braise, pour effacer les trois lettres T.F.P.[1], qu'on y
voit toujours cependant. Réponds, est-ce vrai ?

---

1. *T.F.P.* : travaux forcés à perpétuité.

– C'est vrai, dit Chenildieu.

Il s'adressa à Cochepaille :

– Cochepaille, tu as près de la saignée du bras gauche
45 une date gravée en lettres bleues avec de la poudre brûlée. Cette date, c'est celle du débarquement de l'empereur à Cannes, *1er mars 1815*. Relève ta manche.

Cochepaille releva sa manche, tous les regards se pen-
chèrent autour de lui sur son bras nu. Un gendarme
50 approcha une lampe ; la date y était.

Le malheureux homme se tourna vers l'auditoire et vers
les juges avec un sourire dont ceux qui l'ont vu sont
encore navrés lorsqu'ils y songent. C'était le sourire du
triomphe, c'était aussi le sourire du désespoir.
55 [...]

Il était évident qu'on avait sous les yeux Jean Valjean.
Cela rayonnait. L'apparition de cet homme avait suffi
pour remplir de clarté cette aventure si obscure le
moment d'auparavant. Sans qu'il fût besoin d'aucune
60 explication désormais, toute cette foule, comme par une
sorte de révélation électrique, comprit tout de suite et
d'un seul coup d'œil cette simple et magnifique histoire
d'un homme qui se livrait pour qu'un autre homme ne
fût pas condamné à sa place. Les détails, les hésitations,
65 les petites résistances possibles se perdirent dans ce
vaste fait lumineux.

Impression qui passa vite, mais qui dans l'instant fut
irrésistible.

– Je ne veux pas déranger davantage l'audience, reprit
70 Jean Valjean. Je m'en vais, puisqu'on ne m'arrête pas.
J'ai plusieurs choses à faire. Monsieur l'avocat général
sait qui je suis, il sait où je vais, il me fera arrêter quand
il voudra.

Il se dirigea vers la porte de sortie. Pas une voix ne
75 s'éleva, pas un bras ne s'étendit pour l'empêcher. Tous
s'écartèrent. Il avait en ce moment ce je ne sais quoi de
divin qui fait que les multitudes reculent et se rangent
devant un homme. Il traversa la foule à pas lents. On n'a
jamais su qui ouvrit la porte, mais il est certain que la
80 porte se trouva ouverte lorsqu'il y parvint. Arrivé là, il se
retourna et dit :

– Monsieur l'avocat général, je reste à votre disposition.

Puis il s'adressa à l'auditoire :

– Vous tous, tous ceux qui sont ici, vous me trouvez
85 digne de pitié, n'est-ce pas ? Mon Dieu ! quand je pense
à ce que j'ai été sur le point de faire, je me trouve digne
d'envie. Cependant j'aurais mieux aimé que tout ceci
n'arrivât pas.

Il sortit, et la porte se referma comme elle avait été
90 ouverte, car ceux qui font de certaines choses souve-
raines sont toujours sûrs d'être servis par quelqu'un dans
la foule.

Moins d'une heure après, le verdict du jury déchargeait
de toute accusation le nommé Champmathieu ; et
95 Champmathieu, mis en liberté immédiatement, s'en
allait stupéfait, croyant tous les hommes fous et ne
comprenant rien à cette vision.

Harry Baur dans le rôle de Jean Valjean (1933).

Questions

Compréhension

• *« Une tempête sous un crâne »*

1. *Contre quoi Jean Valjean essaie-t-il de se protéger en éteignant la lumière ?*

2. *En quoi la « convulsion de la conscience » qui secoue Jean Valjean peut-elle être appelée « éclat de rire intérieur » (l. 22) ?*

3. *Quels arguments le poussent à ne rien faire ? à se dénoncer ?*

4. *Parvient-il à prendre une décision ? À quelle scène du Cid ce chapitre peut-il être comparé ? Pourquoi ? En quoi la fin de la scène est-elle très différente ? Laquelle des deux œuvres exprime la force de la raison ?*

• *« Tout l'appareil d'un procès criminel »*

5. *Quels sont les aspects désagréables de la salle d'audience et des gens qui s'y trouvent (chap. 9, l. 3 à 20) ? Pourquoi s'en dégage-t-il cependant une impression « auguste » ?*

6. *M. Bamatabois est juré : quel est l'intérêt de ce détail ?*

7. *Pourquoi, selon vous, les trois forçats ne reconnaissent-ils pas Jean Valjean ?*

• *« Monsieur Madeleine ! »*

8. *En quoi la vue de Champmathieu pourrait-elle pousser Jean Valjean aussi bien à se dénoncer qu'à fuir sans rien dire ?*

9. *En quoi, au cours de ce livre septième, Jean Valjean prend-il une dimension divine et héroïque* ? Relevez des passages précis justifiant votre réponse.*

10. *Quelles nouvelles qualités se sont révélées chez lui ?*

Écriture / Réécriture

11. *Qu'est-ce qui rend l'ensemble du livre septième pathétique* (vocabulaire, descriptions, éléments de l'action...) ?*

12. *Quel champ lexical* (quatre mots) est présent au chapitre 11, l. 56 à 66 ? À quel adjectif du même paragraphe s'oppose-t-il ? Dans quels passages des chapitres 3 et 9 trouve-t-on cette même opposition ? Que symbolise*-t-elle ?*

13. *Racontez à votre tour une « tempête sous un crâne ». Vous*

prêterez à votre personnage de terribles hésitations, comme dans le texte de Hugo, et vous utiliserez le même type de ponctuation. Le récit pourra être traité sur le mode sérieux ou humoristique (s'il s'agit d'une décision peu importante).

Michel Bouquet dans le rôle de Javert (1982).

LIVRE HUITIÈME

Contrecoup

[Javert a reçu l'ordre d'arrêter le maire de Montreuil-sur-Mer. Il le trouve au chevet de Fantine, à qui Jean Valjean a laissé croire qu'il revenait de Montfermeil et que Cosette allait lui être amenée.]

4

L'AUTORITÉ REPREND SES DROITS

[...]

Il ne fit point comme d'habitude ; il n'entra point en matière ; il n'exhiba point de mandat d'amener[1]. Pour lui, Jean Valjean était une sorte de combattant mysté-
5 rieux et insaisissable, un lutteur ténébreux qu'il étreignait depuis cinq ans sans pouvoir le renverser. Cette arrestation n'était pas un commencement, mais une fin. Il se borna à dire : Allons, vite !

[...]

10 Jean Valjean se tourna vers lui et lui dit rapidement et très bas :

– Accordez-moi trois jours ! trois jours pour aller chercher l'enfant de cette malheureuse femme ! Je payerai ce qu'il faudra. Vous m'accompagnerez si vous voulez.

15 – Tu veux rire ! cria Javert. Ah çà ! je ne te croyais pas bête ! Tu me demandes trois jours pour t'en aller ! Tu dis que c'est pour aller chercher l'enfant de cette fille ! Ah ! ah ! c'est bon ! voilà qui est bon !

Fantine eut un tremblement.

20 – Mon enfant ! s'écria-t-elle, aller chercher mon enfant !

---

1. *mandat d'amener* : ordre de comparaître devant un juge.

Elle n'est donc pas ici! Ma sœur, répondez-moi, où est Cosette? Je veux mon enfant! Monsieur Madeleine! monsieur le maire!

Javert frappa du pied.

25 – Voilà l'autre, à présent! Te tairas-tu, drôlesse! Gredin de pays où les galériens* sont magistrats* et où les filles publiques* sont soignées comme des comtesses! Ah mais! tout ça va changer; il était temps!

Il regarda fixement Fantine et ajouta en reprenant à poi-
30 gnée la cravate, la chemise et le collet* de Jean Valjean :
– Je te dis qu'il n'y a point de monsieur Madeleine et qu'il n'y a point de monsieur le maire. Il y a un voleur, il y a un brigand, il y a un forçat appelé Jean Valjean! c'est lui que je tiens! voilà ce qu'il y a!

35 Fantine se dressa en sursaut, appuyée sur ses bras roides* et sur ses deux mains, elle regarda Jean Valjean, elle regarda Javert, elle regarda la religieuse, elle ouvrit la bouche comme pour parler, un râle sortit du fond de sa gorge, ses dents claquèrent, elle étendit les bras avec
40 angoisse, ouvrant convulsivement les mains, et cherchant autour d'elle comme quelqu'un qui se noie, puis elle s'affaissa subitement sur l'oreiller. Sa tête heurta le chevet du lit et vint retomber sur sa poitrine, la bouche béante, les yeux ouverts et éteints.

45 Elle était morte.

Jean Valjean posa sa main sur la main de Javert qui le tenait, et l'ouvrit comme il eût ouvert la main d'un enfant, puis il dit à Javert :
– Vous avez tué cette femme.

50 – Finirons-nous! cria Javert furieux. Je ne suis pas ici pour entendre des raisons. Économisons tout ça. La garde est en bas. Marchons tout de suite, ou les poucettes[1]!

Il y avait dans un coin de la chambre un vieux lit en fer
55 en assez mauvais état qui servait de lit de camp aux sœurs quand elles veillaient, Jean Valjean alla à ce lit, disloqua en un clin d'œil le chevet déjà fort délabré,

---

1. *poucettes* : anneaux ou chaînettes pour attacher les pouces d'un prisonnier.

chose facile à des muscles comme les siens, saisit à
poigne-main la maîtresse tringle, et considéra Javert.
60 Javert recula vers la porte.
Jean Valjean, sa barre de fer au poing, marcha lentement vers le lit de Fantine. Quand il y fut parvenu, il se
retourna, et dit à Javert d'une voix qu'on entendait à
peine :
65 – Je ne vous conseille pas de me déranger en ce
moment.
Ce qui est certain, c'est que Javert tremblait.
Il eut l'idée d'aller appeler la garde, mais Jean Valjean
pouvait profiter de cette minute pour s'évader. Il resta
70 donc, saisit sa canne par le petit bout, et s'adossa au
chambranle de la porte sans quitter du regard Jean Valjean.

*[Jean Valjean parle à voix basse à la morte et la sœur
garde-malade voit «distinctement poindre un ineffable
sourire sur ces lèvres pâles». Après avoir fermé les yeux de
Fantine, il suit Javert à la prison de la ville, mais ne tarde
pas à s'en échapper.]*

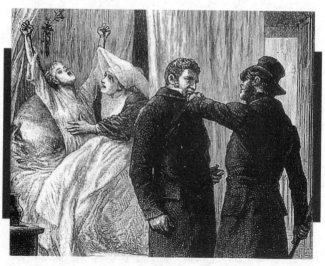

*Tandis que Fantine agonise, Javert arrête Jean Valjean,
gravure de Perrichon.*

Bilan

L'action

• **Ce que nous savons**

• *Digne, octobre 1815 :* Jean Valjean est sorti du bagne la haine au cœur. Par un acte de clémence et de charité, un évêque fait renaître en lui la sensibilité et le sens moral.

• *Montreuil-sur-Mer, 1815 à 1823 :* Jean Valjean commence une nouvelle vie sous un faux nom et a l'idée d'un procédé industriel original qui fait sa fortune. Tandis qu'il réussit socialement et que son souci du bien public le fait nommer maire, la jeune Fantine, de pauvre origine comme lui, poursuit sa descente aux Enfers : abandonnée à Paris par son amant, obligée de confier sa petite fille à des gens qui se révèleront sans cœur et malhonnêtes, elle est renvoyée de son travail à Montreuil-sur-Mer, contrainte à vendre ses cheveux, ses dents, puis à se prostituer.

• *1823 :* au moment où le riche Jean Valjean vient de prendre la malheureuse en charge et lui promettre de ramener sa fille, il doit révéler publiquement sa véritable identité de forçat en rupture de ban* pour éviter qu'un autre ne soit condamné à sa place. L'inspecteur Javert vient l'arrêter sous les yeux de Fantine malade, qui en meurt. Mais Jean Valjean s'évade...

• **À quoi nous attendre ?**

1. *Jean Valjean échappera-t-il aux poursuites policières ? Pourra-t-il sauver sa fortune ? À quel nouvel endroit va-t-il se rendre ? Quelle nouvelle identité va-t-il emprunter ?*

2. *Que va devenir la fille de Fantine ? Jean Valjean va-t-il s'en préoccuper comme il devait le faire avant la mort de la mère ? N'est-ce pas cette ultime promesse, faite à voix basse, qui a fait – selon l'auteur – paraître cet étrange sourire sur le visage de la morte ?*

Les personnages

• **Ce que nous savons**

Deux personnages principaux de cette première partie ne réapparaîtront plus :

• **Mgr Myriel**, *dont le rôle – remettre Jean Valjean dans le droit chemin –, est terminé (il est d'ailleurs mort en 1821). Le portrait, au premier livre, de ce prêtre exceptionnellement charitable a placé le roman sous le signe des valeurs morales : la solidarité, les notions de bien et de mal.*

• **Fantine**, qui a illustré, dans cette partie qui porte son nom, la «déchéance de la femme» dont il était question dans l'exergue*. Son dévouement maternel lui a conservé de la grandeur jusqu'au bout, rendant d'autant plus révoltante la condition où la société l'avait réduite.

Deux personnages restent face à face :

• **Javert**, qui est le «méchant» de l'histoire, l'ennemi du héros*, à la fois effrayant et d'intelligence limitée (il a des idées toutes faites qu'il ne remet pas en cause). Mais ce représentant du «devoir implacable» est convaincu du bien-fondé de son action et tire une grandeur certaine de son dévouement honnête à sa fonction.

• **Jean Valjean**, personnage central du récit, qui n'est d'abord qu'une pauvre brute, illustration de la misère et de ses conséquences pénales, puis qui devient héros au sens plein, intelligent (fabrication des jais), riche, chef (maire), défenseur des faibles. Mais il reste un héros parfois irrésolu et humble, aux prises avec sa conscience.

• **À quoi nous attendre ?**

1. Jean Valjean, pourchassé par la police, va-t-il conserver son image* héroïque ou redevenir le misérable du début ?

2. Fantine étant morte, un autre personnage féminin de premier plan va-t-il apparaître ? Jean Valjean ne va-t-il pas, d'une certaine façon, tomber amoureux ?

3. Javert, policier honnête, va-t-il évoluer et se rendre compte que Jean Valjean ne menace pas la société ?

L'écriture

Celle-ci se caractérise par l'ancrage dans le contexte historique, les retours en arrière, les effets de suspense, la diversité des points de vue* et les nombreuses interventions directes de l'auteur qui commente l'histoire et exprime des réflexions générales. Le pathétique*, enfin, permet au lecteur de s'attacher au récit et de s'émouvoir du sort des misérables.

DEUXIÈME PARTIE
COSETTE

Cosette par Émile Bayard.

[Jean Valjean a retiré tout son argent placé en banque et a pu le cacher avant d'être repris et renvoyé au bagne de Toulon. Quatre mois plus tard (novembre 1823), il s'évade de nouveau, en simulant une noyade.]

LIVRE TROISIÈME

Accomplissement de la promesse faite à la morte

1

LA QUESTION DE L'EAU À MONTFERMEIL

[Soir de Noël 1823, dans l'auberge des Thénardier.]

Cosette était à sa place ordinaire, assise sur la traverse de la table de cuisine près de la cheminée. Elle était en haillons, elle avait ses pieds nus dans des sabots, et elle tricotait à la lueur du feu des bas de laine destinés aux
5 petites Thénardier. Un tout jeune chat jouait sous les chaises. On entendait rire et jaser* dans une pièce voisine deux fraîches voix d'enfants; c'était Éponine et Azelma[1].
Au coin de la cheminée, un martinet était suspendu à un
10 clou.
Par intervalles, le cri d'un très jeune enfant, qui était quelque part dans la maison, perçait au milieu du bruit du cabaret*. C'était un petit garçon que la Thénardier avait eu un des hivers précédents, – «sans savoir

---

1. *Éponine et Azelma* : les filles des Thénardier.

15 pourquoi, disait-elle ; effet du froid » – et qui était âgé
d'un peu plus de trois ans. La mère l'avait nourri, mais
ne l'aimait pas. Quand la clameur acharnée du mioche
devenait trop importune : – Ton fils piaille, disait Thénardier, va donc voir ce qu'il veut. – Bah ! répondait la
20 mère, il m'ennuie. – Et le petit abandonné continuait de
crier dans les ténèbres.

3

IL FAUT DU VIN AUX HOMMES ET DE L'EAU
AUX CHEVAUX

Il était arrivé quatre nouveaux voyageurs.
Cosette songeait tristement ; car, quoiqu'elle n'eût que
huit ans, elle avait déjà tant souffert qu'elle rêvait avec
l'air lugubre d'une vieille femme.
5 Elle avait la paupière noire d'un coup de poing que la
Thénardier lui avait donné, ce qui faisait de temps en
temps dire à la Thénardier : – Est-elle laide avec son
pochon sur l'œil.
Cosette pensait donc qu'il était nuit, très nuit, qu'il avait
10 fallu remplir à l'improviste les pots et les carafes dans
les chambres des voyageurs survenus, et qu'il n'y avait
plus d'eau dans la fontaine[1].
Ce qui la rassurait un peu, c'est qu'on ne buvait pas
beaucoup d'eau dans la maison Thénardier. Il ne man-
15 quait pas là de gens qui avaient soif ; mais c'était de cette
soif qui s'adresse plus volontiers au broc[2] qu'à la cruche.
Qui eût demandé un verre d'eau parmi ces verres de
vin eût semblé un sauvage à tous ces hommes. Il y eut

---

1. *la fontaine* : le récipient avec un robinet servant de réserve d'eau ; Cosette veille
à ce qu'il soit toujours plein, parce qu'elle a très peur d'aller à la source la nuit.
2. *broc* : sorte de pichet à vin, distinct de la cruche à eau.

pourtant un moment où l'enfant trembla ; la Thénardier
20 souleva le couvercle d'une casserole qui bouillait sur le
fourneau, puis saisit un verre, et s'approcha vivement de
la fontaine. Elle tourna le robinet, l'enfant avait levé la
tête et suivait tous ses mouvements. Un maigre filet
d'eau coula du robinet et remplit le verre à moitié. –
25 Tiens, dit-elle, il n'y a plus d'eau ! puis elle eut un
moment de silence. L'enfant ne respirait pas.

– Bah, reprit la Thénardier en examinant le verre à
demi plein, il y en aura assez comme cela.

Cosette se remit à son travail, mais pendant plus d'un
30 quart d'heure elle sentit son cœur sauter comme un gros
flocon dans sa poitrine.

Elle comptait les minutes qui s'écoulaient ainsi, et eût
bien voulu être au lendemain matin.

De temps en temps, un des buveurs regardait dans la rue
35 et s'exclamait : – Il fait noir comme dans un four ! – ou :
– Il faut être chat pour aller dans la rue sans lanterne à
cette heure-ci ! – Et Cosette tressaillait.

Tout à coup, un des marchands colporteurs[1] logés dans
l'auberge entra, et dit d'une voix dure :
40 – On n'a pas donné à boire à mon cheval.

– Si fait vraiment, dit la Thénardier.

– Je vous dis que non, la mère, reprit le marchand.

Cosette était sortie de dessous la table.

– Oh ! si ! monsieur ! dit-elle, le cheval a bu, il a bu dans
45 le seau, plein le seau, et même que c'est moi qui lui ai
porté à boire, et je lui ai parlé.

Cela n'était pas vrai. Cosette mentait.

– En voilà une qui est grosse comme le poing et qui
ment gros comme la maison, s'écria le marchand. Je te
50 dis qu'il n'a pas bu, petite drôlesse ! Il a une manière de
souffler quand il n'a pas bu, que je connais bien.

Cosette persista, et ajouta d'une voix enrouée par l'angoisse et qu'on entendait à peine :

– Et même qu'il a bien bu !
55 – Allons, reprit le marchand avec colère, ce n'est pas

---

1. *colporteurs* : (marchands) ambulants.

tout ça, qu'on donne à boire à mon cheval et que cela finisse !

Cosette rentra sous la table.

60 – Au fait, c'est juste, dit la Thénardier, si cette bête n'a pas bu, il faut qu'elle boive.

Puis, regardant autour d'elle.

– Eh bien, où est donc cette autre ?

Elle se pencha et découvrit Cosette blottie à l'autre bout de la table, presque sous les pieds des buveurs.

65 – Vas-tu venir ? cria la Thénardier.

Cosette sortit de l'espèce de trou où elle s'était cachée. La Thénardier reprit :

– Mademoiselle Chien-faute-de-nom, va porter à boire à ce cheval.

70 – Mais, madame, dit Cosette faiblement, c'est qu'il n'y a pas d'eau.

La Thénardier ouvrit toute grande la porte de la rue.

– Eh bien, va en chercher !

Cosette baissa la tête, et alla prendre un seau vide qui

75 était au coin de la cheminée.

Ce seau était plus grand qu'elle, et l'enfant aurait pu s'asseoir dedans et y tenir à l'aise.

La Thénardier se remit à son fourneau, et goûta avec une cuillère de bois ce qui était dans la casserole, tout en

80 grommelant :

– Il y en a encore à la source. Ce n'est pas plus malin que ça. Je crois que j'aurais mieux fait de passer mes oignons.

Puis elle fouilla dans un tiroir où il y avait des sous, du

85 poivre et des échalotes.

– Tiens, mamselle Crapaud, ajouta-t-elle, en revenant tu prendras un gros pain chez le boulanger. Voilà une pièce-quinze-sous.

Cosette avait une petite poche de côté à son tablier ; elle

90 prit la pièce sans dire un mot, et la mit dans cette poche.

Puis elle resta immobile le seau à la main, la porte ouverte devant elle. Elle semblait attendre qu'on vînt à son secours.

– Va donc ! cria la Thénardier.

95 Cosette sortit. La porte se referma.

96

4

ENTRÉE EN SCÈNE D'UNE POUPÉE

La file de boutiques en plein vent qui partait de l'église
se développait, on s'en souvient, jusqu'à l'auberge Thénardier. Ces boutiques, à cause du passage prochain des
bourgeois allant à la messe de minuit, étaient toutes illu-
5 minées de chandelles brûlant dans des entonnoirs de
papier, ce qui, comme le disait le maître d'école de
Montfermeil attablé en ce moment chez Thénardier, faisait «un effet magique». En revanche, on ne voyait pas
une étoile au ciel.

10 La dernière de ces baraques, établie précisément en face
de la porte des Thénardier, était une boutique de bimbeloterie*, toute reluisante de clinquants, de verroteries et
de choses magnifiques en fer-blanc. Au premier rang, et
en avant, le marchand avait placé, sur un fond de ser-
15 viettes blanches, une immense poupée haute de près de
deux pieds[1] qui était vêtue d'une robe de crêpe[2] rose
avec des épis d'or sur la tête et qui avait de vrais cheveux et des yeux en émail. Tout le jour, cette merveille
avait été étalée à l'ébahissement des passants de moins
20 de dix ans, sans qu'il se fût trouvé à Montfermeil une
mère assez riche ou assez prodigue[3] pour la donner à
son enfant. Éponine et Azelma avaient passé des heures
à la contempler, et Cosette elle-même, furtivement*, il
est vrai, avait osé la regarder.

25 Au moment où Cosette sortit, son seau à la main, si
morne et si accablée qu'elle fût, elle ne put s'empêcher
de lever les yeux sur cette prodigieuse poupée, vers *la
dame,* comme elle l'appelait. La pauvre enfant s'arrêta
pétrifiée. Elle n'avait pas encore vu cette poupée de
30 près. Toute cette boutique lui semblait un palais ; cette
poupée n'était pas une poupée, c'était une vision. C'était

---

1. *deux pieds* : environ 66 cm.
2. *crêpe* : tissu fin de soie ou de laine.
3. *prodigue* : dépensière.

la joie, la splendeur, la richesse, le bonheur, qui appa-
raissaient dans une sorte de rayonnement chimérique* à
ce malheureux petit être englouti si profondément dans
35 une misère funèbre et froide.
[...]
Dans cette adoration, elle oubliait tout, même la
commission dont elle était chargée. Tout à coup, la voix
rude de la Thénardier la rappela à la réalité : – Com-
40 ment, péronnelle[1], tu n'es pas partie ! Attends ! je vais à
toi ! Je vous demande un peu ce qu'elle fait là ! Petit
monstre, va !
La Thénardier avait jeté un coup d'œil dans la rue et
aperçu Cosette en extase.
45 Cosette s'enfuit emportant son seau et faisant les plus
grands pas qu'elle pouvait.

5

LA PETITE TOUTE SEULE

[...] Tant qu'elle eut des maisons et même seulement des
murs des deux côtés de son chemin, elle alla assez har-
diment. De temps en temps, elle voyait le rayonnement
d'une chandelle à travers la fente d'un volet, c'était de la
5 lumière et de la vie, il y avait là des gens, cela la rassurait. Cependant, à mesure qu'elle avançait, sa marche se
ralentissait comme machinalement. Quand elle eut
passé l'angle de la dernière maison, Cosette s'arrêta.
Aller au-delà de la dernière boutique avait été difficile ;
10 aller plus loin que la dernière maison, cela devenait
impossible. Elle posa le seau à terre, plongea sa main
dans ses cheveux et se mit à se gratter lentement la tête,
geste propre aux enfants terrifiés et indécis. Ce n'était

---

1. *péronnelle* : jeune sotte.

plus Montfermeil, c'étaient les champs. L'espace noir et
15 désert était devant elle. Elle regarda avec désespoir cette
obscurité où il n'y avait plus personne, où il y avait des
bêtes, où il y avait peut-être des revenants. Elle regarda
bien, et elle entendit les bêtes qui marchaient dans
l'herbe, et elle vit distinctement les revenants qui
20 remuaient dans les arbres. Alors elle ressaisit le seau, la
peur lui donnait de l'audace : – Bah ! dit-elle, je lui dirai
qu'il n'y avait plus d'eau ! – Et elle rentra résolument
dans Montfermeil.
À peine eut-elle fait cent pas qu'elle s'arrêta encore, et
25 se remit à se gratter la tête. Maintenant, c'était la Thénardier qui lui apparaissait ; la Thénardier hideuse avec
sa bouche d'hyène et la colère flamboyante dans les
yeux. L'enfant jeta un regard lamentable en avant et en
arrière. Que faire ? que devenir ? où aller ? Devant elle le
30 spectre de la Thénardier ; derrière elle tous les fantômes
de la nuit et des bois. Ce fut devant la Thénardier qu'elle
recula. Elle reprit le chemin de la source et se mit à
courir. Elle sortit du village en courant, elle entra dans le
bois en courant, ne regardant plus rien, n'écoutant plus
35 rien. Elle n'arrêta sa course que lorsque la respiration lui
manqua, mais elle n'interrompit point sa marche. Elle
allait devant elle, éperdue.
Tout en courant elle avait envie de pleurer.
Le frémissement nocturne de la forêt l'enveloppait tout
40 entière. Elle ne pensait plus, elle ne voyait plus. L'immense nuit faisait face à ce petit être. D'un côté, toute
l'ombre ; de l'autre, un atome.
Il n'y avait que sept ou huit minutes de la lisière du bois
à la source. Cosette connaissait le chemin pour l'avoir
45 fait plusieurs fois le jour. Chose étrange, elle ne se perdit
pas. Un reste d'instinct la conduisait vaguement. Elle ne
jetait cependant les yeux ni à droite ni à gauche, de
crainte de voir des choses dans les branches et dans les
broussailles. Elle arriva ainsi à la source.
50 [...]
Cosette ne prit pas le temps de respirer. Il faisait très
noir, mais elle avait l'habitude de venir à cette fontaine.
Elle chercha de la main gauche dans l'obscurité un jeune
chêne incliné sur la source qui lui servait ordinairement

55 de point d'appui, rencontra une branche, s'y suspendit, se pencha et plongea le seau dans l'eau. Elle était dans un moment si violent que ses forces étaient triplées. Pendant qu'elle était ainsi penchée, elle ne fit pas attention que la poche de son tablier se vidait dans la source.
60 La pièce de quinze sous tomba dans l'eau. Cosette ne la vit ni ne l'entendit tomber. Elle retira le seau presque plein et le posa sur l'herbe.
Cela fait, elle s'aperçut qu'elle était épuisée de lassitude. Elle eût bien voulu repartir tout de suite ; mais l'effort de
65 remplir le seau avait été tel qu'il lui fut impossible de faire un pas. Elle fut bien forcée de s'asseoir. Elle se laissa tomber sur l'herbe et y demeura accroupie.
[...]
Un vent froid soufflait de la plaine. Le bois était téné-
70 breux, sans aucun froissement de feuilles, sans aucune de ces vagues et fraîches lueurs de l'été. De grands branchages s'y dressaient affreusement. Des buissons chétifs et difformes sifflaient dans les clairières. Les hautes herbes fourmillaient sous la bise comme des anguilles.
75 Les ronces se tordaient comme de longs bras armés de griffes cherchant à prendre des proies. Quelques bruyères sèches, chassées par le vent, passaient rapidement et avaient l'air de s'enfuir avec épouvante devant quelque chose qui arrivait. De tous les côtés il y avait des
80 étendues lugubres.
[...]
Sans se rendre compte de ce qu'elle éprouvait, Cosette se sentait saisir par cette énormité noire de la nature. Ce n'était plus seulement de la terreur qui la gagnait, c'était
85 quelque chose de plus terrible même que la terreur. Elle frissonnait. Les expressions manquent pour dire ce qu'avait d'étrange ce frisson qui la glaçait jusqu'au fond du cœur. Son œil était devenu farouche. Elle croyait sentir qu'elle ne pourrait peut-être pas s'empêcher de revenir
90 là à la même heure le lendemain.
Alors, par une sorte d'instinct, pour sortir de cet état singulier qu'elle ne comprenait pas, mais qui l'effrayait, elle se mit à compter à haute voix un, deux, trois, quatre, jusqu'à dix, et, quand elle eut fini, elle
95 recommença. Cela lui rendit la perception vraie des

100

choses qui l'entouraient. Elle sentit le froid à ses mains qu'elle avait mouillées en puisant de l'eau. Elle se leva. La peur lui était revenue, une peur naturelle et insurmontable. Elle n'eut plus qu'une pensée, s'enfuir ; s'en-
100 fuir à toutes jambes, à travers bois, à travers champs, jusqu'aux maisons, jusqu'aux fenêtres, jusqu'aux chandelles allumées. Son regard tomba sur le seau qui était devant elle. Tel était l'effroi que lui inspirait la Thénardier qu'elle n'osa pas s'enfuir sans le seau d'eau. Elle
105 saisit l'anse à deux mains. Elle eut de la peine à soulever le seau.
Elle fit ainsi une douzaine de pas, mais le seau était plein, il était lourd, elle fut forcée de le reposer à terre. Elle respira un instant, puis elle enleva l'anse de nou-
110 veau, et se remit à marcher, cette fois un peu plus longtemps. Mais il fallut s'arrêter encore. Après quelques secondes de repos, elle repartit. Elle marchait penchée en avant, la tête baissée, comme une vieille ; le poids du seau tendait et roidissait° ses bras maigres ; l'anse de fer
115 achevait d'engourdir et de geler ses petites mains mouillées ; de temps en temps elle était forcée de s'arrêter, et chaque fois qu'elle s'arrêtait l'eau froide qui débordait du seau tombait sur ses jambes nues. Cela se passait au fond d'un bois, la nuit, en hiver, loin de tout regard
120 humain ; c'était un enfant de huit ans. Il n'y avait que Dieu en ce moment qui voyait cette chose triste.
Et sans doute sa mère, hélas !
Car il est des choses qui font ouvrir les yeux aux mortes dans leur tombeau.
125 [...] Parvenue près d'un vieux châtaignier qu'elle connaissait, elle fit une dernière halte plus longue que les autres pour se bien reposer, puis elle rassembla toutes ses forces, reprit le seau et se remit à marcher courageusement. Cependant le pauvre petit être déses-
130 péré ne put s'empêcher de s'écrier : Ô mon Dieu ! mon Dieu !
En ce moment, elle sentit tout à coup que le seau ne pesait plus rien. Une main, qui lui parut énorme, venait de saisir l'anse et la soulevait vigoureusement. Elle leva
135 la tête. Une grande forme noire, droite et debout, marchait auprès d'elle dans l'obscurité. C'était un homme

qui était arrivé derrière elle et qu'elle n'avait pas
entendu venir. Cet homme, sans dire un mot, avait
empoigné l'anse du seau qu'elle portait.
140 Il y a des instincts pour toutes les rencontres de la vie.
L'enfant n'eut pas peur.

Cosette et Jean Valjean par Geoffroy.

Questions

Compréhension

1. *Que nous apprend le titre du livre troisième ?*

2. *Dans les chapitres 1 à 5, quel est le sentiment dominant de Cosette ? Relevez des passages significatifs. En quoi est-elle malheureuse physiquement ?*

3. *Pourquoi l'enfant a-t-elle peur dans les bois ? Dans quel passage la forêt, domaine traditionnel des sorcières, semble-t-elle une force magique prête à envoûter Cosette ?*

4. *En quoi la Thénardier apparaît-elle monstrueuse ? Quels «noms» utilise-t-elle pour s'adresser à Cosette ? En quoi l'enfant peut-elle en souffrir ?*

Écriture

5. *Au chapitre 1 (l. 1 à 10), quels faits expriment les relations existant entre les personnages ? Quelles relations expriment-ils ? Cette description est-elle objective* ou subjective* ?*

6. *De quel point de vue* voit-on la forêt (chap. 5) ? Justifiez votre réponse.*

7. *Relevez trois comparaisons dans les lignes 73 à 80 : en quoi donnent-elles à la forêt un aspect fantastique* ?*

8. *La description de l'enfant dans la forêt (émotions, comportement) vous semble-t-elle précise et vraie ? Relevez des passages significatifs.*

9. *Que symbolisent* les «ténèbres» à la ligne 21 du chapitre 1 ?*

10. *Dans lequel des cinq chapitres (1 à 5) retrouve-t-on ce thème* de l'obscurité ? Dans lequel trouve-t-on, à l'inverse, le champ lexical* de la lumière ? Relevez-en quelques mots.*

11. *Qu'exprime chacun des deux thèmes* (obscurité et lumière) dans les chapitres 1 à 5 ? Dans quel livre a-t-on déjà rencontré ce double thème ?*

12. *Parmi les caractéristiques d'écriture analysées aux questions 5 à 11, lesquelles sont bien dans la ligne romantique* ? Quels procédés peuvent être dits réalistes* ?*

Mise en scène

13. Qu'attend le lecteur quand il lit que c'est le soir de Noël, que Cosette est malheureuse et abandonnée de tous, qu'une poupée est «entrée en scène» (cf. le titre du chapitre 4)?

14. Par qui l'homme qui saisit le seau semble-t-il envoyé? Quels passages du texte l'expriment clairement?

15. Comment appellerait-on, dans le langage cinématographique, l'angle* selon lequel l'enfant voit l'homme? Quelle impression cet angle produit-il? Quels mots renforcent cet effet?

16. En quoi l'intervention de l'homme peut-elle être comparée à l'arrivée d'un deus ex machina*?

Charles Dullin (Thénardier) et Gaby Triquet (Cosette)
dans le film de Raymond Bernard (1933).

8

DÉSAGRÉMENT DE RECEVOIR CHEZ SOI
UN PAUVRE QUI EST PEUT-ÊTRE UN RICHE

[L'homme est rentré à l'auberge avec l'enfant. En chemin, il a appris qu'elle s'appelait Cosette et était servante chez les Thénardier. Les aubergistes font mauvais accueil à ce « pauvre » vêtu d'une vieille redingote jaune râpée.]

L'homme, qui avait à peine trempé ses lèvres dans le verre de vin qu'il s'était versé, considérait l'enfant avec une attention étrange.

Cosette était laide. Heureuse, elle eût peut-être été jolie.
5 Nous avons déjà esquissé cette petite figure sombre. Cosette était maigre et blême ; elle avait près de huit ans, on lui en eût donné à peine six. Ses grands yeux enfoncés dans une sorte d'ombre étaient presque éteints à force d'avoir pleuré. Les coins de sa bouche avaient
10 cette courbe de l'angoisse habituelle, qu'on observe chez les condamnés et chez les malades désespérés. Ses mains étaient, comme sa mère l'avait deviné, « perdues d'engelures ». Le feu qui l'éclairait en ce moment faisait saillir les angles de ses os et rendait sa maigreur affreuse-
15 ment visible. Comme elle grelottait toujours, elle avait pris l'habitude de serrer ses deux genoux l'un contre l'autre. Tout son vêtement n'était qu'un haillon qui eût fait pitié l'été et qui faisait horreur l'hiver. Elle n'avait sur elle que de la toile trouée ; pas un chiffon de laine.
20 On voyait sa peau çà et là, et l'on y distinguait partout des taches bleues ou noires qui indiquaient les endroits où la Thénardier l'avait touchée. Ses jambes nues étaient rouges et grêles. Le creux de ses clavicules était à faire pleurer. Toute la personne de cette enfant, son allure,
25 son attitude, le son de sa voix, les intervalles entre un mot et l'autre, son regard, son silence, son moindre geste, exprimaient et traduisaient une seule idée, la crainte.

La crainte était répandue sur elle ; elle en était pour ainsi
30 dire couverte ; la crainte ramenait ses coudes contre ses hanches, retirait ses talons sous ses jupes, lui faisait tenir

le moins de place possible, ne lui laissait de souffle que le nécessaire, et était devenue ce qu'on pourrait appeler son habitude de corps, sans variation possible que
35 d'augmenter. Il y avait au fond de sa prunelle un coin étonné où était la terreur.

Cette crainte était telle qu'en arrivant, toute mouillée comme elle était, Cosette n'avait pas osé s'aller sécher au feu et s'était remise silencieusement à son travail.
40 L'expression du regard de cette enfant de huit ans était habituellement si morne et parfois si tragique qu'il semblait, à de certains moments, qu'elle fût en train de devenir une idiote ou un démon.

Jamais, nous l'avons dit, elle n'avait su ce que c'est que
45 prier, jamais elle n'avait mis le pied dans une église.

– Est-ce que j'ai le temps ? disait la Thénardier.

L'homme à la redingote jaune ne quittait pas Cosette des yeux. Tout à coup la Thénardier s'écria :

– À propos ! et ce pain ?
50 Cosette, selon sa coutume toutes les fois que la Thénardier élevait la voix, sortit bien vite de dessous la table. Elle avait complètement oublié ce pain. Elle eut recours à l'expédient[1] des enfants toujours effrayés. Elle mentit.

– Madame, le boulanger était fermé.
55 – Il fallait cogner.

– J'ai cogné, madame.

– Eh bien ?

– Il n'a pas ouvert.

– Je saurai demain si c'est vrai, dit la Thénardier, et si tu
60 mens tu auras une fière danse[2]. En attendant, rends-moi la pièce-quinze-sous.

Cosette plongea la main dans la poche de son tablier, et devint verte. La pièce de quinze sous n'y était plus.

– Ah çà ! dit la Thénardier, m'as-tu entendue ?
65 Cosette retourna la poche. Il n'y avait rien. Qu'est-ce que cet argent pouvait être devenu ? La malheureuse petite ne trouva pas une parole. Elle était pétrifiée.

---

1. *expédient* : moyen rapide pour se tirer d'embarras.
2. *fière danse* : bonne correction.

– Est-ce que tu l'as perdue, la pièce-quinze-sous ? râla la
Thénardier, ou bien est-ce que tu veux me la voler ?
70 En même temps elle allongea le bras vers le martinet
suspendu à l'angle de la cheminée.
Ce geste redoutable rendit à Cosette la force de crier :
– Grâce ! madame ! madame ! je ne le ferai plus.
La Thénardier détacha le martinet.
75 Cependant l'homme à la redingote jaune avait fouillé
dans le gousset* de son gilet, sans qu'on eût remarqué ce
mouvement. D'ailleurs les autres voyageurs buvaient ou
jouaient aux cartes et ne faisaient attention à rien.
Cosette se pelotonnait avec angoisse dans l'angle de la
80 cheminée, tâchant de ramasser et de dérober ses
pauvres membres demi-nus. La Thénardier leva le bras.
– Pardon, madame, dit l'homme, mais tout à l'heure
j'ai vu quelque chose qui est tombé de la poche du
tablier de cette petite et qui a roulé. C'est peut-être
85 cela.
En même temps il se baissa et parut chercher à terre un
instant.
– Justement, voici, reprit-il en se relevant.
Et il tendit une pièce d'argent à la Thénardier.
90 – Oui, c'est cela, dit-elle.
Ce n'était pas cela, car c'était une pièce de vingt sous,
mais la Thénardier y trouvait du bénéfice. Elle mit la
pièce dans sa poche, et se borna à jeter un regard
farouche à l'enfant en disant : – Que cela ne t'arrive
95 plus, toujours !
Cosette rentra dans ce que la Thénardier appelait « sa
niche », et son grand œil, fixé sur le voyageur inconnu,
commença à prendre une expression qu'il n'avait jamais
eue. Ce n'était encore qu'un naïf étonnement, mais une
100 sorte de confiance stupéfaite s'y mêlait.
– À propos, voulez-vous souper ? demanda la Thénardier au voyageur.
Il ne répondit pas. Il semblait songer profondément.
– Qu'est-ce que c'est que cet homme-là ? dit-elle entre
105 ses dents. C'est quelque affreux pauvre. Cela n'a pas le
sou pour souper. Me payera-t-il mon logement seulement ? Il est bien heureux tout de même qu'il n'ait pas
eu l'idée de voler l'argent qui était à terre.

Cependant une porte s'était ouverte et Éponine et
110 Azelma étaient entrées.

C'étaient vraiment deux jolies petites filles, plutôt bour-
geoises que paysannes, très charmantes, l'une avec ses
tresses châtaines bien lustrées, l'autre avec ses longues
nattes noires tombant derrière le dos, toutes deux
115 vives, propres, grasses, fraîches et saines à réjouir le
regard. Elles étaient chaudement vêtues, mais avec un
tel art maternel, que l'épaisseur des étoffes n'ôtait rien
à la coquetterie de l'ajustement. L'hiver était prévu sans
que le printemps fût effacé. Ces deux petites déga-
120 geaient de la lumière. En outre, elles étaient régnantes.
Dans leur toilette, dans leur gaieté, dans le bruit
qu'elles faisaient, il y avait de la souveraineté. Quand
elles entrèrent, la Thénardier leur dit d'un ton gron-
deur, qui était plein d'adoration : Ah ! vous voilà donc,
125 vous autres !

Puis, les attirant dans ses genoux l'une après l'autre,
lissant leurs cheveux, renouant leurs rubans, et les
lâchant ensuite avec cette douce façon de secouer qui
est propre aux mères, elle s'écria : – Sont-elles fago-
130 tées !

Elles vinrent s'asseoir au coin du feu. Elles avaient une
poupée qu'elles tournaient et retournaient sur leurs
genoux avec toutes sortes de gazouillements joyeux. De
temps en temps, Cosette levait les yeux de son tricot, et
135 les regardait jouer d'un air lugubre.

Éponine et Azelma ne regardaient pas Cosette. C'était
pour elles comme le chien. Ces trois petites filles
n'avaient pas vingt-quatre ans à elles trois, et elles
représentaient déjà toute la société des hommes ; d'un
140 côté l'envie, de l'autre le dédain.

La poupée des sœurs Thénardier était très fanée et très
vieille et toute cassée, mais elle n'en paraissait pas
moins admirable à Cosette, qui de sa vie n'avait eu une
poupée, *une vraie poupée,* pour nous servir d'une expres-
145 sion que tous les enfants comprendront.

Tout à coup, la Thénardier, qui continuait d'aller et de
venir dans la salle, s'aperçut que Cosette avait des distractions et qu'au lieu de travailler elle s'occupait des
petites qui jouaient.

150 – Ah! je t'y prends! cria-t-elle. C'est comme cela que tu travailles! Je vais te faire travailler à coups de martinet, moi.

L'étranger, sans quitter sa chaise, se tourna vers la Thénardier.

155 – Madame, dit-il en souriant d'un air presque craintif, bah! laissez-la jouer!

De la part de tout voyageur qui eût mangé une tranche de gigot et bu deux bouteilles de vin à son souper et qui n'eût pas eu l'air d'un *affreux pauvre,* un pareil souhait

160 eût été un ordre. Mais qu'un homme qui avait ce chapeau se permît d'avoir un désir et qu'un homme qui avait cette redingote se permît d'avoir une volonté, c'est ce que la Thénardier ne crut pas devoir tolérer. Elle repartit aigrement :

165 – Il faut qu'elle travaille, puisqu'elle mange. Je ne la nourris pas à rien faire.

– Qu'est-ce qu'elle fait donc? reprit l'étranger de cette voix douce qui contrastait si étrangement avec ses habits de mendiant et ses épaules de portefaix•.

170 La Thénardier daigna répondre :

– Des bas, s'il vous plaît. Des bas pour mes petites filles qui n'en ont pas, autant dire, et qui vont tout à l'heure[1] pieds nus.

L'homme regarda les pauvres pieds rouges de Cosette, et

175 continua :

– Quand aura-t-elle fini cette paire de bas?

– Elle en a encore au moins pour trois ou quatre jours, la paresseuse.

– Et combien peut valoir cette paire de bas, quand elle

180 sera faite?

La Thénardier lui jeta un coup d'œil méprisant.

– Au moins trente sous.

– La donneriez-vous pour cinq francs? reprit l'homme.

185 – Pardieu! s'écria avec un gros rire un roulier• qui écoutait, cinq francs? Je crois fichtre bien! cinq balles!

---

1. *tout à l'heure* : actuellement, pour l'instant.

Le Thénardier crut devoir prendre la parole.

– Oui, monsieur, si c'est votre fantaisie, on vous donnera cette paire de bas pour cinq francs. Nous ne savons
190 rien refuser aux voyageurs.

– Il faudrait payer tout de suite, dit la Thénardier avec sa façon brève et péremptoire[1].

– J'achète cette paire de bas, répondit l'homme, et, ajouta-t-il en tirant de sa poche une pièce de cinq francs
195 qu'il posa sur la table, – je la paye.

Puis il se tourna vers Cosette.

– Maintenant ton travail est à moi. Joue, mon enfant.

Le roulier• fut si ému de la pièce de cinq francs, qu'il laissa là son verre et accourut.
200 – C'est pourtant vrai ! cria-t-il en l'examinant. Une vraie roue de derrière ! et pas fausse !

Le Thénardier approcha et mit silencieusement la pièce dans son gousset•.

La Thénardier n'avait rien à répliquer. Elle se mordit les
205 lèvres, et son visage prit une expression de haine.

Cependant Cosette tremblait. Elle se risqua à demander :

Madame, est-ce que c'est vrai ? est-ce que je peux jouer ?

– Joue ! dit la Thénardier d'une voix terrible.
210 – Merci, madame, dit Cosette.

Et, pendant que sa bouche remerciait la Thénardier, toute sa petite âme remerciait le voyageur.

Le Thénardier s'était remis à boire. Sa femme lui dit à l'oreille :
215 – Qu'est-ce que ça peut être que cet homme jaune ?

– J'ai vu, répondit souverainement Thénardier, des millionnaires qui avaient des redingotes comme cela.

Cosette avait laissé là son tricot, mais elle n'était pas sortie de sa place. Cosette bougeait toujours le moins
220 possible. Elle avait pris dans une boîte derrière elle quelques vieux chiffons et son petit sabre de plomb.

Éponine et Azelma ne faisaient aucune attention à ce qui se passait. Elles venaient d'exécuter une opération fort

---

1. *péremptoire* : qui n'admet pas d'être contredite.

importante ; elles s'étaient emparées du chat. Elles
225 avaient jeté la poupée à terre, et Éponine, qui était l'aînée, emmaillotait le petit chat, malgré ses miaulements
et ses contorsions, avec une foule de nippes* et de
guenilles rouges et bleues. Tout en faisant ce grave et
difficile travail, elle disait à sa sœur dans ce doux et
230 adorable langage des enfants dont la grâce, pareille à la
splendeur de l'aile des papillons, s'en va quand on veut
la fixer.
– Vois-tu, ma sœur, cette poupée-là est plus amusante
que l'autre. Elle remue, elle crie, elle est chaude.
235 Vois-tu, ma sœur, jouons avec. Ce serait ma petite fille.
Je serais une dame. Je viendrais te voir et tu la regarde-
rais. Peu à peu tu verrais ses moustaches, et cela t'éton-
nerait. Et tu me dirais : Ah ! mon Dieu ! et je te dirais :
Oui, madame, c'est une petite fille que j'ai comme ça.
240 Les petites filles sont comme ça à présent.
Azelma écoutait Éponine avec admiration.
Cependant, les buveurs s'étaient mis à chanter une
chanson obscène dont ils riaient à faire trembler le plafond. Le Thénardier les encourageait et les accompa-
245 gnait.
Comme les oiseaux font un nid avec tout, les enfants
font une poupée avec n'importe quoi. Pendant qu'Éponine et Azelma emmaillotaient le chat, Cosette de son
côté avait emmailloté le sabre. Cela fait, elle l'avait cou-
250 ché sur ses bras, et elle chantait doucement pour l'endormir.
[...]
Tout à coup Cosette s'interrompit. Elle venait de se
retourner et d'apercevoir la poupée des petites Thénar-
255 dier qu'elles avaient quittée pour le chat et laissée à terre
à quelques pas de la table de cuisine.
Alors elle laissa tomber le sabre emmailloté qui ne lui
suffisait qu'à demi, puis elle promena lentement ses
yeux autour de la salle. La Thénardier parlait bas à son
260 mari, et comptait de la monnaie, Ponine et Zelma
jouaient avec le chat, les voyageurs mangeaient, ou
buvaient, ou chantaient, aucun regard n'était fixé sur
elle. Elle n'avait pas un moment à perdre. Elle sortit de
dessous la table en rampant sur les genoux et sur les

265 mains, s'assura encore une fois qu'on ne la guettait pas,
puis se glissa vivement jusqu'à la poupée, et la saisit. Un
instant après elle était à sa place, assise, immobile, tournée seulement de manière à faire de l'ombre sur la poupée qu'elle tenait dans ses bras. Ce bonheur de jouer
270 avec une poupée était tellement rare pour elle qu'il avait
toute la violence d'une volupté[1].
Personne ne l'avait vue, excepté le voyageur, qui mangeait lentement son maigre souper.
Cette joie dura près d'un quart d'heure.
275 Mais quelque précaution que prît Cosette, elle ne s'apercevait pas qu'un des pieds de la poupée – *passait,* – et
que le feu de la cheminée l'éclairait très vivement. Ce
pied rose et lumineux qui sortait de l'ombre frappa subitement le regard d'Azelma qui dit à Éponine : – Tiens !
280 ma sœur !
Les deux petites filles s'arrêtèrent, stupéfaites. Cosette
avait osé prendre la poupée !
Éponine se leva, et, sans lâcher le chat, alla vers sa mère
et se mit à la tirer par sa jupe.
285 – Mais laisse-moi donc ! dit la mère. Qu'est-ce que tu
me veux ?
– Mère, dit l'enfant, regarde donc !
Et elle désignait du doigt Cosette.
Cosette, elle, tout entière aux extases de la possession,
290 ne voyait et n'entendait plus rien.
Le visage de la Thénardier prit cette expression particulière qui se compose du terrible mêlé aux riens de la
vie et qui a fait nommer ces sortes de femmes : mégères.
[...]
295 Elle cria d'une voix que l'indignation enrouait :
– Cosette !
Cosette tressaillit comme si la terre eût tremblé sous
elle. Elle se retourna.
– Cosette ! répéta la Thénardier.
300 Cosette prit la poupée et la posa doucement à terre avec
une sorte de vénération[•] mêlée de désespoir. Alors, sans

---

1. *une volupté* : un plaisir extrême, une délectation.

la quitter des yeux, elle joignit les mains, et, ce qui est effrayant à dire dans un enfant de cet âge, elle se les tordit ; puis, ce que n'avait pu lui arracher aucune des
305 émotions de la journée, ni la course dans le bois, ni la pesanteur du seau d'eau, ni la perte de l'argent, ni la vue du martinet, ni même la sombre parole[1] qu'elle avait entendu dire à la Thénardier, – elle pleura. Elle éclata en sanglots.
310 Cependant le voyageur s'était levé.

– Qu'est-ce donc ? dit-il à la Thénardier.

– Vous ne voyez pas ? dit la Thénardier en montrant du doigt le corps du délit qui gisait aux pieds de Cosette.

– Eh bien, quoi ? reprit l'homme.
315 – Cette gueuse*, répondit la Thénardier, s'est permis de toucher à la poupée des enfants !

– Tout ce bruit pour cela ! dit l'homme. Eh bien, quand elle jouerait avec cette poupée ?

– Elle y a touché avec ses mains sales ! poursuivit la
320 Thénardier, avec ses affreuses mains !

Ici Cosette redoubla ses sanglots.

– Te tairas-tu ! cria la Thénardier.

L'homme alla droit à la porte de la rue, l'ouvrit et sortit. Dès qu'il fut sorti, la Thénardier profita de son absence
325 pour allonger sous la table à Cosette un grand coup de pied qui fit jeter à l'enfant les hauts cris.

La porte se rouvrit, l'homme reparut, il portait dans ses deux mains la poupée fabuleuse dont nous avons parlé et que tous les marmots du village contemplaient depuis
330 le matin, et il la posa debout devant Cosette en disant :

– Tiens, c'est pour toi.

Il faut croire que, depuis plus d'une heure qu'il était là, au milieu de sa rêverie, il avait confusément remarqué cette boutique de bimbeloterie* éclairée de lampions et
335 de chandelles si splendidement qu'on l'apercevait à travers la vitre du cabaret* comme une illumination.

Cosette leva les yeux, elle avait vu venir l'homme à elle avec cette poupée comme elle eût vu venir le soleil, elle

---

1. *sombre parole* : la Thénardier a dit : «*sa mère est morte*».

entendit ces paroles inouïes : *c'est pour toi,* elle le
340 regarda, elle regarda la poupée, puis elle recula lentement, et s'alla cacher tout au fond sous la table dans le
coin du mur.

Elle ne pleurait plus, elle ne criait plus, elle avait l'air de
ne plus oser respirer.

345 La Thénardier, Éponine, Azelma étaient autant de sta-
tues. Les buveurs eux-mêmes s'étaient arrêtés. Il s'était
fait un silence solennel dans tout le cabaret.

La Thénardier, pétrifiée et muette, recommençait ses
conjectures[1]. – Qu'est-ce que c'est que ce vieux ? est-ce
350 un pauvre ? est-ce un millionnaire ? C'est peut-être les
deux, c'est-à-dire un voleur.

La face du mari Thénardier offrit cette ride expressive
qui accentue la figure humaine chaque fois que l'instinct
dominant y apparaît avec toute sa puissance bestiale. Le
355 gargotier[2] considérait tour à tour la poupée, et le voyageur ; il semblait flairer cet homme comme il eût flairé
un sac d'argent. Cela ne dura que le temps d'un éclair. Il
s'approcha de sa femme et lui dit bas :

– Cette machine coûte au moins trente francs. Pas de
360 bêtises. À plat ventre devant l'homme !

Les natures grossières ont cela de commun avec les
natures naïves qu'elles n'ont pas de transitions.

– Eh bien, Cosette, dit la Thénardier d'une voix qui
voulait être douce et qui était toute composée de ce miel
365 aigre des méchantes femmes, est-ce que tu ne prends
pas ta poupée ?

Cosette se hasarda à sortir de son trou.

– Ma petite Cosette, reprit le Thénardier d'un air cares-
sant, monsieur te donne une poupée. Prends-la. Elle est
370 à toi.

Cosette considérait la poupée merveilleuse avec une
sorte de terreur. Son visage était encore inondé de
larmes, mais ses yeux commençaient à s'emplir, comme

---

1. *conjectures* : suppositions.
2. *gargotier* : personne qui pose et gère une gargote, c'est-à-dire, en langue fami-
lière, un restaurant médiocre.

le ciel au crépuscule du matin, des rayonnements
375 étranges de la joie. Ce qu'elle éprouvait en ce
moment-là était un peu pareil à ce qu'elle eût ressenti si
on lui eût dit brusquement : Petite, vous êtes la reine de
France.

Il lui semblait que si elle touchait à cette poupée, le
380 tonnerre en sortirait.

Ce qui était vrai jusqu'à un certain point, car elle se
disait que la Thénardier gronderait, et la battrait.

Pourtant, l'attraction l'emporta. Elle finit par s'appro-
cher, et murmura timidement en se tournant vers la
385 Thénardier :

– Est-ce que je peux, madame ?

Aucune expression ne saurait rendre cet air à la fois
désespéré, épouvanté et ravi.

– Pardi ! fit la Thénardier, c'est à toi. Puisque monsieur
390 te la donne.

– Vrai, monsieur ? reprit Cosette, est-ce que c'est vrai ?
c'est à moi, la dame ?

L'étranger paraissait avoir les yeux pleins de larmes. Il
semblait être à ce point d'émotion où l'on ne parle pas
395 pour ne pas pleurer. Il fit un signe de tête à Cosette, et
mit la main de «la dame» dans sa petite main.

Cosette retira vivement sa main, comme si celle de *la
dame* la brûlait, et se mit à regarder le pavé. Nous
sommes forcé d'ajouter qu'en cet instant-là elle tirait la
400 langue d'une façon démesurée. Tout à coup, elle se
retourna et saisit la poupée avec emportement.

– Je l'appellerai Catherine, dit-elle.

*[Le lendemain, l'homme emmène Cosette, après force dis-
cussions financières avec les Thénardier qui réclament le
maximum d'argent.]*

Questions

Compréhension

• «L'atrophie de l'enfant par la nuit»

1. En quoi Cosette illustre-t-elle cette expression de l'exergue*?

2. Une «idiote ou un démon» (l. 43) : pourquoi la misère peut-elle conduire à cela? Quel défaut a acquis Cosette? En quoi Jean Valjean et Fantine étaient-ils aussi devenus des «démons»?

3. En quoi la présence des deux jolies petites Thénardier ajoute-t-elle au malheur de Cosette?

4. Quelle est l'attitude des clients envers la petite servante?

• Les Thénardier

5. Que signifie le mot «mégères» (l. 293)? Quelle est son origine? Quel adjectif renforce cet aspect monstrueux de la Thénardier?

6. Qu'éprouve-t-elle à l'égard de «l'homme à la redingote jaune»? Pourquoi? Ses analyses sont-elles justes? Qu'en déduisez-vous sur son intelligence?

7. En quoi M. Thénardier paraît-il différent? Quels adjectifs pourraient le qualifier?

8. Les deux petites sont-elles antipathiques? Pourquoi?

• Un héros à la force tranquille

9. Quels termes expriment le calme et la modestie de «l'homme à la redingote jaune»? Comment expliquez-vous cette attitude?

10. Par quoi va-t-il provoquer l'étonnement et le respect?

Écriture

11. Quel est l'intérêt, pour le récit, que la poupée des petites Thénardier soit très abîmée (l. 141-142)?

12. De quel point de vue* est décrite Cosette au début du chapitre? À quelle phrase, pourtant, l'auteur-narrateur intervient-il?

Mise en perspective

13. À quel conte célèbre peut faire penser la confrontation de Cosette et des deux sœurs ? Pourquoi ?

14. Quels autres romans présentent des enfants malheureux (pensez à Charles Dickens) ? Choisissez un ou plusieurs textes et comparez-les aux chapitres sur Cosette.

V. Bordet (Cosette) et Lino Ventura (Jean Valjean)
dans l'adaptation cinématographique de Robert Hossein, 1982.

LIVRE QUATRIÈME

La masure Gorbeau

[Jean Valjean (car c'est bien lui) se cache avec l'enfant dans une vaste maison délabrée à la périphérie de Paris : la masure Gorbeau. Seule une vieille femme, la «principale locataire», occupe une autre partie de la bâtisse. Jean Valjean, ce premier soir, regarde avec émotion Cosette dormir : «neuf mois auparavant, il baisait la main de la mère qui, elle aussi, venait de s'endormir».]

3

DEUX MALHEURS MÊLÉS FONT DU BONHEUR

Le lendemain au point du jour, Jean Valjean était encore près du lit de Cosette. Il attendit là, immobile, et il la regarda se réveiller.

Quelque chose de nouveau lui entrait dans l'âme.

5 Jean Valjean n'avait jamais rien aimé. Depuis vingt-cinq ans il était seul au monde. Il n'avait jamais été père, amant, mari, ami. Au bagne il était mauvais, sombre, chaste•, ignorant et farouche. Le cœur de ce vieux forçat était plein de virginités[1]. Sa sœur et les enfants de sa
10 sœur ne lui avaient laissé qu'un souvenir vague et lointain qui avait fini par s'évanouir presque entièrement. Il avait fait tous ses efforts pour les retrouver, et, n'ayant pu les retrouver, il les avait oubliés. La nature humaine est ainsi faite. Les autres émotions tendres de sa jeu-
15 nesse, s'il en avait eu, étaient tombées dans un abîme. Quand il vit Cosette, quand il l'eut prise, emportée et

---

1. *plein de virginités* : Jean Valjean est «vierge» de tous les plaisirs liés à la tendresse puisqu'il ne les a pas connus.

délivrée, il sentit se remuer ses entrailles. Tout ce qu'il y
avait de passionné et d'affectueux en lui s'éveilla et se
précipita vers cet enfant. Il allait près du lit où elle dor-
20 mait, et il y tremblait de joie ; il éprouvait des épreintes[1]
comme une mère et il ne savait ce que c'était ; car c'est
une chose bien obscure et bien douce que ce grand et
étrange mouvement d'un cœur qui se met à aimer.
Pauvre vieux cœur tout neuf !
25 Seulement, comme il avait cinquante-cinq ans et que
Cosette en avait huit, tout ce qu'il aurait pu avoir
d'amour dans toute sa vie se fondit en une sorte de lueur
ineffable[2].
C'était la deuxième apparition blanche[3] qu'il ren-
30 contrait. L'évêque avait fait lever à son horizon l'aube de
la vertu ; Cosette y faisait lever l'aube de l'amour.
Les premiers jours s'écoulèrent dans cet éblouissement.
De son côté, Cosette, elle aussi, devenait autre, à son
insu, pauvre petit être ! Elle était si petite quand sa mère
35 l'avait quittée qu'elle ne s'en souvenait plus. Comme
tous les enfants, pareils aux jeunes pousses de la vigne
qui s'accrochent à tout, elle avait essayé d'aimer. Elle
n'y avait pu réussir. Tous l'avaient repoussée, les Thénardier, leurs enfants, d'autres enfants. Elle avait aimé le
40 chien, qui était mort. Après quoi, rien n'avait voulu
d'elle, ni personne. Chose lugubre à dire, et que nous
avons déjà indiquée, à huit ans elle avait le cœur froid.
Ce n'était pas sa faute, ce n'était point la faculté d'aimer
qui lui manquait ; hélas ! c'était la possibilité. Aussi, dès
45 le premier jour, tout ce qui sentait et songeait en elle se
mit à aimer ce bonhomme. Elle éprouvait ce qu'elle
n'avait jamais ressenti, une sensation d'épanouissement.
Le bonhomme ne lui faisait même plus l'effet d'être
vieux, ni d'être pauvre. Elle trouvait Jean Valjean beau,
50 de même qu'elle trouvait le taudis joli.
Ce sont là des effets d'aurore, d'enfance, de jeunesse, de

---

1. *épreintes* : contractions abdominales.
2. *ineffable* : indescriptible, inexplicable par des mots.
3. *apparition blanche* : jeu sur le mot *« aube »* (du latin *alba*, « blanche ») ; ces
apparitions sont des aubes, des commencements, des pages blanches à écrire.

joie. La nouveauté de la terre et de la vie y est pour
quelque chose. Rien n'est charmant comme le reflet
colorant du bonheur sur le grenier. Nous avons tous
55 ainsi dans notre passé un galetas* bleu.

La nature, cinquante ans d'intervalle, avaient mis une
séparation profonde entre Jean Valjean et Cosette ;
cette séparation, la destinée la combla. La destinée unit
brusquement et fiança avec son irrésistible puissance
60 ces deux existences déracinées, différentes par l'âge,
semblables par le deuil. L'une en effet complétait
l'autre. L'instinct de Cosette cherchait un père comme
l'instinct de Jean Valjean cherchait un enfant. Se rencontrer, ce fut se trouver. Au moment mystérieux où
65 leurs deux mains se touchèrent, elles se soudèrent.
Quand ces deux âmes s'aperçurent, elles se
reconnurent comme étant le besoin l'une de l'autre et
s'embrassèrent étroitement.
[...]
70 Ceci n'est qu'une opinion personnelle ; mais pour dire
notre pensée tout entière, au point où en était Jean Valjean quand il se mit à aimer Cosette, il ne nous est pas
prouvé qu'il n'ait pas eu besoin de ce ravitaillement pour
persévérer dans le bien. Il venait de voir sous de nou-
75 veaux aspects la méchanceté des hommes et la misère
de la société, aspects incomplets et qui ne montraient
fatalement qu'un côté du vrai, le sort de la femme
résumé dans Fantine, l'autorité publique personnifiée
dans Javert ; il était retourné au bagne, cette fois pour
80 avoir bien fait ; de nouvelles amertumes l'avaient
abreuvé ; le dégoût et la lassitude le reprenaient ; le souvenir même de l'évêque touchait peut-être à quelque
moment d'éclipse, sauf à reparaître plus tard lumineux
et triomphant ; mais enfin ce souvenir sacré s'affaiblis-
85 sait. Qui sait si Jean Valjean n'était pas à la veille de
se décourager et de retomber ? Il aima, et il redevint fort.
Hélas ! il n'était guère moins chancelant que Cosette. Il
la protégea et elle l'affermit. Grâce à lui, elle put marcher dans la vie ; grâce à elle, il put continuer dans la
90 vertu. Il fut le soutien de cet enfant et cet enfant fut son
point d'appui. Ô mystère insondable et divin des équi-
libres de la destinée !

[L'homme et l'enfant seront chassés de la masure par les harcèlements de Javert. Ils trouveront refuge dans un couvent : Jean Valjean y sera jardinier, et Cosette sera élevée par les religieuses.]

Questions

Compréhension

• La rencontre

1. *Pourquoi Jean Valjean avait-il promis à Fantine de s'occuper de son enfant ? Est-ce seulement cette raison qui le pousse maintenant à « adopter » Cosette ?*

2. *Qu'apporte Jean Valjean à Cosette ? et Cosette à Jean Valjean ? Quels différents rôles l'enfant va-t-elle tenir dans le cœur de l'ancien forçat ?*

3. *L'amour qui naît entre les deux êtres tient-il à la personnalité de chacun ou à ce qu'ils ont vécu ? Justifiez votre réponse.*

• La paternité

4. *Quel détail du récit (cf. le résumé précédant le chapitre) présente Jean Valjean comme le père spirituel de Cosette ?*

5. *À quelle date Jean Valjean a-t-il emmené l'enfant ? Quel symbole* y voyez-vous ? (Cf. résumé, p. 93.)*

6. *Les sentiments maternel et paternel sont-ils montrés ici comme très différents ? Citez des passages du texte.*

Écriture / Réécriture

7. *Dans quel passage le narrateur intervient-il pour exprimer une hypothèse sur la psychologie du héros*, comme s'il était un observateur extérieur à l'histoire qu'il raconte ?*

8. *Quels passages sont des réflexions générales du narrateur-auteur sur les hommes, la vie, etc. ?*

9. *Quel pronom personnel Hugo utilise-t-il quand il intervient ainsi directement dans le récit ?*

10. *À quel champ lexical* appartiennent les mots « point du jour » (l. 1), « nouveau » (l. 4), « entrait » (l. 4) ? Relevez dans la suite du chapitre d'autres mots du même champ linguistique et justifiez leur emploi.*

11. *Que signifie l'expression « galetas* bleu » (l. 55) ?*

12. *De quels adjectifs qualifieriez-vous ce moment pour Jean Valjean ?*

Bilan

L'action

• Ce que nous savons

• *Noël 1823, à Montfermeil : Jean Valjean, échappé du bagne où on l'avait renvoyé, arrache la petite Cosette aux mauvais traitements des Thénardier.*

• *L'homme et l'enfant gagnent Paris et s'installent d'abord dans une maison isolée, puis, poursuivis par Javert, se réfugient dans un couvent, où Cosette grandit.*

L'action a donc progressé concernant le sort de Cosette, mais les interrogations demeurent quant aux moyens, pour Jean Valjean, d'échapper à la police.

• À quoi nous attendre ?

1. *Le couvent ne peut constituer qu'une cachette temporaire : quand les personnages vont-ils en partir ? Pour aller où ? Quelle stratégie le héros va-t-il adopter pour vivre en sûreté ?*

2. *Cosette va devenir une jeune fille : une intrigue amoureuse ne va-t-elle pas se nouer ?*

Les personnages

• Ce que nous savons

• *Les Thénardier sont entrés véritablement en scène. Ils illustrent une autre catégorie de «misérables», le mot ayant ici pour eux le sens de «malfaisants» et de «méprisables».*

• *Jean Valjean s'est imposé comme héros* : il triomphe des obstacles (s'évade du bagne, échappe à Javert) ; il détient toujours le pouvoir de l'argent (il a sauvé les biens de «M. Madeleine») ; il est la force rassurante qui protège une enfant. Nous l'avions vu également tourmenté par des problèmes de conscience ; ce côté humain s'enrichit maintenant de la tendresse passionnée qu'il voue à Cosette : le sentiment fort éprouvé par le héros est l'amour paternel.*

• *Cosette n'a pas pour l'instant de caractère très défini, mais le personnage joue un double rôle : elle éveille la sensibilité du héros et l'aide à «persévérer dans le bien» ; elle illustre «l'atrophie de l'enfant» dénoncée dans l'exergue. En cela, elle est le personnage central de cette deuxième partie, à laquelle elle donne son nom. À ce point du récit, nous retrouvons bien le plan initialement conçu par Hugo :*

«– histoire d'un saint

123

– histoire d'un homme
– histoire d'une femme
– histoire d'une poupée »

• À quoi nous attendre ?

1. *Les Thénardier paraissent dangereux, la femme par sa mons-truosité, l'homme par son caractère sournois : avides d'argent comme ils le sont, ne va-t-on pas les retrouver sur la route de Jean Valjean et de Cosette ?*

2. *Quelle va être la personnalité de Cosette jeune fille ? Quels seront ses rapports avec l'ancien forçat qui est devenu son « père » ?*

3. *Qui sera le personnage central de la troisième partie ? Va-t-il lui aussi illustrer l'exergue* ? De quelle manière ?*

L'écriture

À ce point du roman, on se rend compte que Hugo mêle diverses manières romanesques :
• *réalisme* de la description des enfants,*
• *romantisme* du ton et des thèmes (fantastique*, ténèbres/ lumière) et de la force passionnée des sentiments,*
• *roman d'aventures par le suspense et les coups de théâtre,*
• *roman populaire par des situations et des personnages de récits traditionnels (ressemblance avec certains contes : enfants aban-donnés, thème de la forêt, orpheline maltraitée, marâtre, etc.).*

MARIUS

Marius, gravure de Perrichon et Yon.

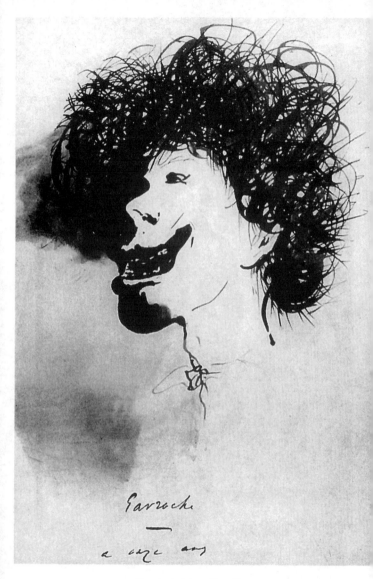

Gavroche

Gavroche dessiné par Victor Hugo.

LIVRE PREMIER

Paris étudié dans son atome

13

LE PETIT GAVROCHE

Huit ou neuf ans environ après les événements racontés
dans la deuxième partie de cette histoire, on remarquait
sur le boulevard du Temple[1] et dans les régions du
Château-d'Eau[1] un petit garçon de onze à douze ans qui
eût assez correctement réalisé cet idéal du gamin ébau-
ché plus haut[2], si, avec le rire de son âge sur les lèvres, il
n'eût pas eu le cœur absolument sombre et vide. Cet
enfant était bien affublé d'un pantalon d'homme, mais il
ne le tenait pas de son père, et d'une camisole[3] de
femme, mais il ne la tenait pas de sa mère. Des gens
quelconques l'avaient habillé de chiffons par charité.
Pourtant il avait un père et une mère. Mais son père ne
songeait pas à lui et sa mère ne l'aimait point. C'était un
de ces enfants dignes de pitié entre tous qui ont père et
mère et qui sont orphelins.
Cet enfant ne se sentait jamais si bien que dans la rue.
Le pavé lui était moins dur que le cœur de sa mère.
Ses parents l'avaient jeté dans la vie d'un coup de pied.
Il avait tout bonnement pris sa volée.
C'était un garçon bruyant, blême, leste, éveillé, gogue-
nard[4], à l'air vivace et maladif. Il allait, venait, chantait,

---

1. *boulevard du Temple, Château-d'Eau* : quartier de Paris autour de la place de la
République.
2. Les chapitres précédents décrivaient le gamin de Paris, petit être joyeux,
impertinent et poète, qui vit dans la rue et ne mange pas tous les jours.
3. *camisole* : sorte de corsage porté par les femmes.
4. *goguenard* : moqueur.

jouait à la fayousse[1], grattait les ruisseaux[2], volait un peu, mais comme les chats et les passereaux, gaiement, riait quand on l'appelait galopin, se fâchait quand on l'appe-
25 lait voyou. Il n'avait pas de gîte, pas de pain, pas de feu, pas d'amour ; mais il était joyeux parce qu'il était libre. Quand ces pauvres êtres sont des hommes, presque toujours la meule de l'ordre social les rencontre et les broie, mais tant qu'ils sont enfants, ils échappent, étant petits.
30 Le moindre trou les sauve.
Pourtant, si abandonné que fût cet enfant, il arrivait parfois, tous les deux ou trois mois, qu'il disait : Tiens, je vais voir maman ! Alors il quittait le boulevard, le Cirque[3], la porte Saint-Martin, descendait aux quais,
35 passait les ponts, gagnait les faubourgs, atteignait la Salpêtrière[4], et arrivait où ? Précisément à ce double numéro 50-52 que le lecteur connaît, à la masure Gorbeau.
À cette époque, la masure 50-52, habituellement déserte
40 et éternellement décorée de l'écriteau : « Chambres à louer», se trouvait, chose rare, habitée par plusieurs individus qui, du reste, comme cela est toujours à Paris, n'avaient aucun lien ni aucun rapport entre eux. Tous appartenaient à cette classe indigente[5] qui commence à
45 partir du dernier petit bourgeois gêné et qui se prolonge de misère en misère dans les bas-fonds de la société jusqu'à ces deux êtres auxquels toutes les choses matérielles de la civilisation viennent aboutir, l'égoutier qui balaye la boue et le chiffonnier qui ramasse les guenilles.
50 La «principale locataire » du temps de Jean Valjean était morte et avait été remplacée par une toute pareille. Je ne sais quel philosophe a dit : On ne manque jamais de vieilles femmes.
Cette nouvelle vieille s'appelait madame Burgon, et

---

1. *la fayousse* : jeu d'adresse avec des pièces de monnaie.
2. *grattait les ruisseaux* : on rétribuait les enfants pour nettoyer les caniveaux.
3. *le Cirque* : le Cirque d'hiver, situé boulevard du Temple, à Paris.
4. *la Salpêtrière* : hôpital parisien, près du pont d'Austerlitz.
5. *indigente* : pauvre.

55 n'avait rien de remarquable dans sa vie qu'une dynastie
de trois perroquets, lesquels avaient successivement
régné sur son âme.

Les plus misérables entre ceux qui habitaient la masure
étaient une famille de quatre personnes, le père, la mère
60 et deux filles déjà assez grandes, tous les quatre logés
dans le même galetas•, une de ces cellules dont nous
avons déjà parlé.

Cette famille n'offrait au premier abord rien de très particulier que son extrême dénuement. Le père en louant
65 la chambre avait dit s'appeler Jondrette. Quelque temps
après son emménagement qui avait singulièrement res-
semblé, pour emprunter l'expression mémorable de la
principale locataire, à *l'entrée de rien du tout,* ce Jondrette avait dit à cette femme qui, comme sa devancière,
70 était en même temps portière• et balayait l'escalier :
– Mère une telle, si quelqu'un venait par hasard demander un polonais ou un italien, ou peut-être un espagnol,
ce serait moi.

Cette famille était la famille du joyeux va-nu-pieds. Il y
75 arrivait et il y trouvait la pauvreté, la détresse, et, ce qui
est plus triste, aucun sourire ; le froid dans l'âtre et le
froid dans les cœurs. Quand il entrait, on lui demandait : – D'où viens-tu ? Il répondait : – De la rue. Quand
il s'en allait, on lui demandait : – Où vas-tu ? Il répon-
80 dait : – Dans la rue. Sa mère lui disait : – Qu'est-ce que
tu viens faire ici ?

Cet enfant vivait dans cette absence d'affection comme
ces herbes pâles qui viennent dans les caves. Il ne souffrait pas d'être ainsi et n'en voulait à personne. Il ne
85 savait pas au juste comment devaient être un père et une
mère.

Du reste sa mère aimait ses sœurs.

Nous avons oublié de dire que sur le boulevard du
Temple on nommait cet enfant le petit Gavroche. Pour-
90 quoi s'appelait-il Gavroche ? Probablement parce que
son père s'appelait Jondrette.

Casser le fil semble être l'instinct de certaines familles
misérables.

La chambre que les Jondrette habitaient dans la masure
95 Gorbeau était la dernière au bout du corridor. La cellule

d'à côté était occupée par un jeune homme très pauvre qu'on nommait Marius.
Disons ce que c'était que monsieur Marius.

*Marius (Giani Esposito) et Jean Valjean (Jean Gabin)
tenant Gavroche mort dans ses bras,
mise en scène de Jean-Paul Le Chanois, 1957.*

Questions

Compréhension

• **Un gamin de Paris**

1. *En quoi Gavroche est-il malheureux? En quoi est-il heureux? À quels genres de contraintes échappe-t-il?*

2. *Que signifie «il [...] volait un peu, mais comme les chats et les passereaux, gaiement» (l. 21 à 23)?*

3. *Pourquoi Gavroche rit-il quand on l'appelle «galopin», mais se fâche-t-il quand on l'appelle «voyou»?*

4. *Qui peut être cet enfant? Rechercher tous les indices donnés par le narrateur (lieu, date, famille...).*

• **La famille**

5. *Gavroche a-t-il un nom de famille? Quels autres personnages du roman sont dans le même cas? Quelle importance cela peut-il avoir concernant leur place dans la société?*

6. *D'après les lignes 92-93, qu'est-ce qui détruit les liens parents/ enfants?*

Écriture

7. *Quels adjectifs semblent contradictoires aux lignes 20-21? Comment Gavroche peut-il être tout cela à la fois? Quels autres exemples d'antithèses* trouve-t-on dans la présentation du personnage?*

8. *Quel procédé de style est utilisé dans l'expression «la meule de l'ordre social» (l. 28)? Expliquez le sens de la phrase.*

9. *Quel procédé de style est utilisé aux lignes 82-83? Que signifie cette phrase? De quelle autre expression de Hugo concernant la misère des enfants peut-on la rapprocher?*

10. *L'auteur vous semble-t-il précisément documenté sur le Paris de cette époque? Relevez des passages justifiant votre réponse.*

Mise en perspective

11. *Le jeune Momo du roman* La Vie devant soi, *de Romain Gary, a bien des points communs avec Gavroche. D'ailleurs, l'enfant*

admire Victor Hugo : «Un jour, j'écrirai les misérables, moi aussi», *déclare-t-il. Lisez en particulier le premier chapitre et mettez en évidence les ressemblances entre les deux personnages.*

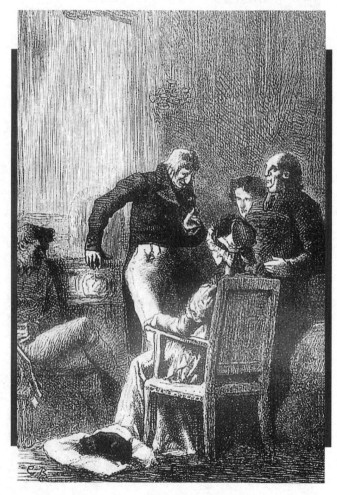

Un ancien salon, gravure de Yon et Perrichon.

LIVRE TROISIÈME

Le grand-père et le petit-fils

2

UN DES SPECTRES ROUGES[1] DE CE TEMPS-LÀ

[M. Gillenormand, «vrai bourgeois complet et un peu hautain du XVIIIᵉ siècle », qui « adorait les Bourbons et avait en horreur 1789 », n'a jamais accepté son gendre, un soldat de la République et de l'Empire. Ce Georges Pontmercy, chef d'escadron à Waterloo, y reçut de l'ennemi un coup de sabre à travers le visage et, de l'Empereur, les titres de colonel, de baron et d'officier de la Légion d'honneur. Mais Louis XVIII ne lui reconnut rien de tout cela et l'envoya en résidence à Vernon, en Normandie, où ce militaire, rêveur romantique au fond, se consacra à la culture des fleurs.]

[...]

Il n'avait rien, que sa très chétive demi-solde[2] de chef d'escadron. Il avait loué à Vernon la plus petite maison qu'il avait pu trouver. Il y vivait seul, on vient de voir
5 comment. Sous l'empire, entre deux guerres, il avait trouvé le temps d'épouser mademoiselle Gillenormand. Le vieux bourgeois, indigné au fond, avait consenti en soupirant et en disant : *Les plus grandes familles y sont forcées.* En 1815, madame Pontmercy, femme du reste
10 de tout point admirable, élevée et rare et digne de son mari, était morte, laissant un enfant. Cet enfant eût été la joie du colonel dans sa solitude ; mais l'aïeul avait

---

1. *spectres rouges* : les socialistes ; référence à l'ouvrage *Le Spectre rouge* de 1852, d'Auguste Romieu, auteur dont Hugo s'est souvent moqué pour sa peur frileuse des idées progressistes.
2. *demi-solde* : salaire réduit versé à un militaire qui n'est plus en activité.

impérieusement réclamé son petit-fils, déclarant que, si
on ne le lui donnait pas, il le déshériterait. Le père avait
15 cédé dans l'intérêt du petit, et, ne pouvant avoir son
enfant, il s'était mis à aimer les fleurs.
Il avait du reste renoncé à tout, ne remuant ni ne
conspirant. Il partageait sa pensée entre les choses inno-
centes qu'il faisait et les choses grandes qu'il avait faites.
20 Il passait son temps à espérer un œillet ou à se souvenir
d'Austerlitz.
M. Gillenormand n'avait aucune relation avec son
gendre. Le colonel était pour lui «un bandit», et il était
pour le colonel «une ganache[1]». M. Gillenormand ne
25 parlait jamais du colonel, si ce n'est quelquefois pour
faire des allusions moqueuses à «sa baronnie». Il était
expressément convenu que Pontmercy n'essayerait
jamais de voir son fils ni de lui parler, sous peine qu'on
le lui rendît chassé et déshérité. Pour les Gillenormand,
30 Pontmercy était un pestiféré. Ils entendaient élever l'enfant à leur guise. Le colonel eut tort peut-être d'accepter
ces conditions, mais il les subit, croyant bien faire et ne
sacrifier que lui. L'héritage du père Gillenormand était
peu de chose, mais l'héritage de mademoiselle Gillenor-
35 mand aînée était considérable. Cette tante, restée fille,
était fort riche du côté maternel, et le fils de sa sœur
était son héritier naturel.
L'enfant, qui s'appelait Marius, savait qu'il avait un père,
mais rien de plus. Personne ne lui en ouvrait la bouche.
40 Cependant, dans le monde où son grand-père le menait,
les chuchotements, les demi-mots, les clins d'yeux,
s'étaient fait jour à la longue jusque dans l'esprit du petit,
il avait fini par comprendre quelque chose, et comme il
prenait naturellement, par une sorte d'infiltration et de
45 pénétration lente, les idées et les opinions qui étaient,
pour ainsi dire, son milieu respirable, il en vint peu à peu
à ne songer à son père qu'avec honte et le cœur serré.
Pendant qu'il grandissait ainsi, tous les deux ou trois
mois le colonel s'échappait, venait furtivement• à Paris

---

1. *une ganache* : un sot.

50 comme un repris de justice qui rompt son ban• et allait
se poster à Saint-Sulpice[1], à l'heure où la tante Gillenormand menait Marius à la messe. Là, tremblant que la
tante ne se retournât, caché derrière un pilier, immobile,
n'osant respirer, il regardait son enfant. Ce balafré avait
55 peur de cette vieille fille.
De là même était venue sa liaison avec le curé de Vernon, M. l'abbé Mabeuf.
Ce digne prêtre était frère d'un marguillier• de Saint-
Sulpice, lequel avait plusieurs fois remarqué cet homme
60 contemplant son enfant, et la cicatrice qu'il avait sur la
joue, et la grosse larme qu'il avait dans les yeux. Cet
homme qui avait si bien l'air d'un homme et qui pleurait
comme une femme avait frappé le marguillier. Cette
figure lui était restée dans l'esprit. Un jour, étant allé à
65 Vernon voir son frère, il rencontra sur le pont le colonel
Pontmercy et reconnut l'homme de Saint-Sulpice. Le
marguillier en parla au curé, et tous deux sous un prétexte quelconque firent une visite au colonel. Cette visite
en amena d'autres. Le colonel d'abord très fermé finit
70 par s'ouvrir, et le curé et le marguillier arrivèrent à
savoir toute l'histoire, et comment Pontmercy sacrifiait
son bonheur à l'avenir de son enfant. Cela fit que le curé
le prit en vénération• et en tendresse, et le colonel de
son côté prit en affection le curé. D'ailleurs, quand
75 d'aventure ils sont sincères et bons tous les deux, rien
ne se pénètre et ne s'amalgame plus aisément qu'un
vieux prêtre et un vieux soldat. Au fond, c'est le même
homme. L'un s'est dévoué pour la patrie d'en bas,
l'autre pour la patrie d'en haut ; pas d'autre différence.
80 Deux fois par an, au 1er janvier et à la Saint-Georges,
Marius écrivait à son père des lettres de devoir que sa
tante dictait, et qu'on eût dit copiées dans quelque for-
mulaire ; c'était tout ce que tolérait M. Gillenormand ; et
le père répondait des lettres fort tendres que l'aïeul four-
85 rait dans sa poche sans les lire.

---

1. *Saint-Sulpice* : église de Saint-Germain, quartier mondain où habitait alors
M. Gillenormand.

4

FIN DU BRIGAND

[...]

En 1827, Marius venait d'atteindre ses dix-sept ans.
Comme il rentrait un soir, il vit son grand-père qui
tenait une lettre à la main.

5 – Marius, dit M. Gillenormand, tu partiras demain pour
Vernon.

– Pourquoi ? dit Marius.

– Pour voir ton père.

Marius eut un tremblement. Il avait songé à tout,

10 excepté à ceci, qu'il pourrait un jour se faire qu'il eût à
voir son père. Rien ne pouvait être pour lui plus inattendu, plus surprenant, et, disons-le, plus désagréable.
C'était l'éloignement contraint au rapprochement. Ce
n'était pas un chagrin, non, c'était une corvée.

15 Marius, outre ses motifs d'antipathie politique, était
convaincu que son père, le sabreur, comme l'appelait
M. Gillenormand dans ses jours de douceur, ne l'aimait
pas ; cela était évident, puisqu'il l'avait abandonné ainsi
et laissé à d'autres. Ne se sentant point aimé, il n'aimait

20 point. Rien de plus simple, se disait-il.

Il fut si stupéfait qu'il ne questionna pas M. Gillenormand. Le grand-père reprit :

– Il paraît qu'il est malade. Il te demande.

Et après un silence il ajouta :

25 – Pars demain matin. Je crois qu'il y a cour des Fon-
taines une voiture qui part à six heures et qui arrive le
soir. Prends-la. Il dit que c'est pressé.

Puis il froissa la lettre et la mit dans sa poche. Marius
aurait pu partir le soir même et être près de son père le

30 lendemain matin. Une diligence de la rue du Bouloi faisait à cette époque le voyage de Rouen la nuit et passait
par Vernon. Ni M. Gillenormand ni Marius ne songèrent
à s'informer.

Le lendemain, à la brune•, Marius arrivait à Vernon. Les

35 chandelles commençaient à s'allumer. Il demanda au
premier passant venu *la maison de monsieur Pontmercy*.

Car dans sa pensée il était de l'avis de la restauration, et, lui non plus, ne reconnaissait son père ni baron ni colonel.

40 On lui indiqua le logis. Il sonna. Une femme vint lui ouvrir, une petite lampe à la main.

– Monsieur Pontmercy ? dit Marius.

La femme resta immobile.

– Est-ce ici ? demanda Marius.

45 La femme fit de la tête un signe affirmatif.

– Pourrais-je lui parler ?

La femme fit un signe négatif.

– Mais je suis son fils, reprit Marius. Il m'attend.

– Il ne vous attend plus, dit la femme.

50 Alors il s'aperçut qu'elle pleurait.

Elle lui désigna du doigt la porte d'une salle basse. Il entra.

Dans cette salle qu'éclairait une chandelle de suif[1] posée sur la cheminée, il y avait trois hommes, un qui était

55 debout, un qui était à genoux, et un qui était à terre en chemise couché tout de son long sur le carreau. Celui qui était à terre était le colonel.

Les deux autres étaient un médecin et un prêtre qui priait.

60 Le colonel était depuis trois jours atteint d'une fièvre cérébrale. Au début de la maladie, ayant un mauvais pressentiment, il avait écrit à M. Gillenormand pour demander son fils. La maladie avait empiré. Le soir même de l'arrivée de Marius à Vernon, le colonel avait

65 eu un accès de délire ; il s'était levé de son lit malgré la servante, en criant : – Mon fils n'arrive pas ! je vais au-devant de lui ! – Puis il était sorti de sa chambre et était tombé sur le carreau de l'antichambre. Il venait d'expirer.

70 On avait appelé le médecin et le curé. Le médecin était arrivé trop tard, le curé était arrivé trop tard. Le fils aussi était arrivé trop tard.

À la clarté crépusculaire de la chandelle, on distinguait

---

1. *suif* : graisse animale ; les chandelles de suif étaient bon marché.

sur la joue du colonel gisant et pâle une grosse larme qui
75 avait coulé de son œil mort. L'œil était éteint, mais la
larme n'était pas séchée. Cette larme, c'était le retard de
son fils.

Marius considéra cet homme qu'il voyait pour la première fois, et pour la dernière, ce visage vénérable et
80 mâle, ces yeux ouverts qui ne regardaient pas, ces
cheveux blancs, ces membres robustes sur lesquels on
distinguait çà et là des lignes brunes qui étaient des
coups de sabre et des espèces d'étoiles rouges qui
étaient des trous de balles. Il considéra cette gigan-
85 tesque balafre qui imprimait l'héroïsme sur cette face
où Dieu avait empreint la bonté. Il songea que cet
homme était son père et que cet homme était mort, et
il resta froid.

La tristesse qu'il éprouvait fut la tristesse qu'il aurait res-
90 sentie devant tout autre homme qu'il aurait vu étendu
mort.

Le deuil, un deuil poignant, était dans cette chambre. La
servante se lamentait dans un coin, le curé priait et on
l'entendait sangloter, le médecin s'essuyait les yeux ; le
95 cadavre lui-même pleurait.

Ce médecin, ce prêtre et cette femme regardaient
Marius à travers leur affliction sans dire une parole ;
c'était lui qui était l'étranger. Marius, trop peu ému, se
sentit honteux et embarrassé de son attitude ; il avait son
100 chapeau à la main, il le laissa tomber à terre, afin de
faire croire que la douleur lui ôtait la force de le tenir.
En même temps il éprouvait comme un remords et il se
méprisait d'agir ainsi. Mais était-ce sa faute ? Il n'aimait
pas son père, quoi !
105 Le colonel ne laissait rien. La vente du mobilier paya à
peine l'enterrement. La servante trouva un chiffon de
papier qu'elle remit à Marius. Il y avait ceci, écrit de la
main du colonel :

« – *Pour mon fils.* – L'empereur m'a fait baron sur le
110 champ de bataille de Waterloo. Puisque la restauration
me conteste ce titre que j'ai payé de mon sang, mon fils
le prendra et le portera. Il va sans dire qu'il en sera
digne. »

Derrière, le colonel avait ajouté :

115 «À cette même bataille de Waterloo, un sergent m'a
sauvé la vie. Cet homme s'appelle Thénardier[1]. Dans ces
derniers temps, je crois qu'il tenait une petite auberge
dans un village des environs de Paris, à Chelles ou à
Montfermeil. Si mon fils le rencontre, il fera à Thénar-
120 dier tout le bien qu'il pourra. »
Non par religion pour son père, mais à cause de ce respect vague de la mort qui est toujours si impérieux au
cœur de l'homme, Marius prit ce papier et le serra.
Rien ne resta du colonel. M. Gillenormand fit vendre au
125 fripier[2] son épée et son uniforme. Les voisins dévali-
sèrent le jardin et pillèrent les fleurs rares. Les autres
plantes devinrent ronces et broussailles, et moururent.
Marius n'était demeuré que quarante-huit heures à Vernon. Après l'enterrement, il était revenu à Paris et s'était
130 remis à son droit, sans plus songer à son père que s'il
n'eût jamais vécu. En deux jours le colonel avait été
enterré, et en trois jours oublié.
Marius avait un crêpe[3] à son chapeau. Voilà tout.

5

L'UTILITÉ D'ALLER À LA MESSE POUR DEVENIR RÉVOLUTIONNAIRE

Marius avait gardé les habitudes religieuses de son
enfance. Un dimanche qu'il était allé entendre la messe à
Saint-Sulpice, à cette même chapelle de la Vierge où sa
tante le menait quand il était petit, étant ce jour-là distrait
5 et rêveur plus qu'à l'ordinaire, il s'était placé derrière un

---

1. *Thénardier* : il s'agit en fait d'une erreur d'interprétation : Thénardier a bien tiré
Pontmercy blessé de dessous un monceau de cadavres, le sauvant ainsi de l'asphyxie,
mais son objectif était de le voler !
2. *fripier* : commerçant en vêtements et en objets d'occasion.
3. *crêpe* : morceau de tissu noir porté en signe de deuil.

pilier et agenouillé, sans y faire attention, sur une chaise
en velours d'Utrecht, au dossier de laquelle était écrit ce
nom : *Monsieur Mabeuf, marguillier*•. La messe commençait à peine qu'un vieillard se présenta et dit à Marius :
10   – Monsieur, c'est ma place.
Marius s'écarta avec empressement, et le vieillard reprit
sa chaise.
La messe finie, Marius était resté pensif à quelques pas ; le
vieillard s'approcha de nouveau et lui dit :
15   – Je vous demande pardon, monsieur, de vous avoir
dérangé tout à l'heure et de vous déranger encore en ce
moment ; mais vous avez dû me trouver fâcheux, il faut
que je vous explique.
    – Monsieur, dit Marius, c'est inutile.
20   – Si ! reprit le vieillard, je ne veux pas que vous ayez
mauvaise idée de moi. Voyez-vous, je tiens à cette place.
Il me semble que la messe y est meilleure. Pourquoi ? je
vais vous le dire. C'est à cette place-là que j'ai vu venir
pendant dix années, tous les deux ou trois mois régulière-
25   ment, un pauvre brave père qui n'avait pas d'autre occasion et pas d'autre manière de voir son enfant, parce que,
pour des arrangements de famille, on l'en empêchait. Il
venait à l'heure où il savait qu'on menait son fils à la
messe. Le petit ne se doutait pas que son père était là. Il
30   ne savait même peut-être pas qu'il avait un père,
l'innocent ! Le père, lui, se tenait derrière un pilier pour
qu'on ne le vît pas. Il regardait son enfant, et il pleurait. Il
adorait ce petit, ce pauvre homme ! J'ai vu cela. Cet
endroit est devenu comme sanctifié[1] pour moi, et j'ai pris
35   l'habitude de venir y entendre la messe. Je le préfère au
banc d'œuvre[2] où j'aurais droit d'être comme marguillier.
J'ai même un peu connu ce malheureux monsieur. Il avait
un beau-père, une tante riche, des parents, je ne sais plus
trop, qui menaçaient de déshériter l'enfant si, lui le père,
40   il le voyait. Il s'était sacrifié pour que son fils fût riche un
jour et heureux. On l'en séparait pour opinion politique.

---

1. *sanctifié* : rendu saint, sacré.
2. *banc d'œuvre* : banc réservé aux marguilliers, à titre honorifique.

Certainement j'approuve les opinions politiques, mais il
y a des gens qui ne savent pas s'arrêter. Mon Dieu ! parce
qu'un homme a été à Waterloo, ce n'est pas un monstre ;
45 on ne sépare point pour cela un père de son enfant.
C'était un colonel de Bonaparte. Il est mort, je crois. Il
demeurait à Vernon où j'ai mon frère curé, et il s'appelait
quelque chose comme Pontmarie ou Montpercy... – Il
avait, ma foi, un beau coup de sabre.
50 – Pontmercy ? dit Marius en pâlissant.
– Précisément. Pontmercy. Est-ce que vous l'avez
connu ?
– Monsieur, dit Marius, c'était mon père.
Le vieux marguillier joignit les mains, et s'écria :
55 – Ah ! vous êtes l'enfant ! Oui, c'est cela, ce doit être un
homme à présent. Eh bien ! pauvre enfant, vous pouvez
dire que vous avez eu un père qui vous a bien aimé !
Marius offrit son bras au vieillard et le ramena jusqu'à son
logis. Le lendemain, il dit à M. Gillenormand :
60 Nous avons arrangé une partie de chasse avec quelques
amis. Voulez-vous me permettre de m'absenter trois
jours ?
– Quatre ! répondit le grand-père. Va, amuse-toi.
Et, clignant de l'œil, il dit bas à sa fille :
– Quelque amourette !

6

CE QUE C'EST QUE D'AVOIR RENCONTRÉ
UN MARGUILLIER*

Où alla Marius, on le verra un peu plus loin.
Marius fut trois jours absent, puis il revint à Paris, alla
droit à la bibliothèque de l'école de droit, et demanda la
collection du *Moniteur*[1].

---

1. *Le Moniteur*, nom d'un grand quotidien d'information.

5   Il lut le *Moniteur,* il lut toutes les histoires de la république et de l'empire, le *Mémorial de Sainte-Hélène*[1], tous
les mémoires, les journaux, les bulletins, les proclamations ; il dévora tout. La première fois qu'il rencontra le
nom de son père dans les bulletins de la grande armée,
10   il en eut la fièvre toute une semaine. Il alla voir les généraux sous lesquels Georges Pontmercy avait servi, entre
autres le comte H. Le marguillier• Mabeuf, qu'il était allé
revoir, lui avait conté la vie de Vernon, la retraite du
colonel, ses fleurs, sa solitude. Marius arriva à connaître
15   pleinement cet homme rare, sublime et doux, cette
espèce de lion-agneau qui avait été son père.

8

MARBRE CONTRE GRANIT

[Marius découvre en même temps un père à admirer et
toute la grandeur de la Révolution et de l'Empire qu'on lui
avait dépeints comme des monstruosités. Il fait plusieurs
pèlerinages à Vernon et décide de porter le titre de baron. Le
conflit éclate avec M. Gillenormand. Les insultes fusent de
part et d'autre.]

Il leva les yeux, regarda fixement son aïeul, et cria d'une
voix tonnante :
– À bas les Bourbons, et ce gros cochon de Louis XVIII !
Louis XVIII était mort depuis quatre ans, mais cela lui
5   était bien égal.
Le vieillard, d'écarlate qu'il était, devint subitement plus
blanc que ses cheveux. Il se tourna vers un buste de
M. le duc de Berry[2] qui était sur la cheminée et le salua
profondément avec une sorte de majesté singulière. Puis

---

1. Œuvre de Las Cases consacrée à Napoléon.
2. *duc de Berry* : fils de Charles X, ultraroyaliste, assassiné en 1820.

10 il alla deux fois, lentement et en silence, de la cheminée
à la fenêtre et de la fenêtre à la cheminée, traversant
toute la salle et faisant craquer le parquet comme une
figure de pierre qui marche. À la seconde fois, il se pencha vers sa fille, qui assistait à ce choc avec la stupeur
15 d'une vieille brebis, et lui dit en souriant d'un sourire
presque calme :
– Un baron comme monsieur et un bourgeois comme
moi ne peuvent rester sous le même toit.
Et tout à coup se redressant, blême, tremblant, terrible,
20 le front agrandi par l'effrayant rayonnement de la colère,
il étendit le bras vers Marius et lui cria :
– Va-t'en.
Marius quitta la maison.
Le lendemain, M. Gillenormand dit à sa fille :
25 – Vous enverrez tous les six mois soixante pistoles à ce
buveur de sang, et vous ne m'en parlerez jamais.
Ayant un immense reste de fureur à dépenser, et ne
sachant qu'en faire, il continua de dire *vous* à sa fille
pendant plus de trois mois.

Mise en scène de Raymond Bernard en 1933.

Questions

Compréhension

• **Georges Pontmercy**

1. *Quels aspects de sa personnalité peuvent sembler opposés ? Relevez les passages marquant cette antithèse* (chap. 2 et 6).*

2. *Quel autre personnage du roman cultivait un jardin ? Quels points communs voyez-vous entre les deux hommes ?*

• **Marius**

3. *Quelles sont ses réactions devant le cadavre de son père ? Le jeune homme paraît-il antipathique ? Justifiez votre réponse.*

4. *Pourquoi devient-il antiroyaliste ?*

Écriture / Réécriture

5. *Justifiez tous les titres des chapitres du livre III.*

6. *En quoi les sentiments de Marius envers son père reposent-ils d'abord sur un quiproquo* ? Que constituent, pour le récit, les révélations de M. Mabeuf ?*

7. *Qu'est-ce qui rend pathétique* le passage sur la mort du père (chap. 4, l. 53 à 77) ? Quels faits, à la fin du chapitre, accentuent le tragique de la destinée de G. Pontmercy ?*

8. *Quels éléments comiques le chapitre 8 comporte-t-il ?*

9. *Quel effet produit ce mélange des genres ?*

10. *Imaginez les sentiments et la conduite de M. Gillenormand le lendemain de la dispute avec Marius. Rédigez un texte d'une quinzaine de lignes en respectant la psychologie du personnage. Vous lui donnerez un titre à la manière de Hugo.*

Mise en perspective / Mise en images

11. *Recherchez qui fut le père de Victor Hugo et quelles étaient les opinions politiques de sa mère : quels éléments de sa propre histoire familiale l'auteur a-t-il projetés sur Marius ?*

12. *Recherchez des peintures illustrant l'histoire de Napoléon Bonaparte. Composez un panneau ou un dossier où figureront les grandes dates de sa vie privée, militaire et politique.*

LIVRE QUATRIÈME

Les Amis de l'A B C

1

UN GROUPE QUI A FAILLI DEVENIR HISTORIQUE

[L'époque est propice à l'effervescence politique, et les jeunes se regroupent en diverses organisations. Entre autres, à Paris, la société des Amis de l'A B C.]

Qu'était-ce que les Amis de l'A B C ? une société ayant pour but, en apparence, l'éducation des enfants, en réalité le redressement des hommes.
On se déclarait les amis de l'A B C. – L'*Abaissé*, c'était le
5 peuple. On voulait le relever. Calembour dont on aurait tort de rire.
[...]
Les amis de l'A B C étaient peu nombreux. C'était une société secrète à l'état d'embryon ; nous dirions presque
10 une coterie[1], si les coteries aboutissaient à des héros. Ils se réunissaient à Paris en deux endroits, près des halles, dans un cabaret* appelé *Corinthe* dont il sera question plus tard, et près du Panthéon[2] dans un petit café de la place Saint-Michel appelé le *café Musain*, aujourd'hui
15 démoli ; le premier de ces lieux de rendez-vous était contigu aux ouvriers, le deuxième, aux étudiants.
Les conciliabules[3] habituels des Amis de l'A B C se tenaient dans une arrière-salle du café Musain.
Cette salle, assez éloignée du café, auquel elle communi-
20 quait par un très long couloir, avait deux fenêtres et une

---

1. *une coterie* : un petit groupe de personnes alliées contre d'autres.
2. *Panthéon* : monument du quartier latin (quartier des universités) abritant les tombeaux d'hommes illustres.
3. *Conciliabules* : conversations secrètes.

issue avec un escalier dérobé sur la petite rue des Grès.
On y fumait, on y buvait, on y jouait, on y riait. On y
causait très haut de tout, et à voix basse d'autre chose.
Au mur était clouée, indice suffisant pour éveiller le flair
25   d'un agent de police, une vieille carte de la France sous
la république.
La plupart des amis de l'A B C étaient des étudiants, en
entente cordiale avec quelques ouvriers. Voici les noms
des principaux. Ils appartiennent dans une certaine
30   mesure à l'histoire : Enjolras, Combeferre, Jean Prouvaire, Feuilly, Courfeyrac, Bahorel, Lesgle ou Laigle,
Joly, Grantaire.
[...]
Enjolras, que nous avons nommé le premier, on verra
35   plus tard pourquoi[1], était fils unique et riche.
Enjolras était un jeune homme charmant capable d'être
terrible. Il était angéliquement beau. C'était Antinoüs[2]
farouche. On eût dit, à voir la réverbération pensive de
son regard, qu'il avait déjà, dans quelque existence pré-
40   cédente, traversé l'apocalypse* révolutionnaire. Il en
avait la tradition comme un témoin. Il savait tous les
petits détails de la grande chose. Nature pontificale[3] et
guerrière, étrange dans un adolescent. Il était officiant[4]
et militant ; au point de vue immédiat, soldat de la
45   démocratie ; au-dessus du mouvement contemporain,
prêtre de l'idéal. Il avait la prunelle profonde, la paupière un peu rouge, la lèvre inférieure épaisse et facilement dédaigneuse, le front haut. Beaucoup de front dans
un visage, c'est comme beaucoup de ciel dans un hori-
50   zon. Ainsi que certains jeunes hommes du commencement de ce siècle et de la fin du siècle dernier qui ont
été illustres de bonne heure, il avait une jeunesse exces-
sive, fraîche comme chez les jeunes filles, quoique avec
des heures de pâleur. Déjà homme, il semblait encore
55   enfant. Ses vingt-deux ans en paraissaient dix-sept. Il

---

1. Enjolras est le chef reconnu du groupe.
2. *Antinoüs* : jeune Grec célèbre pour sa beauté, aimé de l'empereur Hadrien.
3. *pontificale* : revêtue d'une autorité religieuse, sacrée.
4. *officiant* : celui qui préside une cérémonie sacrée.

était grave, il ne semblait pas savoir qu'il y eût sur la
terre un être appelé la femme. Il n'avait qu'une passion,
le droit, qu'une pensée, renverser l'obstacle. Sur le mont
Aventin, il eût été Gracchus[1], dans la Convention[2], il eût
60 été Saint-Just[3]. Il voyait à peine les roses, il ignorait le
printemps, il n'entendait pas chanter les oiseaux; la
gorge nue d'Évadné[4] ne l'eût pas plus ému qu'Aristogiton[5]; pour lui, comme pour Harmodius[5], les fleurs
n'étaient bonnes qu'à cacher l'épée. Il était sévère dans
65 les joies. Devant tout ce qui n'était pas la république, il
baissait chastement• les yeux. C'était l'amoureux de
marbre de la Liberté. Sa parole était âprement[6] inspirée
et avait un frémissement d'hymne[7]. Il avait des ouvertures d'ailes inattendues. Malheur à l'amourette qui se
70 fût risquée de son côté! Si quelque grisette[8] de la place
Cambrai ou de la rue Saint-Jean-de-Beauvais, voyant
cette figure d'échappé de collège, cette encolure de
page, ces longs cils blonds, ces yeux bleus, cette chevelure tumultueuse au vent, ces joues roses, ces lèvres
75 neuves, ces dents exquises, eût eu appétit de toute cette
aurore, et fût venue essayer sa beauté sur Enjolras, un
regard surprenant et redoutable lui eût montré brusquement l'abîme, et lui eût appris à ne pas confondre avec
le chérubin[9] galant de Beaumarchais le formidable ché-
80 rubin[9] d'Ézéchiel.

---

1. *Gracchus* : le Romain Caius Gracchus mourut sur le mont Aventin pour la
défense de la démocratie (121 av. J.-C.).
2. *Convention* : assemblée révolutionnaire qui gouverna la France de 1792 à 1795.
3. *Saint-Just* : révolutionnaire idéaliste et intransigeant.
4. *Évadné* : héroïne grecque légendaire qui se jeta sur le bûcher funéraire de son
mari pour le suivre dans la mort.
5. *Aristogiton, Harmodius* : jeunes Athéniens qui assassinèrent le tyran Hipparque
lors d'une procession, avec des poignards dissimulés sous des fleurs (514 av. J.-C.).
Harmodius fut tué immédiatement, mais Aristogiton mourut sous la torture.
6. *âprement* : avec une violence rude.
7. *hymne* : chant enthousiaste célébrant un dieu, une idée...
8. *grisette* : jeune ouvrière ou employée qui aime séduire et s'amuser.
9. *chérubin* : ange ; Enjolras (Enj-olras!) a la beauté d'un ange, mais d'un ange-
soldat de Dieu tels ceux dépeints par le prophète Ézéchiel, porteurs d'une épée pour
châtier les coupables, et non d'un ange de charme comme le personnage de
Chérubin dans *Le Mariage de Figaro* de Beaumarchais.

[Marius se lie avec les «Amis de l'A B C», qui remettent en cause son enthousiasme bonapartiste : vivre libre en République n'est-il pas un idéal plus grand que la gloire de la Grande Armée ? Marius est troublé : démocrate, oui, mais républicain ?... Matériellement, l'argent manque, puisqu'il refuse celui de M. Gillenormand. Des travaux de librairie lui permettent de vivre, pauvrement. Trois ans s'écoulent. Marius a vingt ans.]

Babet, Gueulemer, Claquesous et Montparnasse.

LIVRE CINQUIÈME

Excellence du malheur

5

PAUVRETÉ, BONNE VOISINE DE MISÈRE

[...]
Le plaisir de Marius était de faire de longues promenades seul sur les boulevards extérieurs, ou au Champ
de Mars[1], ou dans les allées les moins fréquentées du
Luxembourg[1]. Il passait quelquefois une demi-journée à
regarder le jardin d'un maraîcher, les carrés de salade,
les poules dans le fumier et le cheval tournant la roue de
la noria[2]. Les passants le considéraient avec surprise, et
quelques-uns lui trouvaient une mise suspecte et une
mine sinistre. Ce n'était qu'un jeune homme pauvre
rêvant sans objet.
C'est dans une de ses promenades qu'il avait découvert
la masure Gorbeau, et, l'isolement et le bon marché le
tentant, il s'y était logé. On ne l'y connaissait que sous le
nom de monsieur Marius.
Quelques-uns des anciens généraux ou des anciens
camarades de son père l'avaient invité, quand ils le
connurent, à les venir voir. Marius n'avait point refusé.
C'étaient des occasions de parler de son père. Il allait
ainsi de temps en temps chez le comte Pajol, chez le
général Bellavesne, chez le général Fririon, aux Invalides. On y faisait de la musique, on y dansait. Ces
soirs-là Marius mettait son habit neuf. Mais il n'allait
jamais à ces soirées ni à ces bals que les jours où il gelait

---

1. *Champ de Mars, Luxembourg* : le Champ de Mars est une esplanade ; le Luxembourg est un jardin de Paris, proche du Panthéon.
2. *noria* : machine formée de godets fixés à une chaîne, pour remonter l'eau.

25 à pierre fendre, car il ne pouvait payer une voiture et il
ne voulait arriver qu'avec des bottes comme des miroirs.
Il disait quelquefois, mais sans amertume : – Les
hommes sont ainsi faits que, dans un salon, vous pouvez
être crotté partout, excepté sur les souliers. On ne vous
30 demande là, pour vous bien accueillir, qu'une chose
irréprochable ; la conscience ? non, les bottes.
Toutes les passions, autres que celles du cœur, se dis-
sipent dans la rêverie. Les fièvres politiques de Marius
s'y étaient évanouies. La révolution de 1830•, en le
35 satisfaisant, et en le calmant, y avaient aidé. Il était resté
le même, aux colères près. Il avait toujours les mêmes
opinions, seulement elles s'étaient attendries. À proprement parler, il n'avait plus d'opinions, il avait des sympathies. De quel parti était-il ? du parti de l'humanité.
40 Dans l'humanité il choisissait la France ; dans la nation il
choisissait le peuple ; dans le peuple il choisissait la
femme. C'était là surtout que sa pitié allait. Maintenant
il préférait une idée à un fait, un poète à un héros, et il
admirait plus encore un livre comme Job[1] qu'un événe-
45 ment comme Marengo[2]. Et puis quand, après une journée de méditation, il s'en revenait le soir par les boulevards et qu'à travers les branches des arbres il apercevait
l'espace sans fond, les lueurs sans nom, l'abîme,
l'ombre, le mystère, tout ce qui n'est qu'humain lui sem-
50 blait bien petit.
Il croyait être et il était peut-être en effet arrivé au vrai
de la vie et de la philosophie humaine, et il avait fini par
ne plus guère regarder que le ciel, seule chose que la
vérité puisse voir du fond de son puits[3].
55 Cela ne l'empêchait pas de multiplier les plans, les
combinaisons, les échafaudages, les projets d'avenir.
Dans cet état de rêverie, un œil qui eût regardé au-
dedans de Marius, eût été ébloui de la pureté de cette

---

1. *Job* : récit biblique présentant un juste frappé par le malheur.
2. *Marengo* : victoire de Napoléon.
3. *puits* : la vérité, dit le proverbe, est cachée au fond d'un puits ; les artistes l'ont
personnifiée : une femme nue sortant de ce puits ; Marius a la pureté de cette vérité
toute nue.

âme. En effet, s'il était donné à nos yeux de chair de voir
60 dans la conscience d'autrui, on jugerait bien plus
sûrement un homme d'après ce qu'il rêve que d'après ce
qu'il pense. Il y a de la volonté dans la pensée, il n'y en
a pas dans le rêve. Le rêve, qui est tout spontané, prend
et garde, même dans le gigantesque et l'idéal, la figure
65 de notre esprit. Rien ne sort plus directement et plus
sincèrement du fond même de notre âme que nos aspirations irréfléchies et démesurées vers les splendeurs de
la destinée. Dans ces aspirations, bien plus que dans les
idées composées, raisonnées et coordonnées, on peut
70 retrouver le vrai caractère de chaque homme. Nos
chimères* sont ce qui nous ressemble le mieux. Chacun
rêve l'inconnu et l'impossible selon sa nature.
Vers le milieu de cette année 1831, la vieille qui servait
Marius lui conta qu'on allait mettre à la porte ses voi-
75 sins, le misérable ménage Jondrette. Marius, qui passait
presque toutes ses journées dehors, savait à peine qu'il
eût des voisins.
– Pourquoi les renvoie-t-on ? dit-il.
– Parce qu'ils ne payent pas leur loyer, ils doivent deux
80 termes.
– Combien est-ce ?
– Vingt francs, dit la vieille.
Marius avait trente francs en réserve dans un tiroir.
– Tenez, dit-il à la vieille, voilà vingt-cinq francs. Payez
85 pour ces pauvres gens, donnez-leur cinq francs, et ne
dites pas que c'est moi.

LIVRE SIXIÈME

La conjonction de deux étoiles

[Marius, lors de ses promenades au Luxembourg, a remarqué deux habitués, un homme d'une soixantaine d'années, que les étudiants ont surnommé M. Leblanc à cause de ses cheveux, et une jeune fille.]

3

EFFET DE PRINTEMPS

Un jour, l'air était tiède, le Luxembourg était inondé d'ombre et de soleil, le ciel était pur comme si les anges l'eussent lavé le matin, les passereaux poussaient de petits cris dans les profondeurs des marronniers. Marius
5 avait ouvert toute son âme à la nature, il ne pensait à rien, il vivait et il respirait, il passa près de ce banc, la jeune fille leva les yeux sur lui, leurs deux regards se rencontrèrent.

Qu'y avait-il cette fois dans le regard de la jeune fille ?
10 Marius n'eût pu le dire. Il n'y avait rien et il y avait tout. Ce fut un étrange éclair.

Elle baissa les yeux, et il continua son chemin.

Ce qu'il venait de voir, ce n'était pas l'œil ingénu[1] et simple d'un enfant, c'était un gouffre mystérieux qui
15 s'était entrouvert, puis brusquement refermé.

Il y a un jour où toute jeune fille regarde ainsi. Malheur à qui se trouve là !

Ce premier regard d'une âme qui ne se connaît pas encore est comme l'aube dans le ciel. C'est l'éveil de
20 quelque chose de rayonnant et d'inconnu. Rien ne saurait rendre le charme dangereux de cette lueur

---

1. *ingénu* : d'une sincérité naïve.

inattendue qui éclaire vaguement tout à coup d'adorables ténèbres et qui se compose de toute l'innocence
du présent et de toute la passion de l'avenir. C'est une
25 sorte de tendresse indécise qui se révèle au hasard et qui
attend. C'est un piège que l'innocence tend à son insu et
où elle prend des cœurs sans le vouloir et sans le savoir.
C'est une vierge qui regarde comme une femme.
Il est rare qu'une rêverie profonde ne naisse pas de ce
30 regard là où il tombe. Toutes les puretés et toutes les
candeurs[1] se rencontrent dans ce rayon céleste et fatal
qui, plus que les œillades les mieux travaillées des
coquettes, a le pouvoir magique de faire subitement
éclore au fond d'une âme cette fleur sombre, pleine de
35 parfums et de poisons, qu'on appelle l'amour.
Le soir, en rentrant dans son galetas•, Marius jeta les
yeux sur son vêtement, et s'aperçut pour la première fois
qu'il avait la malpropreté, l'inconvenance et la stupidité
inouïe d'aller se promener au Luxembourg avec ses
40 habits « de tous les jours », c'est-à-dire avec un chapeau
cassé près de la ganse[2], de grosses bottes de roulier•, un
pantalon noir blanc aux genoux et un habit noir pâle aux
coudes.

[*Ainsi commence pour Marius « une grande maladie ».
Échanges de regards. Le jeune homme s'enhardit, suit la
jeune fille et découvre son adresse. Mais le lendemain, personne au Luxembourg. Le père et la fille ont déménagé.*]

---

1. *candeurs* : innocences, naïvetés.
2. *la ganse* : le ruban étroit servant d'ornement.

Compréhension

• **Les Amis de l'A B C**

1. *Quelles sont leurs positions politiques? De quelle façon comptent-ils faire progresser l'Homme?*

2. *À quelle classe sociale appartiennent-ils en majorité? Se battent-ils pour eux-mêmes? De quelles qualités font-ils donc preuve?*

• **Enjolras**

3. *Choisissez dans chacun des couples suivants le terme qui correspond à Enjolras et justifiez vos choix par des citations du texte (si deux réponses vous semblent possibles, expliquez en quoi): révolutionnaire / réformiste – doux / violent – idéaliste / d'un bon sens mesuré – humble / orgueilleux – gai / sévère – intelligent / borné – obstiné / fantasque – d'une intelligence froide / sensible – séduisant / séducteur.*

4. *Quels traits de caractère a pu développer chez Enjolras le fait d'être fils unique?*

5. *Quelle comparaison* du début du portrait est reprise à la fin? En quoi fait-elle d'Enjolras un personnage à la fois admirable et inhumain?*

6. *Quels termes religieux sont employés dans ce portrait? En quoi un engagement politique peut-il ressembler à un engagement religieux? Quels sont les aspects positifs d'une telle attitude? Quels en sont les dangers?*

7. *Enjolras est-il vraiment adulte? Quelles qualités et quels défauts peuvent en découler?*

8. *Avec quels personnages partage-t-il son tempérament chaste? Laquelle de ces ressemblances est inquiétante? Paradoxalement, quel personnage n'avait pas eu, lui, une jeunesse chaste?*

• **Marius**

9. *Quel terme (ou ses dérivés) est repris sept fois au chapitre 5 (livre cinquième)? Quels autres aspects de la personnalité et de la conduite de Marius sont en accord avec ce trait essentiel?*

10. *Met-il ses «sympathies» (l. 38-39) en pratique?*

11. *Quels points communs a-t-il avec Enjolras? Quelles sont les différences entre les deux hommes? Lequel vous paraît le plus sympathique? Pourquoi?*

• **Les Leblanc**

12. *Qui peuvent être M. Leblanc et sa fille ? Quels indices avons-nous (pensez aux dates !) ?*

Écriture

• **Le portrait d'Enjolras (livre quatrième, chap. 1)**

13. *Pourquoi le mot « Liberté » (l. 67) prend-il une majuscule ?*

14. *Que signifie « formidable » (l. 79) dans le contexte ?*

15. *Quels éléments épiques* ce portrait comporte-t-il ?*

• **« Effet de printemps »**

16. *Quels champs lexicaux* dominent le chapitre « Effet de printemps » ? Qu'expriment-ils ?*

Mise en perspective / Mise en images

17. *Victor Hugo a mis beaucoup de lui-même en Marius, mais le personnage reste moins brillant que le modèle : quelle différence essentielle existe-t-il entre les deux ?*

18. *Avec l'aide de votre professeur d'arts plastiques, réalisez un collage symbolisant* le personnage d'Enjolras.*

LIVRE SEPTIÈME

Patron-minette[1]

2

LE BAS-FOND

[...]

Le moment est venu d'entrevoir d'autres profondeurs, les profondeurs hideuses.

Il y a sous la société, insistons-y, et, jusqu'au jour où
5 l'ignorance sera dissipée, il y aura la grande caverne du mal.

Cette cave est au-dessous de toutes et est l'ennemie de toutes. C'est la haine sans exception. Cette cave ne connaît pas de philosophes. Son poignard n'a jamais
10 taillé de plume. Sa noirceur n'a aucun rapport avec la noirceur sublime de l'écritoire[2]. Jamais les doigts de la nuit qui se crispent sous ce plafond asphyxiant n'ont feuilleté un livre ni déplié un journal. Babeuf[3] est un exploiteur• pour Cartouche[3]; Marat[3] est un aristocrate
15 pour Schinderhannes[3]. Cette cave a pour but l'effondrement de tout.

De tout. Y compris les sapes[4] supérieures, qu'elle exècre[5]. Elle ne mine pas seulement, dans son fourmillement hideux, l'ordre social actuel; elle mine la

---

1. Patron-minette : l'expression désigne le point du jour (actuellement on dit « potron-minet »), heure à laquelle les bandits finissaient leur besogne et qui a fourni le nom de la bande qui va aider Thénardier ci-après.
2. *écritoire* : sorte d'étui contenant papier, encre, plumes, généralement en cuir noir.
3. *Babeuf, Cartouche, Marat, Schinderhannes* : les révolutionnaires Babeuf et Marat cherchent à améliorer le sort du peuple par des lois ; Cartouche et Schinderhannes sont deux chefs de bandes.
4. *sapes* : tranchées creusées sous un ouvrage pour le renverser.
5. *exècre* : déteste.

20 philosophie, elle mine la science, elle mine le droit, elle
mine la pensée humaine, elle mine la civilisation, elle
mine la révolution, elle mine le progrès. Elle s'appelle
tout simplement vol, prostitution, meurtre et assassinat.
Elle est ténèbres, et elle veut le chaos. Sa voûte est faite
25 d'ignorance.

Toutes les autres, celles d'en haut, n'ont qu'un but, la
supprimer. C'est là que tendent, par tous leurs organes à
la fois, par l'amélioration du réel comme par la contem-
plation de l'absolu, la philosophie et le progrès. Détrui-
30 sez la cave Ignorance, vous détruisez la taupe Crime.

Condensons en quelques mots une partie de ce que nous
venons d'écrire. L'unique péril social, c'est l'Ombre.

Humanité, c'est identité. Tous les hommes sont la même
argile. Nulle différence, ici-bas du moins, dans la pré-
35 destination[1]. Même ombre avant, même chair pendant,
même cendre après. Mais l'ignorance mêlée à la pâte
humaine la noircit. Cette incurable noirceur gagne le
dedans de l'homme et y devient le Mal.

Le Char de foin *(détail) de Jérôme Bosch.*

---

1. *prédestination* : théorie selon laquelle le destin de chaque être est décidé à
l'avance sans qu'on puisse le changer.

LIVRE HUITIÈME

Le mauvais pauvre

[Le 2 février 1832, Marius, marchant dans la rue le soir,
se fait heurter par deux jeunes filles d'aspect misérable qui
fuient la police. Il ramasse ensuite un paquet, vraisembla-
blement tombé de leur poche. Rentré chez lui, il l'ouvre et
trouve quatre lettres : adressées à des gens différents, portant quatre signatures différentes, mais écrites sur le même
papier et de la même écriture, elles sont toutes des sup-
pliques pour obtenir de l'argent. Le lendemain, on frappe à
la porte...]

4

UNE ROSE DANS LA MISÈRE

Une toute jeune fille était debout dans la porte entrebâillée. La lucarne du galetas° où le jour paraissait était
précisément en face de la porte et éclairait cette figure
d'une lumière blafarde. C'était une créature hâve[1], ché-
5   tive, décharnée ; rien qu'une chemise et une jupe sur
une nudité frissonnante et glacée. Pour ceinture une
ficelle, pour coiffure une ficelle, des épaules pointues
sortant de la chemise, une pâleur blonde et lymphatique[2], des clavicules terreuses, des mains rouges, la
10 bouche entrouverte et dégradée, des dents de moins,
l'œil terne, hardi et bas, les formes d'une jeune fille
avortée et le regard d'une vieille femme corrompue ; cinquante ans mêlés à quinze ans ; un de ces êtres qui sont

---

1. *hâve* : d'une pâleur et d'une maigreur maladives.
2. *lymphatique* : à la peau blanche et aux muscles mous, pour cause de malnutri-
tion.

tout ensemble faibles et horribles et qui font frémir ceux
15 qu'ils ne font pas pleurer.
Marius s'était levé et considérait avec une sorte de stupeur cet être, presque pareil aux formes de l'ombre qui
traversent les rêves.
Ce qui était poignant surtout, c'est que cette jeune fille
20 n'était pas venue au monde pour être laide. Dans sa
première enfance, elle avait dû même être jolie. La grâce
de l'âge luttait encore contre la hideuse vieillesse anti-
cipée de la débauche et de la pauvreté. Un reste de
beauté se mourait sur ce visage de seize ans, comme ce
25 pâle soleil qui s'éteint sous d'affreuses nuées à l'aube
d'une journée d'hiver.
Ce visage n'était pas absolument inconnu à Marius. Il
croyait se rappeler l'avoir vu quelque part.
– Que voulez-vous, mademoiselle ? demanda-t-il.
30 La jeune fille répondit avec sa voix de galérien• ivre :
– C'est une lettre pour vous, monsieur Marius.
Elle appelait Marius par son nom ; il ne pouvait douter
que ce ne fût à lui qu'elle eût affaire ; mais qu'était-ce
que cette fille ? comment savait-elle son nom ?
35 Sans attendre qu'il lui dît d'avancer, elle entra. Elle
entra résolument, regardant avec une sorte d'assurance
qui serrait le cœur toute la chambre et le lit défait. Elle
avait les pieds nus. De larges trous à son jupon laissaient
voir ses longues jambes et ses genoux maigres. Elle gre-
40 lottait.
Elle tenait en effet une lettre à la main qu'elle présenta à
Marius.
Marius en ouvrant cette lettre remarqua que le pain à
cacheter[1] large et énorme était encore mouillé. Le mes-
45 sage ne pouvait venir de bien loin. Il lut :

« Mon aimable voisin, jeune homme !

« J'ai apris vos bontés pour moi, que vous avez payé mon
terme il y a six mois. Je vous bénis, jeune homme. Ma
fille aînée vous dira que nous sommes sens un

---

1. *le pain à cacheter* : la masse de cire pour fermer les lettres.

morceau de pain depuit deux jours, quatre personnes, et
mon épouse malade. Si je ne suis point desçu dans ma
pensée, je crois devoir espérer que votre cœur généreux
s'humanisera à cet exposé et vous subjuguera[1] le désir de
m'être propice en daignant me prodiguer un léger bienfait.
Je suis avec la considération distinguée qu'on doit aux
bienfaiteurs de l'humanité,

JONDRETTE.

P.S. – Ma fille attendra vos ordres, cher monsieur
Marius. »

Cette lettre, au milieu de l'aventure obscure qui occupait
Marius depuis la veille au soir, c'était une chandelle dans
une cave. Tout fut brusquement éclairé.
Cette lettre venait d'où venaient les quatre autres.
C'était la même écriture, le même style, la même orthographe, le même papier, la même odeur de tabac.
[...]
Maintenant il voyait clairement tout. Il comprenait que
son voisin Jondrette avait pour industrie dans sa
détresse d'exploiter• la charité des personnes bienfai-
santes, qu'il se procurait des adresses, et qu'il écrivait
sous des noms supposés à des gens qu'il jugeait riches et
pitoyables[2] des lettres que ses filles portaient, à leurs
risques et périls, car ce père en était là qu'il risquait ses
filles ; il jouait une partie avec la destinée et il les mettait
au jeu. Marius comprenait que probablement, à en juger
par leur fuite de la veille, par leur essoufflement, par leur
terreur, et par ces mots d'argot qu'il avait entendus, ces
infortunées faisaient encore on ne sait quels métiers
sombres, et que de tout cela il en était résulté, au milieu
de la société humaine telle qu'elle est faite, deux misérables êtres qui n'étaient ni des enfants, ni des filles, ni
des femmes, espèces de monstres impurs et innocents
produits par la misère.

1. *subjuguera* : soumettra complètement.
2. *pitoyables* : ici, pouvant ressentir de la pitié pour les autres.

85 Tristes créatures sans nom, sans âge, sans sexe, auxquelles ni le bien, ni le mal ne sont plus possibles, et
qui, en sortant de l'enfance, n'ont déjà plus rien dans ce
monde, ni la liberté, ni la vertu, ni la responsabilité.
Âmes écloses hier, fanées aujourd'hui, pareilles à ces
90 fleurs tombées dans la rue que toutes les boues flé-
trissent en attendant qu'une roue les écrase.
Cependant, tandis que Marius attachait sur elle un
regard étonné et douloureux, la jeune fille allait et venait
dans la mansarde avec une audace de spectre. Elle se
95 démenait sans se préoccuper de sa nudité. Par instants,
sa chemise défaite et déchirée lui tombait presque à la
ceinture. Elle remuait les chaises, elle dérangeait les
objets de toilette posés sur la commode, elle touchait
aux vêtements de Marius, elle furetait ce qu'il y avait
100 dans les coins.
  – Tiens, dit-elle, vous avez un miroir !
Et elle fredonnait, comme si elle eût été seule, des bribes
de vaudeville[1], des refrains folâtres[2] que sa voix gutturale[3] et rauque faisait lugubres. Sous cette hardiesse per-
105 çait je ne sais quoi de contraint, d'inquiet et d'humilié.
L'effronterie est une honte.
Rien n'était plus morne que de la voir s'ébattre et pour
ainsi dire voleter dans la chambre avec des mouvements
d'oiseau que le jour effare, ou qui a l'aile cassée. On
110 sentait qu'avec d'autres conditions d'éducation et de
destinée, l'allure gaie et libre de cette jeune fille eût pu
être quelque chose de doux et de charmant. Jamais
parmi les animaux la créature née pour être une
colombe ne se change en une orfraie[4]. Cela ne se voit
115 que parmi les hommes.
Marius songeait, et la laissait faire.
Elle s'approcha de la table.
  – Ah ! dit-elle, des livres !
Une lueur traversa son œil vitreux. Elle reprit, et son

---

1. *vaudeville* : comédie légère comportant des chansons.
2. *folâtres* : gais.
3. *gutturale* : qui vient de la gorge, grave.
4. *orfraie* : sorte d'aigle.

120 accent exprimait le bonheur de se vanter de quelque
chose, auquel nulle créature humaine n'est insensible :
– Je sais lire, moi.
Elle saisit vivement le livre ouvert sur la table, et lut
assez couramment :
125 «... Le général Bauduin reçut l'ordre d'enlever avec les
cinq bataillons de sa brigade le château de Hougomont
qui est au milieu de la plaine de Waterloo...»
Elle s'interrompit :
– Ah! Waterloo! Je connais ça. C'est une bataille dans
130 les temps. Mon père y était. Mon père a servi dans les
armées. Nous sommes joliment bonapartistes chez nous,
allez! C'est contre les anglais, Waterloo.
Elle posa le livre, prit une plume, et s'écria :
– Et je sais écrire aussi!
135 Elle trempa la plume dans l'encre, et se tournant vers
Marius :
– Voulez-vous voir? Tenez, je vais écrire un mot pour
voir.
Et avant qu'il eût eu le temps de répondre, elle écrivit
140 sur une feuille de papier blanc qui était au milieu de la
table : *Les cognes*• *sont là.*
Puis jetant la plume :
– Il n'y a pas de fautes d'orthographe. Vous pouvez
regarder. Nous avons reçu de l'éducation, ma sœur et
145 moi. Nous n'avons pas toujours été comme nous
sommes. Nous n'étions pas faites...
Ici elle s'arrêta, fixa sa prunelle éteinte sur Marius, et
éclata de rire en disant avec une intonation qui conte-
nait toutes les angoisses étouffées par tous les
150 cynismes• :
– Bah!
[...]
Puis elle considéra Marius, prit un air étrange, et lui dit :
– Savez-vous, monsieur Marius, que vous êtes très joli
155 garçon ?
Et en même temps il leur vint à tous les deux la même
pensée, qui la fit sourire et qui le fit rougir.
Elle s'approcha de lui, et lui posa une main sur l'épaule.
– Vous ne faites pas attention à moi, mais je vous connais,
160 monsieur Marius. Je vous rencontre ici dans l'escalier, et

puis je vous vois entrer chez un appelé le Père Mabeuf
qui demeure du côté d'Austerlitz, des fois, quand je me
promène par là. Cela vous va très bien, vos cheveux
ébouriffés.
165 Sa voix cherchait à être très douce et ne parvenait qu'à
être très basse. Une partie des mots se perdait dans le
trajet du larynx aux lèvres comme sur un clavier où il
manque des notes.
Marius s'était reculé doucement.
170 – Mademoiselle, dit-il avec sa gravité froide, j'ai là un
paquet qui est, je crois, à vous. Permettez-moi de vous le
remettre.
Et il lui tendit l'enveloppe qui renfermait les quatre
lettres.
175 Elle frappa dans ses deux mains, et s'écria :
– Nous avons cherché partout !
Puis elle saisit vivement le paquet, et défit l'enveloppe,
tout en disant :
– Dieu de Dieu ! avons-nous cherché, ma sœur et moi !
180 Et c'est vous qui l'aviez trouvé ! Sur le boulevard,
n'est-ce pas ? ce doit être sur le boulevard ? Voyez-vous,
ça a tombé quand nous avons couru.

*[Marius cherche dans son gilet une pièce à lui donner
mais n'en trouve pas.]*

La jeune fille continuait, et semblait parler comme si elle
n'avait plus conscience que Marius fût là.
185 – Des fois je m'en vais le soir. Des fois je ne rentre pas.
Avant d'être ici, l'autre hiver, nous demeurions sous les
arches des ponts. On se serrait pour ne pas geler. Ma petite
sœur pleurait. L'eau, comme c'est triste ! Quand je pensais
à me noyer, je disais : Non ; c'est trop froid. Je vais toute
190 seule quand je veux, je dors des fois dans les fossés.
Savez-vous, la nuit, quand je marche sur le boulevard, je
vois les arbres comme des fourches, je vois des maisons
toutes noires grosses comme les tours de Notre-Dame[1], je
me figure que les murs blancs sont la rivière, je me dis :

---

1. *Notre-Dame* : la cathédrale Notre-Dame, au cœur de Paris.

195 Tiens, il y a de l'eau là! Les étoiles sont comme des lampions d'illuminations, on dirait qu'elles fument et que le vent les éteint, je suis ahurie, comme si j'avais des chevaux qui me soufflent dans l'oreille ; quoique ce soit la nuit, j'entends des orgues de Barbarie et les méca-
200 niques des filatures, est-ce que je sais, moi ? Je crois qu'on me jette des pierres, je me sauve sans savoir, tout tourne, tout tourne. Quand on n'a pas mangé, c'est très drôle.

Et elle le regarda d'un air égaré.

205 À force de creuser et d'approfondir ses poches, Marius avait fini par réunir cinq francs seize sous. C'était en ce moment tout ce qu'il possédait au monde. – Voilà toujours mon dîner d'aujourd'hui, pensa-t-il, demain nous verrons. – Il prit les seize sous et donna les cinq francs à
210 la fille.

Elle saisit la pièce.

– Bon, dit-elle, il y a du soleil!

Et comme si ce soleil eût eu la propriété de faire fondre dans son cerveau des avalanches d'argot, elle poursui-
215 vit :

– Cinque francs! du luisant! un monarque! dans cette piolle! c'est chenâtre! Vous êtes un bon mion. Je vous fonce mon palpitant. Bravo les fanandels! deux jours de pivois! et de la viandemuche! et du fricotmar! on pitan-
220 cera chenument! et de la bonne mouise!¹

Elle ramena sa chemise sur ses épaules, fit un profond salut à Marius, puis un signe familier de la main, et se dirigea vers la porte en disant :

– Bonjour, monsieur. C'est égal. Je vas trouver mon
225 vieux.

En passant, elle aperçut sur la commode une croûte de pain desséchée qui y moisissait dans la poussière ; elle se jeta dessus et y mordit en grommelant :

---

1. Ce passage en argot signifie : «Cinq francs! du soleil! un louis! dans cette chambre! c'est extraordinaire! Vous êtes un bon gars. Mon cœur est à vous. Bravo les copains! deux jours de vin! et de la viande! et des petits plats! on va rudement bien boire! et manger de la bonne soupe!»

– C'est bon! c'est dur! ça me casse les dents!
230 Puis elle sortit.

Éponine dans la chambre de Marius,
à qui elle porte une lettre importante.

Compréhension

• **La «*grande caverne du mal*» (livre septième, chap. 2, p. 156).**

1. *Quels crimes Hugo désigne-t-il par cette expression? Quels dangers pour la société se préparent dans cette «caverne»?*

2. *À quoi s'oppose la force du mal? Relevez les expressions qui désignent cette force contraire.*

3. *Quel(s) remède(s) Hugo préconise-t-il contre le mal? Où avait-il déjà exprimé cette idée?*

• **Le «*mauvais pauvre*» (livre huitième, chap. 4, p. 158).**

4. *Que signifie cette expression? Quel personnage, à votre avis, fournit ce titre au livre huitième?*

5. *La lettre de Jondrette: quelles remarques faites-vous sur son orthographe? sur son style? Que peut-on en déduire pour le personnage?*

6. *Quelles sont les fautes de Jondrette aux yeux de Marius?*

• **Éponine**

7. *Relevez les détails qui, tout au long du chapitre, tracent de cette jeune fille un portrait défavorable; distinguez ce qui concerne son apparence physique d'une part, son comportement d'autre part. Quelles indications justifient cependant qu'elle soit appelée «Une rose» dans le titre?*

8. *Quel(s) sentiment(s) semble-t-elle éprouver pour Marius? Justifiez votre réponse par des passages du texte.*

9. *Quelle(s) réaction(s) provoque-t-elle chez Marius? chez le lecteur?*

Écriture / Réécriture

10. *Relevez, dans le chapitre 2, le champ lexical* évoquant le mal; quelles métaphores* sont les plus fréquentes? Créez le champ lexical contraire en inventant les images* opposées, puis décrivez le pouvoir de l'esprit en utilisant ces termes.*

11. *Quelles transformations subit Paris sous l'effet hallucinatoire de la faim? Relevez les comparaisons* (l. 191 à 203).*

12. *Décrivez à votre tour un paysage transformé par l'imagination : utilisez à votre gré comparaisons* ou métaphores*.*

13. *L'argot : documentez-vous sur cette «langue» qui intéressait Hugo ; consultez un dictionnaire, cherchez d'autres auteurs qui l'utilisent et essayez de transcrire en argot certains dialogues du texte.*

Mise en images

14. *Cherchez des reproductions de tableaux illustrant le mal, les péchés, l'enfer (cf. la peinture de Jérôme Bosch). Si possible, découpez-les et effectuez-en un montage pour illustrer «la grande caverne du mal».*

M. Leblanc (Lino Ventura) et sa fille (Christiane Jean)
rendent visite à Jondrette (Jean Carmet, de dos),
mise en scène de Robert Hossein, 1982.

7

STRATÉGIE ET TACTIQUE

[Pris de pitié pour la misère de ses voisins, Marius les observe par un trou en haut du mur. Il apprend que la jeune fille a porté une des lettres à un monsieur appelé «le philanthrope•» par Jondrette, car il fait souvent l'aumône aux pauvres. Celui-ci va venir chez eux avec sa fille.]

– Ma femme! cria-t-il, tu entends. Voilà le philanthrope. Éteins le feu.

La mère stupéfaite ne bougea pas.

Le père, avec l'agilité d'un saltimbanque•, saisit un pot
5 égueulé¹ qui était sur la cheminée et jeta de l'eau sur les tisons.

Puis s'adressant à sa fille aînée :

– Toi! dépaille la chaise!

Sa fille ne comprenait point.

10 Il empoigna la chaise et d'un coup de talon il en fit une chaise dépaillée. Sa jambe passa au travers.

Tout en retirant la jambe, il demanda à sa fille :

– Fait-il froid?

– Très froid. Il neige.

15 Le père se tourna vers la cadette qui était sur le grabat²
près de la fenêtre et lui cria d'une voix tonnante :

– Vite! à bas du lit, fainéante! tu ne feras donc jamais rien! Casse un carreau!

La petite se jeta à bas du lit en frissonnant.

20 – Casse un carreau! reprit-il.

L'enfant demeura interdite.

– M'entends-tu? répéta le père, je te dis de casser un carreau!

L'enfant, avec une sorte d'obéissance terrifiée, se dressa
25 sur la pointe du pied, et donna un coup de poing dans un carreau. La vitre se brisa et tomba à grand bruit.

---

1. *égueulé* : ébréché.
2. *grabat* : lit misérable.

– Bien, dit le père.

Il était grave et brusque. Son regard parcourait rapidement tous les recoins du galetas*.

30 On eût dit un général qui fait les derniers préparatifs au moment où la bataille va commencer.

La mère, qui n'avait pas encore dit un mot, se souleva et demanda d'une voix lente et sourde et dont les paroles semblaient sortir comme figées :

35 – Chéri, qu'est-ce que tu veux faire ?

– Mets-toi au lit, répondit l'homme.

L'intonation n'admettait pas de délibération. La mère obéit et se jeta lourdement sur un des grabats.

Cependant on entendait un sanglot dans un coin.

40 – Qu'est-ce que c'est ? cria le père.

La fille cadette, sans sortir de l'ombre où elle s'était blottie, montra son poing ensanglanté. En brisant la vitre elle s'était blessée ; elle s'en était allée près du grabat de sa mère, et elle pleurait silencieusement.

45 Ce fut le tour de la mère de se dresser et de crier :

– Tu vois bien ! les bêtises que tu fais ! en cassant ton carreau, elle s'est coupée !

– Tant mieux ! dit l'homme, c'était prévu.

– Comment ? tant mieux ? reprit la femme.

50 – Paix ! répliqua le père, je supprime la liberté de la presse.

Puis, déchirant la chemise de femme qu'il avait sur le corps, il fit un lambeau de toile dont il enveloppa vivement le poignet sanglant de la petite.

55 Cela fait, son œil s'abaissa sur la chemise déchirée avec satisfaction.

– Et la chemise aussi, dit-il. Tout cela a bon air.

Une bise glacée sifflait à la vitre et entrait dans la chambre. La brume du dehors y pénétrait et s'y dilatait

60 comme une ouate blanchâtre vaguement démêlée par des doigts invisibles. À travers le carreau cassé, on voyait tomber la neige. Le froid promis la veille par le soleil de la Chandeleur était en effet venu.

Le père promena un coup d'œil autour de lui comme

65 pour s'assurer qu'il n'avait rien oublié. Il prit une vieille pelle et répandit de la cendre sur les tisons mouillés de façon à les cacher complètement.

Puis se relevant et s'adossant à la cheminée :
– Maintenant, dit-il, nous pouvons recevoir le philan-
70 thrope•.

*[À la grande surprise de Marius, entrent dans la pièce
M. Leblanc et sa fille!]*

9

JONDRETTE PLEURE PRESQUE

[...]
– Je vois que vous êtes bien à plaindre, monsieur...
– Fabantou, répondit vivement Jondrette.
– Monsieur Fabantou, oui, c'est cela, je me rappelle.
5 – Artiste dramatique, monsieur, et qui a eu des succès.
Ici Jondrette crut évidemment le moment venu de s'em-
parer du «philanthrope». Il s'écria avec un son de voix
qui tenait tout à la fois de la gloriole[1] du bateleur• dans
les foires et de l'humilité du mendiant sur les grandes
10 routes : – Élève de Talma[2], monsieur! je suis élève de
Talma! La fortune m'a souri jadis. Hélas! maintenant
c'est le tour du malheur. Voyez, mon bienfaiteur, pas de
pain, pas de feu. Mes pauvres mômes n'ont pas de feu!
Mon unique chaise dépaillée! Un carreau cassé! par le
15 temps qu'il fait! Mon épouse au lit! malade!
– Pauvre femme! dit M. Leblanc.
– Mon enfant blessé! ajouta Jondrette.
L'enfant, distraite par l'arrivée des étrangers, s'était mise
à contempler «la demoiselle», et avait cessé de sanglo-
20 ter.
– Pleure donc! braille donc! lui dit Jondrette bas.

---

1. *gloriole* : fierté qui n'est pas fondée.
2. *Talma* : célèbre acteur du début du XIXᵉ siècle.

En même temps il lui pinça sa main malade. Tout cela avec un talent d'escamoteur[1].

La petite jeta les hauts cris.

25 L'adorable jeune fille que Marius nommait dans son cœur «son Ursule[2]» s'approcha vivement :

– Pauvre chère enfant! dit-elle.

– Voyez, ma belle demoiselle, poursuivit Jondrette, son poignet ensanglanté! C'est un accident qui est arrivé en 30 travaillant sous une mécanique pour gagner six sous par jour. On sera peut-être obligé de lui couper le bras!

– Vraiment? dit le vieux monsieur alarmé.

La petite fille, prenant cette parole au sérieux, se remit à sangloter de plus belle.

35 – Hélas, oui, mon bienfaiteur! répondit le père.

Depuis quelques instants, Jondrette considérait «le philanthrope•» d'une manière bizarre. Tout en parlant, il semblait le scruter avec attention comme s'il cherchait à recueillir des souvenirs. Tout à coup, profitant d'un 40 moment où les nouveaux venus questionnaient avec intérêt la petite sur sa main blessée, il passa près de sa femme qui était dans son lit avec un air accablé et stupide, et lui dit vivement et très bas :

– Regarde donc cet homme-là!

45 Puis se retournant vers M. Leblanc, et continuant sa lamentation :

– Voyez, monsieur! je n'ai, moi, pour tout vêtement qu'une chemise de ma femme! et toute déchirée! au cœur de l'hiver. Je ne puis sortir faute d'un habit. [...]

50 Et pas un sou dans la maison! Ma femme malade, pas un sou! Ma fille dangereusement blessée, pas un sou! Mon épouse a des étouffements. C'est son âge, et puis le système nerveux s'en est mêlé. Il lui faudrait des secours, et à ma fille aussi! Mais le médecin! mais le pharmacien! 55 comment payer? pas un liard•! Je m'agenouillerais devant un décime[3], monsieur! Voilà où les arts en sont

---

1. *escamoteur* : illusionniste.
2. *Ursule* : prénom que Marius attribue à la jeune fille à cause d'un mouchoir brodé d'un «U» qu'il a trouvé.
3. *décime* : dixième de l'unité de monnaie (correspond au centime).

réduits! Et savez-vous, ma charmante demoiselle, et
vous, mon généreux protecteur, savez-vous, vous qui
respirez la vertu et la bonté, et qui parfumez cette église
60 où ma pauvre fille en venant faire sa prière vous aperçoit
tous les jours?... Car j'élève mes filles dans la religion,
monsieur. Je n'ai pas voulu qu'elles prissent le théâtre.
Ah! les drôlesses! que je les voie broncher! Je ne badine
pas, moi! Je leur flanque des bouzins[1] sur l'honneur, sur
65 la morale, sur la vertu! Demandez-leur. Il faut que ça
marche droit. Elles ont un père. Ce ne sont pas de ces
malheureuses qui commencent par n'avoir pas de
famille et qui finissent par épouser le public. On est
mamselle Personne, on devient madame Tout-le-
70 monde. Crebleur! pas de ça dans la famille Fabantou!
J'entends les éduquer vertueusement, et que ça soit honnête, et que ça soit gentil, et que ça croie en Dieu! sacré
nom! – Eh bien, monsieur, mon digne monsieur, savez-
vous ce qui va se passer demain? Demain, c'est le
75 4 février, le jour fatal, le dernier délai que m'a donné
mon propriétaire; si ce soir je ne l'ai pas payé, demain
ma fille aînée, moi, mon épouse avec sa fièvre, mon
enfant avec sa blessure, nous serons tous quatre chassés
d'ici, et jetés dehors, dans la rue, sur le boulevard, sans
80 abri, sous la pluie, sur la neige. Voilà, monsieur. Je dois
quatre termes, une année! c'est-à-dire une soixantaine
de francs.
Jondrette mentait. Quatre termes n'eussent fait que quarante francs, et il n'en pouvait devoir quatre, puisqu'il
85 n'y avait pas six mois que Marius en avait payé deux.

*[M. Leblanc donne cinq francs et sa redingote à Jondrette
et promet de revenir le soir pour payer le reste. Il sort avec
sa fille.*
    *Faute d'argent pour payer le fiacre, Marius ne peut les
suivre mais demande à la fille Jondrette de trouver leur
adresse. Il apprend que Jondrette, ayant «reconnu»
M. Leblanc, prépare un guet-apens pour lui soutirer beau*

---

1. *bouzins* : «gueulantes» (sermons faits en criant).

*coup plus d'argent. Le jeune homme prévient un inspecteur
de police qui lui demande sa clef de la maison, lui confie
deux pistolets (pour se défendre et donner l'alarme) et lui
donne son nom : Javert...*

*Marius, que ses voisins croient sorti, reprend son poste
d'observation. Il constate d'inquiétants préparatifs : un
ciseau mis dans le brasier, des outils tranchants, des
cordes...*

*M. Leblanc revient et pendant que Jondrette reprend ses
lamentations, se glissent quatre individus à l'allure louche.
Jondrette réclame à Leblanc mille écus...]*

20

LE GUET-APENS

La porte du galetas• venait de s'ouvrir brusquement, et
laissait voir trois hommes en blouse de toile bleue, mas-
qués de masques de papier noir. Le premier était maigre
et avait une longue trique[1] ferrée, le second, qui était
5   une espèce de colosse, portait, par le milieu du manche
et la cognée[2] en bas, un merlin[3] à assommer les bœufs.
Le troisième, homme aux épaules trapues, moins maigre
que le premier, moins massif que le second, tenait à
plein poing une énorme clef volée à quelque porte de
10 prison.
Il paraît que c'était l'arrivée de ces hommes que Jondrette attendait. Un dialogue rapide s'engagea entre lui
et l'homme à la trique, le maigre.
– Tout est-il prêt ? dit Jondrette.
15 – Oui, répondit l'homme maigre.
– Où donc est Montparnasse ?

---

1. *trique* : gros bâton.
2. *cognée* : forte hache.
3. *merlin* : marteau utilisé pour l'abattage des bœufs.

– Le jeune premier s'est arrêté pour causer avec ta fille.

– Laquelle ?

– L'aînée.

20 – Y a-t-il un fiacre en bas ?

– Oui.

– La maringotte[1] est attelée ?

– Attelée.

– De deux bons chevaux ?

25 – Excellents.

– Elle attend où j'ai dit qu'elle attendît ?

– Oui.

– Bien, dit Jondrette.

M. Leblanc était très pâle. Il considérait tout dans le
30 bouge[2] autour de lui comme un homme qui comprend
où il est tombé, et sa tête, tour à tour dirigée vers toutes
les têtes qui l'entouraient, se mouvait sur son cou avec
une lenteur attentive et étonnée, mais il n'y avait dans
son air rien qui ressemblât à la peur. Il s'était fait de la
35 table un retranchement improvisé ; et cet homme qui, le
moment d'auparavant, n'avait l'air que d'un bon vieux
homme, était devenu subitement une sorte d'athlète, et
posait son poing robuste sur le dossier de sa chaise avec
un geste redoutable et surprenant.

40 Ce vieillard, si ferme et si brave devant un tel danger,
semblait être de ces natures qui sont courageuses
comme elles sont bonnes, aisément et simplement. Le
père d'une femme qu'on aime n'est jamais un étranger
pour nous. Marius se sentit fier de cet inconnu.

45 Trois des hommes aux bras nus dont Jondrette avait dit :
ce sont des fumistes[3], avaient pris dans le tas de ferrailles,
l'un une grande cisaille, l'autre une pince à faire des
pesées, le troisième un marteau, et s'étaient mis en travers de la porte sans prononcer une parole. Le vieux
50 était resté sur le lit, et avait seulement ouvert les yeux.
La Jondrette s'était assise à côté de lui.

---

1. *maringotte* : petite voiture à cheval.
2. *bouge* : local malpropre et sordide.
3. fumistes : ouvriers d'entretien des cheminées et des appareils de chauffage
(Jondrette a voulu expliquer ainsi leur visage barbouillé de noir).

Marius pensa qu'avant quelques secondes le moment
d'intervenir serait arrivé, et il éleva sa main droite vers
le plafond, dans la direction du corridor, prêt à lâcher
55 son coup de pistolet.

Jondrette, son colloque[1] avec l'homme à la trique terminé, se tourna de nouveau avec M. Leblanc et répéta sa
question en l'accompagnant de ce rire bas, contenu et
terrible qu'il avait :
60 – Vous ne me reconnaissez donc pas?

M. Leblanc le regarda en face et répondit :
– Non.

Alors Jondrette vint jusqu'à la table. Il se pencha par-
dessus la chandelle, croisant les bras, approchant sa
65 mâchoire anguleuse et féroce du visage calme de
M. Leblanc, et avançant le plus qu'il pouvait sans que
M. Leblanc reculât, et, dans cette posture de bête fauve
qui va mordre, il cria :
– Je ne m'appelle pas Fabantou, je ne m'appelle pas
70 Jondrette, je me nomme Thénardier! je suis l'aubergiste
de Montfermeil! entendez-vous bien! Thénardier! Maintenant me reconnaissez-vous?

Une imperceptible rougeur passa sur le front de
M. Leblanc, et il répondit sans que sa voix tremblât, ni
75 s'élevât, avec sa placidité[2] ordinaire :
– Pas davantage.

Marius n'entendit pas cette réponse. Qui l'eût vu en ce
moment dans cette obscurité l'eût vu hagard, stupide et
foudroyé. Au moment où Jondrette avait dit : *Je me*
80 *nomme Thénardier,* Marius avait tremblé de tous ses
membres et s'était appuyé au mur comme s'il eût senti
le froid d'une lame d'épée à travers son cœur. Puis son
bras droit, prêt à lâcher le coup de signal, s'était abaissé
lentement, et au moment où Jondrette avait répété :
85 *Entendez-vous bien, Thénardier?* les doigts défaillants de
Marius avaient manqué laisser tomber le pistolet.

---

1. *son colloque* : sa conversation.
2. *sa placidité* : son calme.

[Pendant que Marius hésite entre ne pas secourir le père de celle qu'il aime et désobéir à son propre père, Thénardier accuse M. Leblanc d'être celui qui lui a enlevé l'Alouette. M. Leblanc nie tout et tente vainement de s'enfuir : il est ligoté. Jondrette lui fait écrire une lettre pour attirer sa fille : elle ne lui sera rendue saine et sauve qu'en échange d'une rançon de deux cent mille francs. Mais la femme Thénardier, chargée de cette mission, revient en disant que Leblanc a donné une fausse adresse.]

– Une fausse adresse ? qu'est-ce que tu as donc espéré ?
– Gagner du temps ! cria le prisonnier d'une voix éclatante.
90 Et au même instant il secoua ses liens ; ils étaient coupés. Le prisonnier n'était plus attaché au lit que par une jambe.
Avant que les sept hommes eussent eu le temps de se reconnaître et de s'élancer, lui s'était penché sous la
95 cheminée, avait étendu la main vers le réchaud, puis s'était redressé, et maintenant Thénardier, la Thénardier et les bandits, refoulés par le saisissement au fond du bouge, le regardaient avec stupeur élevant au-dessus de sa tête le ciseau rouge d'où tombait une lueur sinistre,
100 presque libre et dans une attitude formidable.
L'enquête judiciaire, à laquelle le guet-apens de la masure Gorbeau donna lieu par la suite, a constaté qu'un gros sou, coupé et travaillé d'une façon particulière, fut trouvé dans le galetas•, quand la police y fit une des-
105 cente ; ce gros sou était une de ces merveilles d'industrie que la patience du bagne engendre dans les ténèbres et pour les ténèbres, merveilles qui ne sont autre chose que des instruments d'évasion. [...] Cela se visse et se dévisse à volonté ; c'est une boîte. Dans cette boîte, on cache un
110 ressort de montre, et ce ressort de montre bien manié coupe des manilles de calibre[1] et des barreaux de fer.

---

1. *manilles de calibre* : gros anneaux enchaînant les pieds des forçats.

On croit que ce malheureux forçat ne possède qu'un sou ; point, il possède la liberté. [...] On découvrit également une petite scie en acier bleu qui pouvait se cacher
115 dans le gros sou.
[...]
Cependant le prisonnier éleva la voix.
– Vous êtes des malheureux, mais ma vie ne vaut pas la peine d'être tant défendue. Quant à vous imaginer que
120 vous me feriez parler, que vous me feriez écrire ce que je ne veux pas écrire, que vous me feriez dire ce que je ne veux pas dire...
Il releva la manche de son bras gauche et ajouta :
– Tenez.
125 En même temps il tendit son bras et posa sur la chair nue le ciseau ardent qu'il tenait dans sa main droite par le manche de bois.
On entendit le frémissement de la chair brûlée, l'odeur propre aux chambres de torture se répandit dans le tau-
130 dis, Marius chancela éperdu d'horreur, les brigands eux-mêmes eurent un frisson, le visage de l'étrange vieillard se contracta à peine, et, tandis que le fer rouge s'enfon-çait dans la plaie fumante, impassible et presque auguste•, il attachait sur Thénardier son beau regard
135 sans haine où la souffrance s'évanouissait dans une majesté sereine.
Chez les grandes et hautes natures les révoltes de la chair et des sens en proie à la douleur physique font sortir l'âme et la font apparaître sur le front, de même
140 que les rébellions de la soldatesque forcent le capitaine à se montrer.
– Misérables, dit-il, n'ayez pas plus peur de moi que je n'ai peur de vous.
Et arrachant le ciseau de la plaie, il le lança par la
145 fenêtre qui était restée ouverte, l'horrible outil embrasé disparut dans la nuit en tournoyant et alla tomber au loin et s'éteindre dans la neige.
Le prisonnier reprit :
– Faites de moi ce que vous voudrez.
150 Il était désarmé.
– Empoignez-le ! dit Thénardier.
Deux des brigands lui posèrent la main sur l'épaule, et

l'homme masqué à voix de ventriloque[1] se tint en face de lui, prêt à lui faire sauter le crâne d'un coup de clef au
155 moindre mouvement.

En même temps Marius entendit au-dessous de lui, au bas de la cloison, mais tellement près qu'il ne pouvait voir ceux qui parlaient, ce colloque échangé à voix basse :
160 – Il n'y a plus qu'une chose à faire.
– L'escarper[2] !
– C'est cela.

C'était le mari et la femme qui tenaient conseil.

Thénardier marcha à pas lents vers la table, ouvrit le
165 tiroir et y prit le couteau.

Marius tourmentait le pommeau du pistolet. Perplexité inouïe. Depuis une heure il y avait deux voix dans sa conscience, l'une lui disait de respecter le testament de son père, l'autre lui criait de secourir le prisonnier. Ces
170 deux voix continuaient sans interruption leur lutte qui le mettait à l'agonie. Il avait vaguement espéré jusqu'à ce moment trouver un moyen de concilier ces deux devoirs, mais rien de possible n'avait surgi. Cependant le péril pressait, la dernière limite de l'attente était
175 dépassée, à quelques pas du prisonnier Thénardier songeait, le couteau à la main.

Marius égaré promenait ses yeux autour de lui, dernière ressource machinale du désespoir.

Tout à coup il tressaillit.
180 À ses pieds, sur la table, un vif rayon de pleine lune éclairait et semblait lui montrer une feuille de papier. Sur cette feuille il lut cette ligne écrite en grosses lettres le matin même par l'aînée des filles Thénardier.
– Les cognes• sont là.
185 Une idée, une clarté traversa l'esprit de Marius ; c'était le moyen qu'il cherchait, la solution de cet affreux problème qui le torturait, épargner l'assassin et sauver la

---

1. *l'homme masqué à voix de ventriloque* : le troisième des bandits signalés p. 173 a une voix étrange.
2. *L'escarper* : Le tailler en pièces, l'égorger (familier).

victime. Il s'agenouilla sur sa commode, étendit le bras,
saisit la feuille de papier, détacha doucement un mor-
190 ceau de plâtre de la cloison, l'enveloppa dans le papier,
et jeta le tout par la crevasse au milieu du bouge.
Il était temps. Thénardier avait vaincu ses dernières
craintes ou ses derniers scrupules et se dirigeait vers le
prisonnier.
195 – Quelque chose qui tombe! cria la Thénardier.
– Qu'est-ce? dit le mari.
La femme s'était élancée et avait ramassé le plâtras
enveloppé du papier. Elle le remit à son mari.
– Par où cela est-il venu? demanda Thénardier.
200 – Pardié! fit la femme, par où veux-tu que cela soit
entré? C'est venu par la fenêtre.
– Je l'ai vu passer, dit Bigrenaille[1].
Thénardier déplia rapidement le papier et l'approcha de
la chandelle.
205 – C'est de l'écriture d'Éponine. Diable!
Il fit signe à sa femme, qui s'approcha vivement, et il lui
montra la ligne écrite sur la feuille de papier, puis il
ajouta d'une voix sourde :
– Vite! l'échelle! laissons le lard dans la souricière et
210 fichons le camp!
– Sans couper le cou à l'homme? demanda la Thénardier.
– Nous n'avons pas le temps.
– Par où? reprit Bigrenaille.
215 – Par la fenêtre, répondit Thénardier. Puisque Ponine a
jeté la pierre par la fenêtre, c'est que la maison n'est pas
cernée de ce côté-là.
Le masque à voix de ventriloque posa à terre sa grosse
clef, éleva ses deux bras en l'air et ferma trois fois rapi-
220 dement ses mains sans dire un mot. Ce fut comme le
signal du branle-bas dans un équipage. Les brigands qui
tenaient le prisonnier le lâchèrent; en un clin d'œil
l'échelle de corde fut déroulée hors de la fenêtre et

---

1. *Bigrenaille* : l'un des prétendus fumistes.

attachée solidement au rebord par les deux crampons de
225 fer.

Le prisonnier ne faisait pas attention à ce qui se passait
autour de lui. Il semblait rêver ou prier.

Sitôt l'échelle fixée, Thénardier cria :

– Viens! la bourgeoise!

230 Et il se précipita vers la croisée°.

Mais comme il allait enjamber, Bigrenaille le saisit rudement au collet°.

– Non pas, dis donc, vieux farceur! après nous!

– Après nous! hurlèrent les bandits.

235 – Vous êtes des enfants, dit Thénardier, nous perdons le
temps. Les railles[1] sont sur nos talons.

– Eh bien, dit un des bandits, tirons au sort à qui pas-
sera le premier.

Thénardier s'exclama :

240 – Êtes-vous fous! êtes-vous toqués! en voilà-t-il un tas
de jobards[2]! perdre le temps, n'est-ce pas ? tirer au sort,
n'est-ce pas ? au doigt mouillé! à la courte paille! écrire
nos noms! les mettre dans un bonnet!...

– Voulez-vous mon chapeau? cria une voix du seuil de
245 la porte.

Tous se retournèrent. C'était Javert.

Il tenait son chapeau à la main, et le tendait en souriant.

*[Javert fait arrêter toute la bande. Mais, curieusement,
M. Leblanc disparaît sans même qu'on ait pu l'identifier.]*

---

1. *railles* : policiers (familier).
2. *jobards* : personnes naïves que l'on trompe facilement.

Questions

Compréhension

• **L'action**

1. *Que signifient les mots « stratégie » et « tactique » ? Pourquoi conviennent-ils bien au titre du chapitre 7 ?*

2. *Récapitulez les préparatifs faits par Jondrette sur les trois chapitres. Lesquels seront efficaces ?*

• **Jondrette**

3. *« Élève de Talma » : quels éléments confirmeraient cette prétention de Jondrette ? Quelle impression cherche-t-il à donner de lui ?*

4. *De quelles qualités et de quels défauts fait-il preuve ici ?*

5. *Ce personnage confirme-t-il ou réfute-t-il l'idée de Hugo, déjà énoncée, qu'en détruisant l'ignorance on détruit le mal ?*

• **M. Leblanc**

6. *De quelles qualités dignes d'un héros fait-il preuve ?*

7. *Pourquoi ne profite-t-il pas de son avantage à la ligne 144 (chap. 20, p. 177) ? Envisagez toutes les explications possibles.*

8. *Quels nouveaux indices, par rapport au chapitre « Effet de printemps », permettent d'identifier M. Leblanc ?*

Écriture / Réécriture

• **Le suspense**

9. *Quels rebondissements successifs connaît l'action de ces chapitres ?*

10. *Quel personnage prend l'avantage à chaque fois ?*

11. *Réécrivez la scène du « Guet-apens » (ou une partie seulement) en imaginant que Marius intervient plus tôt et utilise son pistolet.*

Mise en scène

12. *De quel terme technique, propre au théâtre, peut-on qualifier la fin du chapitre 20 ? Que provoque-t-elle ?*

13. *Quel accessoire permet précisément l'entrée en scène du nouveau personnage ?*

Jean Valjean tombe dans une embuscade,
gravure de Yon et Perrichon, Hetzel, 1865.

Bilan

L'action

• Ce que nous savons

• *Paris, 1827 : Marius, jeune homme issu d'une famille bourgeoise et royaliste, découvre qu'il a eu un père héroïque*, républicain puis bonapartiste, dont on a cherché à l'éloigner. Par respect pour son père, qui, pour seul héritage, lui transmet son titre de baron et le devoir de récompenser un certain Thénardier à qui il dut la vie à Waterloo, il rompt avec son grand-père qui l'a élevé et part vivre seul, misérable, dans une masure.*

• *Il se lie d'amitié avec de jeunes républicains, les amis de l'A B C. Ceux-ci font germer en lui quelques généreuses idées démocratiques. Mais la révolution de 1830 et l'avènement de Louis-Philippe calment ses ardeurs révolutionnaires.*

• *1831 : au jardin du Luxembourg, Marius tombe amoureux d'une jeune inconnue qui semble éprouver pour lui les mêmes sentiments. Elle vient accompagnée d'un monsieur à cheveux blancs, surnommé M. Leblanc, et qui semble être son père.*

• *1832 : Marius voit ses voisins de chambre, les Jondrette, attirer le charitable M. Leblanc dans un guet-apens pour le voler. Il apprend ainsi que Jondrette s'appelle Thénardier et qu'il connaît M. Leblanc. Javert arrête les malfaiteurs tandis que la victime, curieusement, s'enfuit.*

• À quoi nous attendre ?

1. *Comment l'histoire d'amour qui vient de naître peut-elle évoluer ? Le père de la jeune fille sera-t-il favorable à ce jeune miséreux ?*

2. *Comment Marius parviendra-t-il à sortir de la misère et à conquérir la jeune fille ? Va-t-il renouer avec son grand-père ? ou se mettre sérieusement au travail ?*

3. *Comment Marius peut-il honorer la dette de son père envers Thénardier, désormais emprisonné : va-t-il le faire évader ? Peut-il lui conserver encore de l'estime ?*

Les personnages

• Ce que nous savons

• **Jean Valjean** et **Cosette** *semblent avoir disparu, mais M. Leblanc et sa fille leur ressemblent fort...*

• Les **Thénardier** réapparaissent, ruinés à présent. La figure de l'homme l'emporte désormais sur celle de sa femme par la rouerie et la malfaisance. Il veut sortir de la misère par le vol et par le crime. Il est «le mauvais pauvre», lié aux bas-fonds terrifiants de la société. Ses filles ont elles aussi mal évolué : peu de grâce subsiste de leur charme d'enfants ; elles illustrent, comme Fantine, la «déchéance de la femme par la faim» (exergue*).

Trois personnages nouveaux entrent en scène :

• **Marius**, qui donne son nom à cette partie, est un jeune intellectuel, rêveur et un peu mou en apparence. Il a cependant hérité de son père fierté et force de caractère (il rompt avec le confort bourgeois et s'enfonce dans la misère).

• **Enjolras** est le guide idéaliste et intransigeant d'un groupe de jeunes républicains, ardents défenseurs du peuple.

• **Gavroche**, fils des Thénardier (Jondrette), enfant abandonné par sa famille, vit plutôt gaiement sur le trottoir de Paris, dans la misère mais en toute liberté. Après Cosette, il illustre un autre aspect de l'enfance misérable.

• À quoi nous attendre ?

1. M. Leblanc et sa fille sont-ils bien ceux que l'on croit ?

2. Que va devenir Thénardier, personnage le plus noir du roman ? Est-il «récupérable» pour la société ? Va-t-il être définitivement condamné ? Va-t-il s'en sortir par la ruse ?

3. Comment va évoluer Marius ? Va-t-il devenir un héros*, comme le laisserait supposer le fait que son nom est donné à la troisième partie ? ou un jeune marié douillettement englué par l'amour et le confort retrouvé ?

4. Enjolras et son groupe vont-ils passer à l'action ?

5. Gavroche n'est-il qu'une figure entr'aperçue dans la rue ou va-t-il jouer un rôle véritable ?

L'écriture

Hugo mêle encore les genres : Les Misérables sont, tour à tour, un roman d'aventures aux rebondissements spectaculaires, un roman d'amour permettant d'étudier la psychologie des êtres et de jouer sur la gamme lyrique, un roman «noir» qui se plaît à décrire les bas-fonds, un roman philosophique dans lequel l'auteur expose ses convictions. Cependant le pathétique* n'est jamais forcé : l'écriture sait rester sobre dans les moments forts. Gavroche, Marius et Enjolras illustrent le héros romantique parfois prisonnier d'une misère décrite avec réalisme*.

L'IDYLLE RUE PLUMET
ET L'ÉPOPÉE RUE SAINT-DENIS

Maison natale de Victor Hugo à Besançon,
aquarelle de Hubert Clerget.

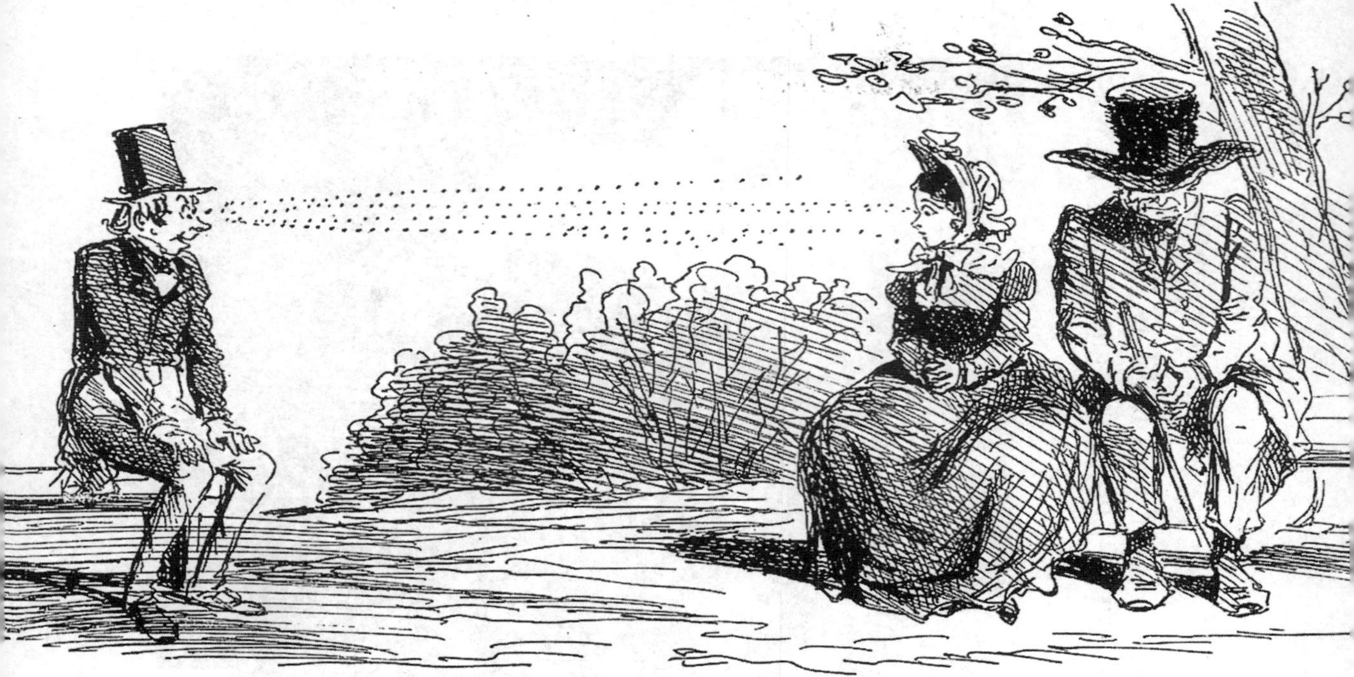

2054

LIVRE TROISIÈME

La maison de la rue Plumet[1]

7

À TRISTESSE, TRISTESSE ET DEMIE

[Le récit revient au printemps 1831, quand Marius ren-
contrait au Luxembourg celui qu'il appelait «M. Leblanc»
et sa «fille». Le lecteur apprend qu'il s'agit bien sûr de Jean
Valjean. Contraint de quitter le couvent, il se cache, depuis
octobre 1829, rue Plumet, sous le nom d'Ultime Fauche-
levent. Il s'est occupé de Cosette avec l'amour et la sollici-
tude d'un père. Mais quand il s'aperçoit du manège du
jeune homme amoureux, il s'en inquiète.]

Jean Valjean n'avait pas discontinué les promenades au
Luxembourg, ne voulant rien faire de singulier et par-
dessus tout redoutant de donner l'éveil à Cosette ; mais
pendant ces heures si douces pour les deux amoureux,
5   tandis que Cosette envoyait son sourire à Marius enivré
qui ne s'apercevait que de cela et maintenant ne voyait
plus rien dans ce monde qu'un radieux visage adoré,
Jean Valjean fixait sur Marius des yeux étincelants et
terribles. Lui qui avait fini par ne plus se croire capable
10   d'un sentiment malveillant, il y avait des instants où,
quand Marius était là, il croyait redevenir sauvage et
féroce, et il sentait se rouvrir et se soulever contre ce
jeune homme ces vieilles profondeurs de son âme où il y
avait eu jadis tant de colère. Il lui semblait presque qu'il
15   se reformait en lui des cratères inconnus.
Quoi ! il était là, cet être ! que venait-il faire ? il venait

---

1. *rue Plumet* : Jean Valjean avait pris soin de louer plusieurs maisons dans Paris,
afin de pouvoir donner le change et déménager rapidement au besoin.

tourner, flairer, examiner, essayer! il venait dire : hein?
pourquoi pas? il venait rôder autour de son bonheur,
pour le prendre et l'emporter!

20 Jean Valjean ajoutait : – Oui, c'est cela! que vient-il
chercher? Une aventure! que veut-il? une amourette!
Une amourette! et moi! Quoi! j'aurai été d'abord le plus
misérable des hommes, et puis le plus malheureux, j'aurai fait soixante ans de la vie sur les genoux, j'aurai souf-
25 fert tout ce qu'on peut souffrir, j'aurai vieilli sans avoir
été jeune, j'aurai vécu sans famille, sans parents, sans
amis, sans femme, sans enfants, j'aurai laissé de mon
sang sur toutes les pierres, sur toutes les ronces, à toutes
les bornes, le long de tous les murs, j'aurai été doux
30 quoiqu'on fût dur pour moi et bon quoiqu'on fût
méchant, je serai redevenu honnête homme malgré tout,
je me serai repenti du mal que j'ai fait et j'aurai pardonné le mal qu'on m'a fait, et au moment où je suis
récompensé, au moment où c'est fini, au moment où je
35 touche au but, au moment où j'ai ce que je veux, c'est
bon, c'est bien, je l'ai payé, je l'ai gagné, tout cela s'en
ira, tout cela s'évanouira, et je perdrai Cosette, et je perdrai ma vie, ma joie, mon âme, parce qu'il aura plu à un
grand niais de venir flâner au Luxembourg!
40 Alors ses prunelles s'emplissaient d'une clarté lugubre et
extraordinaire. Ce n'était plus un homme qui regarde un
homme; ce n'était pas un ennemi qui regarde un
ennemi. C'était un dogue qui regarde un voleur.

On sait le reste, Marius continua d'être insensé. Un jour
45 il suivit Cosette rue de l'Ouest. Un autre jour il parla au
portier. Le portier de son côté parla, et dit à Jean Valjean : – Monsieur, qu'est-ce que c'est donc qu'un jeune
homme curieux qui vous a demandé? – Le lendemain
Jean Valjean jeta à Marius ce coup d'œil dont Marius
50 s'aperçut enfin. Huit jours après, Jean Valjean avait
déménagé. Il se jura qu'il ne remettrait plus les pieds ni
au Luxembourg, ni rue de l'Ouest. Il retourna rue Plumet.

Cosette ne se plaignit pas, elle ne dit rien, elle ne fit
55 pas de questions, elle ne chercha à savoir aucun pourquoi; elle en était déjà à la période où l'on craint d'être
pénétré et de se trahir. Jean Valjean n'avait aucune

expérience de ces misères, les seules qui soient charmantes et les seules qu'il ne connût pas ; cela fit qu'il ne
60 comprit point la grave signification du silence de
Cosette. Seulement il remarqua qu'elle était devenue
triste, et il devint sombre. C'étaient de part et d'autre
des inexpériences aux prises.
Une fois il fit un essai. Il demanda à Cosette :
65 – Veux-tu venir au Luxembourg ?
Un rayon illumina le visage pâle de Cosette.
– Oui, dit-elle.
Ils y allèrent. Trois mois s'étaient écoulés. Marius n'y
allait plus. Marius n'y était pas.
70 Le lendemain Jean Valjean redemanda à Cosette :
– Veux-tu venir au Luxembourg ?
Elle répondit tristement et doucement :
– Non.
Jean Valjean fut froissé de cette tristesse et navré de
75 cette douceur.
[...]
Ces deux êtres qui s'étaient si exclusivement aimés, et
d'un si touchant amour, et qui avaient vécu si longtemps
l'un par l'autre, souffraient maintenant l'un à côté de
80 l'autre, l'un à cause de l'autre, sans se le dire, sans s'en
vouloir, et en souriant.

Questions

Compréhension

1. *Quels sentiments Jean Valjean éprouve-t-il ? À quoi sont-ils dus ?*

2. *Pourquoi Cosette refuse-t-elle d'aller au Luxembourg la seconde fois ? Comment expliquer que son «père» en soit «froissé» et «navré» ?*

3. *Pourquoi ces deux êtres ne peuvent-ils plus se parler (l. 54 à 81) ?*

4. *Quelles intentions «malveillantes» peut prêter le lecteur à Jean Valjean, après avoir lu cette page ?*

Écriture / Réécriture

5. *Quel personnage, pourtant présent, n'était pas cité dans «Effet de printemps» (III, vi, 3, p. 152) ? Pourquoi cette omission ?*

6. *Quelles autres différences trouvez-vous entre les deux chapitres ? En revanche qu'ont-ils en commun ?*

7. *De quel point de vue sont racontées ces pages-ci (pp. 187 à 189) ? Justifiez votre réponse.*

8. *Il «se reformait en lui des cratères inconnus» (l. 15) : expliquez la métaphore* et le sens de cette phrase.*

9. *Relevez tous les termes qui indiquent la violence des sentiments ressentis.*

10. *En grammaire, comment appelle-t-on le type de discours employé aux l. 16 à 19 et celui des lignes 20 à 39 ?*

11. *Essayez de fondre «Effet de printemps» et «À tristesse, tristesse et demie» en une seule scène de théâtre : les répliques rendront compte des sentiments des trois personnages.*

Mise en perspective

12. *Cherchez d'autres personnages de jaloux en littérature. Comparez leurs sentiments.*

8

LA CADÈNE[1]

*[Octobre 1831 : selon leur habitude, Jean Valjean et
Cosette se promènent, solitaires, au lever du soleil, près
d'une barrière sud de Paris. Ils sont chacun perdus dans
leurs rêveries quand un bruit insolite les intrigue...]*

On ne sait quoi d'informe, qui venait du boulevard,
entrait dans la chaussée.
Cela grandissait, cela semblait se mouvoir avec ordre,
pourtant c'était hérissé et frémissant ; cela semblait une
5 voiture, mais on n'en pouvait distinguer le chargement.
Il y avait des chevaux, des roues, des cris ; des fouets
claquaient. Par degrés les linéaments[2] se fixèrent,
quoique noyés de ténèbres. C'était une voiture, en effet,
qui venait de tourner le boulevard sur la route et qui se
10 dirigeait vers la barrière près de laquelle était Jean Valjean ; une deuxième, du même aspect, la suivit, puis une
troisième, puis une quatrième ; sept chariots débou-
chèrent successivement, la tête des chevaux touchant
l'arrière des voitures. Des silhouettes s'agitaient sur ces
15 chariots, on voyait des étincelles dans le crépuscule[3]
comme s'il y avait des sabres nus, on entendait un cliquetis qui ressemblait à des chaînes remuées, cela avançait, les voix grossissaient, et c'était une chose formidable comme il en sort de la caverne des songes.
20 En approchant, cela prit forme, et s'ébaucha derrière les
arbres avec le blêmissement de l'apparition ; la masse
blanchit ; le jour qui se levait peu à peu plaquait une
lueur blafarde sur ce fourmillement à la fois sépulcral• et
vivant, les têtes de silhouettes devinrent des faces de
25 cadavres, et voici ce que c'était.
Sept voitures marchaient à la file sur la route. Les
six premières avaient une structure singulière. Elles

---

1. *cadène* : chaîne (du latin *cadena*).
2. *linéaments* : contours.
3. *le crépuscule* : ici, la lueur précédant le lever du soleil.

ressemblaient à des haquets[1] de tonneliers ; c'étaient des
espèces de longues échelles posées sur deux roues et
30 formant brancard à leur extrémité antérieure. Chaque
haquet, disons mieux, chaque échelle était attelée de
quatre chevaux bout à bout. Sur ces échelles étaient traî-
nées d'étranges grappes d'hommes. Dans le peu de jour
qu'il faisait, on ne voyait pas ces hommes, on les devi-
35 nait. Vingt-quatre sur chaque voiture, douze de chaque
côté, adossés les uns aux autres, faisant face aux passants, les jambes dans le vide, ces hommes cheminaient
ainsi ; et ils avaient derrière le dos quelque chose qui
sonnait et qui était une chaîne et au cou quelque chose
40 qui brillait et qui était un carcan•. Chacun avait son
carcan, mais la chaîne était pour tous ; de façon que ces
vingt-quatre hommes s'il leur arrivait de descendre du
haquet et de marcher, étaient saisis par une sorte d'unité
inexorable• et devaient serpenter sur le sol avec la
45 chaîne pour vertèbre à peu près comme le mille-pieds. À
l'avant et à l'arrière de chaque voiture, deux hommes,
armés de fusils, se tenaient debout, ayant chacun une
des extrémités de la chaîne sous son pied. Les carcans
étaient carrés. La septième voiture, vaste fourgon à
50 ridelles[2], mais sans capote, avait quatre roues et six chevaux, et portait un tas sonore de chaudières de fer, de
marmites de fonte, de réchauds et de chaînes, où étaient
mêlés quelques hommes garrottés• et couchés tout de
leur long, qui paraissaient malades. Ce fourgon, tout à
55 claire-voie[3], était garni de claies[4] délabrées qui semblaient avoir servi aux vieux supplices.
Ces voitures tenaient le milieu du pavé. Des deux côtés
marchaient en double haie des gardes d'un aspect
infâme, coiffés de tricornes claques[5] comme les soldats

---

1. *haquets* : charrettes étroites et longues utilisées pour le transport des tonneaux.
2. *ridelles* : balustrades légères placées de chaque côté pour maintenir le chargement.
3. *à claire-voie* : qui présente des espaces entre ses éléments.
4. *claies* : assemblage de lattes de bois entrecroisées.
5. *tricornes claques* : chapeaux à trois pointes que l'on peut aplatir pour les ranger.

60 du Directoire[1], tachés, troués, sordides, affublés d'uni-
formes d'invalides et de pantalons de croque-morts,
mi-partis gris et bleus, presque en lambeaux, avec des
épaulettes rouges, des bandoulières jaunes, des coupe-
choux[2], des fusils et des bâtons; espèces de soldats gou-
65 jats. Ces sbires[3] semblaient composés de l'abjection[4] du
mendiant et de l'autorité du bourreau. Celui qui paraissait leur chef tenait à la main un fouet de poste. Tous ces
détails, estompés par le crépuscule, se dessinaient de
plus en plus dans le jour grandissant. En tête et en
70 queue du convoi, marchaient des gendarmes à cheval,
graves, le sabre au poing.
Ce cortège était si long qu'au moment où la première
voiture atteignait la barrière, la dernière débouchait à
peine du boulevard.
75 Une foule, sortie on ne sait d'où et formée en un clin
d'œil, comme cela est fréquent à Paris, se pressait des
deux côtés de la chaussée et regardait. On entendait
dans les ruelles voisines des cris de gens qui s'appelaient
et les sabots des maraîchers qui accouraient pour voir.
80 Les hommes entassés sur les haquets se laissaient caho-
ter en silence. Ils étaient livides du frisson du matin. Ils
avaient tous des pantalons de toile et les pieds nus dans
des sabots. Le reste du costume était à la fantaisie de la
misère. Leurs accoutrements étaient hideusement dispa-
85 rates; rien n'est plus funèbre que l'arlequin des guenilles. Feutres défoncés, casquettes goudronnées, d'affreux bonnets de laine, et, près du bourgeron[5], l'habit
noir crevé aux coudes; plusieurs avaient des chapeaux
de femme; d'autres étaient coiffés d'un panier; on
90 voyait des poitrines velues, et à travers les déchirures
des vêtements on distinguait des tatouages, des temples

---

1. *Directoire* : période transitoire entre la Convention et le Consulat de Bonaparte
(26 octobre 1795 - 9 novembre 1799).
2. *coupe-choux* : sabres courts.
3. *sbires* : appellation péjorative pour des policiers capables d'exécuter de basses
besognes.
4. *abjection* : abaissement moral, dégradation.
5. *bourgeron* : courte blouse de toile.

de l'amour, des cœurs enflammés, des Cupidons[1]. On
apercevait aussi des dartres[2] et des rougeurs malsaines.
Deux ou trois avaient une corde de paille fixée aux tra-
95 verses du haquet, et suspendue au-dessous d'eux comme
un étrier, qui leur soutenait les pieds. L'un d'eux tenait à
la main et portait à sa bouche quelque chose qui avait
l'air d'une pierre noire et qu'il semblait mordre ; c'était
du pain qu'il mangeait. Il n'y avait là que des yeux secs,
100 éteints, ou lumineux d'une mauvaise lumière. La troupe
d'escorte maugréait, les enchaînés ne soufflaient pas ; de
temps en temps on entendait le bruit d'un coup de
bâton sur les omoplates ou sur les têtes ; quelques-uns
de ces hommes bâillaient ; les haillons étaient terribles ;
105 les pieds pendaient, les épaules oscillaient, les têtes
s'entre-heurtaient, les fers tintaient, les prunelles flam-
baient férocement, les poings se crispaient ou s'ou-
vraient inertes comme des mains de morts ; derrière le
convoi, une troupe d'enfants éclatait de rire.
110 [...]
Brusquement, le soleil parut ; l'immense rayon de
l'orient jaillit, et l'on eût dit qu'il mettait le feu à toutes
ces têtes farouches. Les langues se délièrent ; un incendie de ricanements, de jurements et de chansons fit
115 explosion. La large lumière horizontale coupa en deux
toute la file, illuminant les têtes et les torses, laissant les
pieds et les roues dans l'obscurité. Les pensées appa-
rurent sur les visages ; ce moment fut épouvantable ; des
démons visibles à masques tombés, des âmes féroces
120 toutes nues. Éclairée, cette cohue resta ténébreuse.
Quelques-uns, gais, avaient à la bouche des tuyaux de
plume d'où ils soufflaient de la vermine sur la foule,
choisissant les femmes ; l'aurore accentuait par la noirceur des ombres ces profils lamentables ; pas un de ces
125 êtres qui ne fût difforme à force de misère ; et c'était si
monstrueux qu'on eût dit que cela changeait la clarté

---

1. *Cupidons* : génies ailés symbolisant l'Amour.
2. *dartres* : plaques sèches de la peau.

du soleil en lueur d'éclair. La voiturée[1] qui ouvrait le
cortège avait entonné et psalmodiait[2] à tue-tête avec une
jovialité hagarde un pot-pourri[3] de Désaugiers, alors
130 fameux, *la Vestale*; les arbres frémissaient lugubrement;
dans les contre-allées, des faces de bourgeois écoutaient
avec une béatitude idiote ces gaudrioles[4] chantées par
des spectres.

Toutes les détresses étaient dans ce cortège comme un
135 chaos; il y avait là l'angle facial de toutes les bêtes, des
vieillards, des adolescents, des crânes nus, des barbes
grises, des monstruosités cyniques•, des résignations
hargneuses, des rictus sauvages, des attitudes insensées,
des groins coiffés de casquettes, des espèces de têtes de
140 jeunes filles avec des tire-bouchons sur les tempes, des
visages enfantins et, à cause de cela, horribles, de
maigres faces de squelettes auxquelles il ne manquait
que la mort. On voyait sur la première voiture un nègre,
qui, peut-être, avait été esclave et qui pouvait comparer
145 les chaînes. L'effrayant niveau d'en bas, la honte, avait
passé sur ces fronts; à ce degré d'abaissement, les dernières transformations étaient subies par tous dans les
dernières profondeurs; et l'ignorance changée en hébétement[5] était l'égale de l'intelligence changée en déses-
150 poir. Pas de choix possible entre ces hommes qui appa-
raissaient aux regards comme l'élite de la boue. Il était
clair que l'ordonnateur quelconque de cette procession
immonde ne les avait pas classés. Ces êtres avaient été
liés et accouplés pêle-mêle, dans le désordre alphabé-
155 tique probablement, et chargés au hasard sur ces voitures. Cependant des horreurs groupées finissent toujours par dégager une résultante; toute addition de
malheureux donne un total; il sortait de chaque chaîne
une âme commune, et chaque charretée avait sa physio-
160 nomie. À côté de celle qui chantait, il y en avait une qui

---

1. *La voiturée* : Le contenu d'une voiture (ici, les occupants).
2. *psalmodiait* : récitait de manière monotone et rythmée.
3. *un pot-pourri* : une composition faite de plusieurs morceaux de chansons.
4. *gaudrioles* : plaisanteries grossières.
5. *hébétement* : stupeur.

hurlait ; une troisième mendiait ; on en voyait une qui grinçait des dents ; une autre menaçait les passants, une autre blasphémait[1] Dieu, la dernière se taisait comme la tombe. Dante[2] eût cru voir les sept cercles• de l'enfer en
165 marche.

Marche des damnations• vers les supplices, faite sinistrement, non sur le formidable char fulgurant de l'apocalypse•, mais, chose plus sombre, sur la charrette des gémonies[3].

170 Un des gardes, qui avait un crochet au bout de son bâton, faisait de temps en temps mine de remuer ces tas d'ordure humains. Une vieille femme dans la foule les montrait du doigt à un petit garçon de cinq ans, et lui disait : *Gredin, cela t'apprendra !*

175 Comme les chants et les blasphèmes grossissaient, celui qui semblait le capitaine de l'escorte fit claquer son fouet, et, à ce signal, une effroyable bastonnade sourde et aveugle qui faisait le bruit de la grêle tomba sur les sept voiturées ; beaucoup rugirent et écumèrent ; ce qui
180 redoubla la joie des gamins accourus, nuée de mouches sur ces plaies.

[...]

L'œil de Jean Valjean était devenu effrayant. Ce n'était plus une prunelle ; c'était cette vitre profonde qui rem-
185 place le regard chez certains infortunés, qui semble inconsciente de la réalité, et où flamboie la réverbération des épouvantes et des catastrophes. Il ne regardait pas un spectacle ; il subissait une vision. Il voulut se lever, fuir, échapper ; il ne put remuer un pied. Quel-
190 quefois les choses qu'on voit vous saisissent, et vous tiennent. Il demeura cloué, pétrifié, stupide, se demandant, à travers une confuse angoisse inexprimable, ce que signifiait cette persécution sépulcrale•, et d'où sortait ce pandémonium[4] qui le poursuivait. Tout à coup
195 il porta la main à son front, geste habituel de ceux

---

1. *blasphémait* : disait des blasphèmes, des injures (contre Dieu ou la religion).
2. Dante, dans son long poème *L'Enfer*, décrit les différents niveaux de l'enfer.
3. *gémonies* : ici, outrages, mépris public.
4. *pandémonium* : rassemblement de tous les démons hurlants de l'Enfer.

auxquels la mémoire revient subitement ; il se souvint
que c'était là l'itinéraire en effet, que ce détour était
d'usage pour éviter les rencontres royales toujours possibles sur la route de Fontainebleau[1], et que, trente-cinq
200 ans auparavant, il avait passé par cette barrière-là.

Cosette, autrement épouvantée, ne l'était pas moins.
Elle ne comprenait pas ; le souffle lui manquait ; ce
qu'elle voyait ne lui semblait pas possible ; enfin elle
s'écria :
205 – Père ! qu'est-ce qu'il y a donc dans ces voitures-là ?
Jean Valjean répondit :
– Des forçats.
– Où donc est-ce qu'ils vont ?
– Aux galères•.
210 En ce moment la bastonnade, multipliée par cent mains,
fit du zèle, les coups de plat de sabre s'en mêlèrent, ce
fut comme une rage de fouets et de bâtons ; les galé-
riens• se courbèrent, une obéissance hideuse se dégagea
du supplice, et tous se turent avec des regards de loups
215 enchaînés. Cosette tremblait de tous ses membres ; elle
reprit :
– Père, est-ce que ce sont encore des hommes ?
– Quelquefois, dit le misérable.

*[Printemps 1832 : Éponine, comme elle l'avait promis, a
fourni à Marius l'adresse de Cosette, rue Plumet. Il entre
dans le jardin, y abandonne le carnet où il a noté toutes ses
paroles d'amour : Cosette le trouve et, profitant d'une
absence de Jean Valjean, rencontre Marius. Ils tombent
dans les bras l'un de l'autre et, tous les soirs, vivent chaste-
ment leur amour dans ce jardin, « effarés de bonheur »,
alors qu'une épidémie de choléra décime la population parisienne.]*

---

1. *Fontainebleau* : le château de Fontainebleau était l'une des résidences royales.

Compréhension

• *« La cadène »*

1. Dans l'édition intégrale, ce chapitre occupe bien plus de pages que la moyenne et clôt un livre : qu'en déduisez-vous ? Quels autres indices confirment votre avis ?

2. À quel moment et en quel lieu apparaît la cadène ? Pourquoi ce choix à votre avis ?

3. Qu'attendrait-on de l'effet produit par le lever du soleil (l. 111) ? Qu'en est-il en réalité ?

• **Les misérables**

4. À quel chapitre succède immédiatement celui-ci ? Quelle est, à votre avis, l'intention de V. Hugo en choisissant cet ordre ?

5. Quel effet peut avoir cette vision sur Jean Valjean ? Pourquoi est-il qualifié de « misérable » à la fin du texte ?

6. Comment se comportent les autres (gardes et passants) à l'égard des galériens* ? Qu'en déduisez-vous ?

7. Quels sentiments V. Hugo cherche-t-il à provoquer chez le lecteur ? Que dénonce-t-il ?

Écriture / Réécriture

8. Par quels procédés et par quels termes est créée l'impression qu'il ne s'agit pas d'humains ? Comment devine-t-on peu à peu de quoi et de qui il s'agit ?

9. Relevez le champ lexical* de l'infamie dans le chapitre.

10. « Éclairée, cette cohue resta ténébreuse » (l. 120) et « l'élite de la boue » (l. 151) : sur quelles oppositions reposent ces deux oxymores* ? Que signifient ces expressions ?

11. Créez d'autres oxymores et utilisez-les pour décrire un personnage ou un élément hors du commun.

LIVRE SIXIÈME

Le petit Gavroche

2

OÙ LE PETIT GAVROCHE TIRE PARTI
DE NAPOLÉON LE GRAND

[Gavroche a pris sous sa protection deux jeunes garçons qui étaient à la rue (il ignore que ce sont ses petits frères abandonnés à leur tour par les Thénardier). Il les emmène dormir chez lui, c'est-à-dire dans la maquette d'un immense éléphant que Napoléon Ier avait voulu faire ériger sur la place de la Bastille[1] mais qui était abandonnée depuis 1814.]

C'était une tanière ouverte à celui auquel toutes les portes étaient fermées. Il semblait que le vieux mastodonte misérable, envahi par la vermine et par l'oubli, couvert de verrues, de moisissures et d'ulcères[2], chance-
5 lant, vermoulu, abandonné, condamné, espèce de men-
diant colossal demandant en vain l'aumône d'un regard bienveillant au milieu du carrefour, avait eu pitié, lui, de cet autre mendiant, du pauvre pygmée qui s'en allait sans souliers aux pieds, sans plafond sur la tête, soufflant
10 dans ses doigts, vêtu de chiffons, nourri de ce qu'on jette. Voilà à quoi servait l'éléphant de la Bastille. Cette idée de Napoléon, dédaignée par les hommes, avait été reprise par Dieu. Ce qui n'eût été qu'illustre était devenu

---

1. place de la Bastille : place dans les quartiers est de Paris où s'élevait jadis la forteresse, symbole de l'absolutisme royal pour les révolutionnaires de 1789.
2. *ulcères* : plaies.

auguste*. Il eût fallu à l'empereur, pour réaliser ce qu'il
15 méditait, le porphyre¹, l'airain², le fer, l'or, le marbre ;
à Dieu le vieil assemblage de planches, de solives³ et de
plâtras suffisait. L'empereur avait eu un rêve de génie ;
dans cet éléphant titanique, armé, prodigieux, dressant
sa trompe, portant sa tour, et faisant jaillir de toute part
20 autour de lui des eaux joyeuses et vivifiantes, il voulait
incarner le peuple ; Dieu en avait fait une chose plus
grande, il y logeait un enfant.
Le trou par où Gavroche était entré était une brèche à
peine visible du dehors, cachée qu'elle était, nous
25 l'avons dit, sous le ventre de l'éléphant, et si étroite qu'il
n'y avait guère que des chats et des mômes qui pussent y
passer.
[...]
– Maintenant, dit-il, pioncez ! Je vas supprimer le
30 candélabre⁴.
– Monsieur, demanda l'aîné des deux frères à Gavroche
en montrant le grillage, qu'est-ce que c'est donc que ça ?
– Ça, dit Gavroche gravement, c'est pour les rats. –
Pioncez !
35 Cependant il se crut obligé d'ajouter quelques paroles
pour l'instruction de ces êtres en bas âge, et il continua :
– C'est des choses du Jardin des plantes⁵. Ça sert aux
animaux féroces. Gniena (il y en a) plein un magasin.
Gnia (il n'y a) qu'à monter par-dessus un mur, qu'à
40 grimper par une fenêtre et qu'à passer sous une porte.
On en a tant qu'on veut.
Tout en parlant, il enveloppait d'un pan de la couverture
le tout petit qui murmura :
– Oh ! c'est bon ! c'est chaud !
45 Gavroche fixa un œil satisfait sur la couverture.

---

1. *le porphyre* : la roche éruptive dont l'aspect ressemble à celui du marbre.
2. *airain* : bronze.
3. *solives* : petites poutres.
4. *candélabre* : Gavroche emploie par dérision ce mot qui désigne un grand chan-
delier à plusieurs branches pour signifier ici la simple ficelle trempée dans la résine
qui lui sert de lampe.
5. *Jardin des plantes* : jardin parisien comprenant un parc zoologique, situé à côté
du pont d'Austerlitz (la girafe citée avait été offerte en 1827 par le pacha d'Égypte).

– C'est encore du Jardin des plantes, dit-il. J'ai pris ça
aux singes.
Et montrant à l'aîné la natte sur laquelle il était couché,
natte fort épaisse et admirablement travaillée, il ajouta :
50 – Ça, c'était à la girafe.
Après une pause, il poursuivit :
– Les bêtes avaient tout ça. Je le leur ai pris. Ça ne les a
pas fâchées. Je leur ai dit : C'est pour l'éléphant.
Il fit encore un silence et reprit :
55 – On passe par-dessus les murs et on se fiche du gouvernement. V'là.
Les deux enfants considéraient avec un respect craintif
et stupéfait cet être intrépide et inventif, vagabond
comme eux, isolé comme eux, chétif comme eux, qui
60 avait quelque chose d'admirable et de tout-puissant, qui
leur semblait surnaturel, et dont la physionomie se com-
posait de toutes les grimaces d'un vieux saltimbanque•
mêlées au plus naïf et au plus charmant sourire.

*[Un bandit, Montparnasse, vient chercher Gavroche pour
qu'il aide un prisonnier à s'évader en lui montant une
corde par l'intérieur d'un tuyau : c'est en fait son ingrat de
père, Thénardier, qu'il sauve ainsi.]*

LIVRE DOUZIÈME

Corinthe

4

ESSAI DE CONSOLATION SUR LA VEUVE HUCHELOUP

[5 juin 1832 : à l'occasion de l'enterrement du général Lamarque, l'un des derniers généraux napoléoniens encore en vie jusqu'à cette date, une insurrection républicaine embrase Paris. Les amis de l'A B C, ainsi que Gavroche, y participent et dressent une première barricade dans le quartier des Halles, près du cabaret de la veuve Hucheloup, appelé «Corinthe».]

Enjolras, Combeferre et Courfeyrac dirigeaient tout. Maintenant deux barricades se construisaient en même temps, toutes deux appuyées à la maison de Corinthe et faisant équerre ; la plus grande fermait la rue de la
5 Chanvrerie, l'autre fermait la rue Mondétour du côté de la rue du Cygne. Cette dernière barricade, très étroite, n'était construite que de tonneaux et de pavés. Ils étaient là environ cinquante travailleurs ; une trentaine armés de fusils ; car, chemin faisant, ils avaient fait un
10 emprunt en bloc à une boutique d'armurier.
Rien de plus bizarre et de plus bigarré que cette troupe. L'un avait un habit veste, un sabre de cavalerie et deux pistolets d'arçon[1], un autre était en manches de chemise avec un chapeau rond et une poire• à poudre pendue au
15 côté, un troisième était plastronné[2] de neuf feuilles de

---

1. *pistolets d'arçon* : pistolets à canon très court, fréquents au XIXᵉ siècle.
2. *plastronné* : protégé sur le devant de la poitrine.

papier gris et armé d'une alêne[1] de sellier. Il y en avait
un qui criait : *Exterminons jusqu'au dernier et mourons
au bout de notre baïonnette*• ! Celui-là n'avait pas de
baïonnette. Un autre étalait par-dessus sa redingote une
20   buffleterie[2] et une giberne• de garde national• avec le
couvre-giberne orné de cette inscription en laine rouge :
Ordre public. Force fusils portant des numéros de
légions, peu de chapeaux, point de cravates, beaucoup
de bras nus, quelques piques. Ajoutez à cela tous les
25   âges, tous les visages, de petits jeunes gens pâles, des
ouvriers du port bronzés. Tous se hâtaient, et, tout en
s'entraidant, on causait des chances possibles, – qu'on
aurait des secours vers trois heures du matin, – qu'on
était sûr d'un régiment, – que Paris se soulèverait. Pro-
30   pos terribles auxquels se mêlait une sorte de jovialité
cordiale. On eût dit des frères ; ils ne savaient pas les
noms les uns des autres. Les grands périls ont cela de
beau qu'ils mettent en lumière la fraternité des
inconnus.
35   Un feu avait été allumé dans la cuisine et l'on y fondait
dans un moule à balles brocs, cuillers, fourchettes, toute
l'argenterie d'étain du cabaret. On buvait à travers tout
cela. Les capsules et les chevrotines traînaient pêle-mêle
sur les tables avec les verres de vin. Dans la salle de
40   billard, mame Hucheloup, Matelote et Gibelotte[3], diver-
sement modifiées par la terreur, dont l'une était abrutie,
l'autre essoufflée, l'autre éveillée, déchiraient de vieux
torchons et faisaient de la charpie[4], trois insurgés les
assistaient, trois gaillards chevelus, barbus et mousta-
45   chus, qui épluchaient la toile avec des doigts de lingère•
et qui les faisaient trembler.
L'homme de haute stature que Courfeyrac, Combeferre
et Enjolras avaient remarqué, à l'instant où il abordait
l'attroupement au coin de la rue des Billettes, travaillait
50   à la petite barricade et s'y rendait utile. Gavroche

---

1. *alêne* : grosse aiguille servant à coudre le cuir.
2. *buffleterie* : pièces en peau de buffle qui soutiennent les armes.
3. *Matelote et Gibelotte* : serveuses du cabaret.
4. *charpie* : linges déchirés servant à faire les pansements.

travaillait à la grande. Quant au jeune homme qui avait attendu Courfeyrac chez lui et lui avait demandé monsieur Marius, il avait disparu à peu près vers le moment où l'on avait renversé l'omnibus[1].

55 Gavroche, complètement envolé et radieux, s'était chargé de la mise en train. Il allait, venait, montait, descendait, remontait, bruissait, étincelait. Il semblait être là pour l'encouragement de tous. Avait-il un aiguillon ? oui certes, sa misère ; avait-il des ailes ? oui certes, sa

60 joie. Gavroche était un tourbillonnement. On le voyait sans cesse, on l'entendait toujours. Il remplissait l'air, étant partout à la fois. C'était une espèce d'ubiquité[2] presque irritante ; pas d'arrêt possible avec lui. L'énorme barricade le sentait sur sa croupe. Il gênait les flâneurs, il

65 excitait les paresseux, il ranimait les fatigués, il impatientait les pensifs, mettait les uns en gaîté, les autres en haleine, les autres en colère, tous en mouvement, piquait un étudiant, mordait un ouvrier ; se posait, s'arrêtait, repartait, volait au-dessus du tumulte et de l'ef-

70 fort, sautait de ceux-ci à ceux-là, murmurait, bourdonnait, et harcelait tout l'attelage ; mouche de l'immense Coche[3] révolutionnaire.

Le mouvement perpétuel était dans ses petits bras et la clameur perpétuelle dans ses petits poumons :

75 – Hardi ! encore des pavés ! encore des tonneaux ! encore des machins ! où y en a-t-il ? Une hottée[4] de plâtras pour me boucher ce trou-là. C'est tout petit, votre barricade. Il faut que ça monte. Mettez-y tout, flanquez-y tout, fichez-y tout. Cassez la maison. Une barri-

80 cade, c'est le thé de la mère Gibou[5]. Tenez, voilà une porte vitrée.

Ceci fit exclamer les travailleurs.

---

1. *omnibus* : à l'époque, voiture à chevaux assurant le transport public dans la ville.
2. *ubiquité* : capacité à être partout en même temps.
3. *Coche* : allusion à la fable de La Fontaine *Le Coche et la Mouche*, où une mouche harcèle tout le monde pour faire avancer un coche en difficulté dans une côte.
4. *Une hottée* : Le contenu d'une hotte.
5. *thé de la mère Gibou* : expression devenue proverbiale et désignant un mélange.

– Une porte vitrée! qu'est-ce que tu veux qu'on fasse d'une porte vitrée, tubercule?

85 – Hercules vous-mêmes! riposta Gavroche. Une porte vitrée dans une barricade, c'est excellent. Ça n'empêche pas de l'attaquer, mais ça gêne pour la prendre. Vous n'avez donc jamais chipé des pommes par-dessus un mur où il y avait des culs de bouteilles? Une porte vitrée,

90 ça coupe les cors aux pieds de la garde nationale• quand elle veut monter sur la barricade. Pardi! le verre est traître. Ah çà, vous n'avez pas une imagination effrénée, mes camarades.

Du reste, il était furieux de son pistolet sans chien[1]. Il

95 allait de l'un à l'autre, réclamant : – Un fusil! je veux un fusil! Pourquoi ne me donne-t-on pas un fusil?

– Un fusil à toi! dit Combeferre.

– Tiens! répliqua Gavroche, pourquoi pas? J'en ai bien eu un en 1830• quand on s'est disputé avec Charles X!

100 Enjolras haussa les épaules.

– Quand il y en aura pour les hommes, on en donnera aux enfants.

Gavroche se tourna fièrement, et lui répondit :

– Si tu es tué avant moi, je te prends le tien.

105 – Gamin! dit Enjolras.

– Blanc-bec! dit Gavroche.

Un élégant fourvoyé qui flânait au bout de la rue, fit diversion.

Gavroche lui cria :

110 – Venez avec nous, jeune homme! Eh bien, cette vieille patrie, on ne fait donc rien pour elle?

L'élégant s'enfuit.

---

1. *sans chien* : sans la pièce qui permet la mise à feu de la poudre (le pistolet est donc inoffensif).

7

L'HOMME RECRUTÉ RUE DES BILLETTES[1]

[...]
L'homme de la rue des Billettes venait d'entrer dans la salle basse et était allé s'asseoir à la table la moins éclairée. Il lui était échu un fusil de munition grand modèle, qu'il tenait entre ses jambes. Gavroche jusqu'à cet instant, distrait par cent choses «amusantes», n'avait pas même vu cet homme.

Lorsqu'il entra, Gavroche le suivit machinalement des yeux, admirant son fusil, puis, brusquement, quand l'homme fut assis, le gamin se leva. Ceux qui auraient épié l'homme jusqu'à ce moment l'auraient vu tout observer dans la barricade et dans la bande des insurgés avec une attention singulière ; mais depuis qu'il était entré dans la salle, il avait été pris d'une sorte de recueillement et semblait ne plus rien voir de ce qui se passait. Le gamin s'approcha de ce personnage pensif et se mit à tourner autour de lui sur la pointe du pied comme on marche auprès de quelqu'un qu'on craint de réveiller. En même temps, sur son visage enfantin, à la fois si effronté et si sérieux, si évaporé et si profond, si gai et si navrant, passaient toutes ces grimaces de vieux qui signifient : – Ah bah ! – pas possible ! – j'ai la berlue ! – je rêve ! – est-ce que ce serait ?... – non, ce n'est pas ! – mais si ! – mais non ! etc. Gavroche se balançait sur ses talons, crispait ses deux poings dans ses poches, remuait le cou comme un oiseau, dépensait en une lippe[2] démesurée toute la sagacité[3] de la lèvre inférieure. Il était stupéfait, incertain, incrédule, convaincu, ébloui. Il avait la

---

1. *L'homme recruté rue des Billettes* : en fait c'est un inconnu qui s'est joint à la troupe d'Enjolras et ses amis quand ils se rendaient vers les barricades.
2. *lippe* : moue qui consiste à avancer la lèvre inférieure.
3. *sagacité* : perspicacité, intelligence fine.

mine du chef des eunuques[1] au marché des esclaves
30 découvrant une Vénus parmi des dondons, et l'air d'un
amateur reconnaissant un Raphaël[2] dans un tas de
croûtes. Tout chez lui était en travail, l'instinct qui flaire
et l'intelligence qui combine. Il était évident qu'il arrivait un événement à Gavroche.
35 C'est au plus fort de cette préoccupation qu'Enjolras
l'aborda.
– Tu es petit, dit Enjolras, on ne te verra pas. Sors des
barricades, glisse-toi le long des maisons, va un peu partout par les rues, et reviens me dire ce qui se passe.
40 Gavroche se haussa sur ses hanches.
– Les petits sont donc bons à quelque chose ! c'est bien
heureux ! J'y vas. En attendant fiez-vous aux petits,
méfiez-vous des grands... – Et Gavroche, levant la tête et
baissant la voix, ajouta, en désignant l'homme de la rue
45 des Billettes :
– Vous voyez bien ce grand-là ?
– Eh bien ?
– C'est un mouchard•.
– Tu es sûr ?
50 – Il n'y a pas quinze jours qu'il m'a enlevé par l'oreille
de la corniche du pont Royal où je prenais l'air.
Enjolras quitta vivement le gamin et murmura quelques
mots très bas à un ouvrier du port aux vins qui se trouvait là. L'ouvrier sortit de la salle et y rentra presque tout
55 de suite accompagné de trois autres. Les quatre
hommes, quatre portefaix• aux larges épaules, allèrent
se placer, sans rien faire qui pût attirer son attention,
derrière la table où était accoudé l'homme de la rue des
Billettes. Ils étaient visiblement prêts à se jeter sur lui.
60 Alors Enjolras s'approcha de l'homme et lui demanda :
– Qui êtes-vous ?
À cette question brusque, l'homme eut un soubresaut. Il
plongea son regard jusqu'au fond de la prunelle candide

---

1. *eunuques* : officiers, souvent castrés, chargés de la garde des femmes dans les
cours royales orientales.
2. *un Raphaël* : un tableau du célèbre peintre de la Renaissance italienne (1483-
1520) qui n'a justement pas peint de « croûtes », c'est-à-dire de mauvais tableaux.

d'Enjolras et parut y saisir sa pensée. Il sourit d'un sou-
65 rire qui était tout ce qu'on peut voir au monde de plus
dédaigneux, de plus énergique et de plus résolu, et
répondit avec une gravité hautaine :
– Je vois ce que c'est... Eh bien, oui!
– Vous êtes mouchard•?
70 – Je suis agent de l'autorité.
– Vous vous appelez?
– Javert.
Enjolras fit signe aux quatre hommes. En un clin d'œil,
avant que Javert eût eu le temps de se retourner, il fut
75 colleté•, terrassé, garrotté•, fouillé. [...]

Les Misérables, *mise en scène de Henri Fescourt, 1925.*

Questions

Compréhension

• Gavroche

1. *Dans le chapitre «Où le petit Gavroche tire parti de Napoléon le Grand» (pp. 199 à 201), à quoi peut servir le grillage «pour les rats»?*

2. *Expliquez comment «loger un enfant» vaut mieux qu'«incarner le peuple» (l. 21-22).*

3. *«Si gai et si navrant»: quels aspects de sa situation pourraient être navrants? Comment Gavroche les rend-il gais?*

4. *Par rapport à la première apparition de Gavroche (troisième partie, livre premier, chapitre 13, p. 127), de quels nouveaux traits de caractère s'enrichit son personnage? En quoi devient-il héroïque*?*

• La barricade

5. *Dans quel état d'esprit sont les insurgés? Relevez leurs raisons de croire en la victoire.*

6. *Quelle menace pèse cependant sur eux? En sont-ils conscients? Relevez les passages qui justifient votre réponse.*

7. *Quelle(s) réflexion(s) de Gavroche explique(nt) son engagement à leur côté?*

• Javert

8. *Pour quelles raisons s'est-il infiltré parmi les insurgés?*

9. *Pourquoi l'ont-ils ligoté? Quel sort, à votre avis, lui réservent-ils?*

Écriture / Réécriture

• La description de l'éléphant (chap. 2, p. 199)

10. *Quels éléments mettent en évidence l'aspect misérable de l'éléphant? En revanche, quelles autres indications lui confèrent un côté grandiose?*

11. *Quels termes établissent un parallèle entre l'éléphant et Gavroche?*

12. *Décrivez, à votre tour, en réutilisant ou non les éléments relevés ci-dessus, un abri insolite.*

• Portrait de Gavroche

13. *Quelle nature de mots (noms, adjectifs, verbes, etc.), V. Hugo*

utilise-t-il surtout pour décrire Gavroche aux lignes 55 à 72 (chap. 4, p. 204)? Quelle impression veut-il créer?

14. Relevez les antithèses* qui donnent une impression contrastée de Gavroche. En quoi semble-t-il « surnaturel »?

15. À partir d'autres antithèses de votre choix, rédigez le portrait contrasté d'un personnage hors du commun.

16. Expliquez, d'après le texte, l'expression « la fraternité des inconnus » (p. 203, l. 33-34).

Mise en perspective / Mise en images

17. Relisez la fable de La Fontaine, Le Coche et la Mouche : quelle différence existe-t-il entre Gavroche et ladite Mouche?

18. Vous devez illustrer ces trois chapitres : quels passages frappants choisissez-vous de mettre en images? Justifiez votre choix et précisez le cadrage* et la composition de ces images fixes.

8

PLUSIEURS POINTS D'INTERROGATION
À PROPOS D'UN NOMMÉ LE CABUC
QUI NE SE NOMMAIT PEUT-ÊTRE PAS
LE CABUC

*[Enjolras décide de fusiller Javert deux minutes avant la
prise de la barricade ; Gavroche récupère le fusil du prisonnier et part faire son inspection. Un inconnu, habillé en
portefaix et qui paraît très ivre, examine une maison de
cinq étages qui domine la rue.]*

— Camarades, savez-vous ? c'est de cette maison-là qu'il
faudrait tirer. Quand nous serons là aux croisées•, du
diable si quelqu'un avance dans la rue !
— Oui, mais la maison est fermée, dit un des buveurs.
5   — Cognons !
— On n'ouvrira pas.
— Enfonçons la porte !
Le Cabuc court à la porte qui avait un marteau fort massif, et frappe. La porte ne s'ouvre pas. Il frappe un
10 second coup. Personne ne répond. Un troisième coup.
Même silence.
— Y a-t-il quelqu'un ici ? crie Le Cabuc.
Rien ne bouge.
Alors il saisit un fusil et commence à battre la porte à
15 coups de crosse. C'était une vieille porte d'allée, cintrée,
basse, étroite, solide, tout en chêne, doublée à l'intérieur
d'une feuille de tôle et d'une armature de fer, une vraie
poterne de bastille[1]. Les coups de crosse faisaient trembler la maison, mais n'ébranlaient pas la porte.
20 Toutefois il est probable que les habitants s'étaient
émus, car on vit enfin s'éclairer et s'ouvrir une petite
lucarne carrée au troisième étage, et apparaître à cette

---

1. *poterne de bastille* : porte dérobée donnant sur un fossé dans un ouvrage de
défense.

lucarne une chandelle et la tête béate et effrayée d'un
bonhomme en cheveux gris qui était le portier.
25 L'homme qui cognait s'interrompit.
   – Messieurs, demanda le portier, que désirez-vous ?
   – Ouvre ! dit Le Cabuc.
   – Messieurs, cela ne se peut pas.
   – Ouvre toujours !
30 – Impossible, messieurs !
Le Cabuc prit son fusil et coucha en joue le portier ; mais
comme il était en bas, et qu'il faisait très noir, le portier
ne le vit point.
   – Oui ou non, veux-tu ouvrir ?
35 – Non, messieurs !
   – Tu dis non ?
   – Je dis non, mes bons...
Le portier n'acheva pas. Le coup de fusil était lâché ; la
balle lui était entrée sous le menton et était sortie par la
40 nuque après avoir traversé la jugulaire[1]. Le vieillard s'affaissa sur lui-même sans pousser un soupir. La chandelle
tomba et s'éteignit, et l'on ne vit plus rien qu'une tête
immobile posée au bord de la lucarne et un peu de
fumée blanchâtre qui s'en allait vers le toit.
45 – Voilà ! dit Le Cabuc en laissant retomber sur le pavé la
crosse de son fusil.
Il avait à peine prononcé ce mot qu'il sentit une main
qui se posait sur son épaule avec la pesanteur d'une
serre d'aigle, et il entendit une voix qui lui disait :
50 – À genoux.
Le meurtrier se retourna et vit devant lui la figure
blanche et froide d'Enjolras. Enjolras avait un pistolet à
la main.
À la détonation, il était arrivé.
55 Il avait empoigné de sa main gauche le collet•, la blouse,
la chemise et la bretelle du Cabuc.
   – À genoux, répéta-t-il.
Et d'un mouvement souverain le frêle jeune homme de
vingt ans plia comme un roseau le crocheteur trapu et

---

1. *jugulaire* : une des grosses veines du cou.

60 robuste et l'agenouilla dans la boue. Le Cabuc essaya de
résister, mais il semblait qu'il eût été saisi par un poing
surhumain.

Pâle, le cou nu, les cheveux épars, Enjolras, avec son
visage de femme, avait en ce moment je ne sais quoi de
65 la Thémis[1] antique. Ses narines gonflées, ses yeux bais-
sés donnaient à son implacable profil grec cette expression de colère et cette expression de chasteté* qui, au
point de vue de l'ancien monde, conviennent à la justice.

70 Toute la barricade était accourue, puis tous s'étaient rangés en cercle à distance, sentant qu'il était impossible de
prononcer une parole devant la chose qu'ils allaient
voir.

Le Cabuc, vaincu, n'essayait plus de se débattre et trem-
75 blait de tous ses membres. Enjolras le lâcha et tira sa
montre.

– Recueille-toi, dit-il. Prie ou pense. Tu as une minute.
– Grâce! murmura le meurtrier; puis il baissa la tête et
balbutia quelques jurements inarticulés.

80 Enjolras ne quitta pas la montre des yeux; il laissa passer la minute, puis il remit la montre dans son gousset*.
Cela fait, il prit par les cheveux Le Cabuc qui se pelotonnait contre ses genoux en hurlant et lui appuya sur
l'oreille le canon de son pistolet. Beaucoup de ces
85 hommes intrépides, qui étaient si tranquillement entrés
dans la plus effrayante des aventures, détournèrent la
tête.

On entendit l'explosion, l'assassin tomba sur le pavé le
front en avant, et Enjolras se redressa et promena autour
90 de lui son regard convaincu et sévère.

Puis il poussa du pied le cadavre et dit :
– Jetez cela dehors.

Trois hommes soulevèrent le corps du misérable qu'agitaient les dernières convulsions machinales de la vie
95 expirée, et le jetèrent par-dessus la petite barricade dans
la ruelle Mondétour.

---

1. *Thémis* : divinité de la Justice dans l'Antiquité grecque.

Enjolras était demeuré pensif. On ne sait quelles ténèbres grandioses se répandaient lentement sur sa redoutable sérénité. Tout à coup il éleva la voix. On fit
100 silence.

– Citoyens, dit Enjolras, ce que cet homme a fait est effroyable et ce que j'ai fait est horrible. Il a tué, c'est pourquoi je l'ai tué. J'ai dû le faire, car l'insurrection doit avoir sa discipline. L'assassinat est encore plus un crime
105 ici qu'ailleurs ; nous sommes sous le regard de la révolution, nous sommes les prêtres de la république, nous sommes les hosties[1] du devoir, et il ne faut pas qu'on puisse calomnier notre combat. J'ai donc jugé et condamné à mort cet homme. Quant à moi, contraint de
110 faire ce que j'ai fait, mais l'abhorrant[2], je me suis jugé aussi, et vous verrez tout à l'heure à quoi je me suis condamné.

Ceux qui écoutaient tressaillirent.

– Nous partagerons ton sort, cria Combeferre.
115 – Soit, reprit Enjolras. Encore un mot. En exécutant cet homme, j'ai obéi à la nécessité ; mais la nécessité est un monstre du vieux monde ; la nécessité s'appelle Fatalité. Or, la loi du progrès, c'est que les monstres disparaissent devant les anges, et que la Fatalité s'évanouisse
120 devant la fraternité. C'est un mauvais moment pour prononcer le mot amour. N'importe, je le prononce, et je le glorifie. Amour, tu as l'avenir. Mort, je me sers de toi, mais je te hais. Citoyens, il n'y aura dans l'avenir ni ténèbres, ni coups de foudre, ni ignorance féroce, ni
125 talion[3] sanglant. Comme il n'y aura plus de Satan, il n'y aura plus de Michel[4]. Dans l'avenir personne ne tuera personne, la terre rayonnera, le genre humain aimera. Il viendra, citoyens, ce jour où tout sera concorde, harmonie, lumière, joie et vie, il viendra. Et c'est pour qu'il
130 vienne que nous allons mourir.

---

1. *hosties* : victimes sacrifiées pour une cause.
2. *abhorrant* : ayant en horreur.
3. *talion* : punition identique à l'outrage subi.
4. *Michel* : dans la religion chrétienne, chef des anges qui lutte contre le dragon, symbole du Mal.

Enjolras se tut. Ses lèvres de vierge se refermèrent ; et il
resta quelque temps debout à l'endroit où il avait versé
le sang, dans une immobilité de marbre. Son œil fixe
faisait qu'on parlait bas autour de lui.
[...]

Soulèvement des insurgés,
gravure de Yon et Perrichon.

Questions

Compréhension

• **Le Cabuc**

1. *Pourquoi a-t-il tiré sur le portier ? Que voulait-il prouver par ce geste ?*

2. *Comment réagit-il quand Enjolras va le châtier ? Quel jugement porte-t-on en fin de compte sur ce personnage ?*

• **Enjolras**

3. *Pourquoi tue-t-il Le Cabuc ?*

4. *En comparant avec la présentation du personnage (cf. III, IV, 1, pp. 145 à 147), pouvait-on s'attendre à cette réaction de sa part ?*

5. *Quel jugement porte-t-il sur son acte ? Cet acte est-il en accord avec le but qu'il poursuit ? Comment le justifie-t-il ?*

6. *Pourquoi les autres insurgés ne disent-ils mot ?*

Écriture / Réécriture

7. *Quels éléments de la scène créent une impression réaliste* ?*

8. *Dans la description et les discours d'Enjolras (l. 97 à 130, p. 214), quels termes créent au contraire une tonalité romantique* ?*

9. *Relevez les procédés de style qui contribuent à l'éloquence d'Enjolras : répétitions, antithèses*, rythme* des phrases, tournures emphatiques*...*

10. *En réutilisant ou non ces procédés, écrivez un discours qui dépeigne, à l'époque moderne, le «meilleur des mondes» à venir.*

Mise en perspective

11. *Sachant que Victor Hugo était contre la peine de mort, vous supposerez que les insurgés ne sont pas d'accord avec le châtiment décidé par Enjolras : quels arguments sont avancés de part et d'autre ?*

LIVRE QUATORZIÈME

Les grandeurs du désespoir

3

GAVROCHE AURAIT MIEUX FAIT D'ACCEPTER
LA CARABINE D'ENJOLRAS

[Marius a appris de Cosette que son père envisageait de partir avec elle en Angleterre (il craignait d'être reconnu : Thénardier, évadé, rôdait, et la police est plus méfiante en période d'insurrection ; de plus, il a reçu un message anonyme et inquiétant : « Déménagez. »). Marius se rend donc auprès de M. Gillenormand, avec lequel il était brouillé, pour obtenir l'autorisation d'épouser Cosette et éviter ainsi son départ. Il se heurte à un refus méprisant, malgré la tendresse que son grand-père éprouve pour lui.

Marius, abattu, se rend rue Plumet et s'aperçoit que Cosette est partie sans le prévenir. La mort dans l'âme, prévenu par un mystérieux jeune homme dont la voix rappelle celle d'Éponine, il se dirige vers la barricade tenue par ses amis de l'A B C avec l'intention de s'y faire tuer, seule consolation qu'il trouve à son chagrin. Puis, en songeant à son père héroïque, il retrouve une certaine ardeur et l'envie de se battre pour la liberté.

Or la garde municipale vient de passer à l'attaque et tire sur les insurgés.]

Bahorel s'élança sur le premier garde municipal qui entrait et le tua à bout portant d'un coup de carabine ; le second tua Bahorel d'un coup de baïonnette*. Un autre avait déjà terrassé Courfeyrac qui criait : À moi ! Le plus grand de tous, une espèce de colosse, marchait sur Gavroche la baïonnette en avant. Le gamin prit dans ses petits bras l'énorme fusil de Javert, coucha résolument

217

en joue le géant, et lâcha son coup. Rien ne partit. Javert
n'avait pas chargé son fusil. Le garde municipal éclata de
10 rire et leva la baïonnette sur l'enfant.

Avant que la baïonnette eût touché Gavroche, le fusil
échappait des mains du soldat, une balle avait frappé le
garde municipal au milieu du front et il tombait sur le
dos. Une seconde balle frappait en pleine poitrine
15 l'autre garde qui avait assailli Courfeyrac, et le jetait sur
le pavé.

C'était Marius qui venait d'entrer dans la barricade.

4

LE BARIL DE POUDRE

Marius, toujours caché dans le coude de la rue Mondétour, avait assisté à la première phase du combat, irrésolu et frissonnant. Cependant il n'avait pu résister longtemps à ce vertige mystérieux et souverain qu'on
5 pourrait nommer l'appel de l'abîme. Devant l'immi-
nence du péril, devant la mort de M. Mabeuf[1], cette
funèbre énigme, devant Bahorel tué, Courfeyrac criant :
à moi ! cet enfant menacé, ses amis à secourir ou à venger, toute hésitation s'était évanouie, et il s'était rué dans
10 la mêlée ses deux pistolets à la main. Du premier coup il
avait sauvé Gavroche et du second délivré Courfeyrac.
Aux coups de feu, aux cris des gardes frappés, les assaillants avaient gravi le retranchement, sur le sommet
duquel on voyait maintenant se dresser plus d'à mi-
15 corps, et en foule, des gardes municipaux, des soldats de
la ligne, des gardes nationaux• de la banlieue, le fusil au
poing. Ils couvraient déjà plus des deux tiers du barrage,

---

1. Le père Mabeuf avait rejoint la barricade et trouvé la mort en allant courageusement replanter le drapeau rouge de la révolution qu'une première fusillade avait fait
tomber.

mais ils ne sautaient pas dans l'enceinte, comme s'ils
balançaient, craignant quelque piège. Ils regardaient
20 dans la barricade obscure comme on regarderait dans
une tanière de lions. La lueur de la torche n'éclairait que
les baïonnettes*, les bonnets à poil et le haut des visages
inquiets et irrités.

Marius n'avait plus d'armes, il avait jeté ses pistolets
25 déchargés, mais il avait aperçu le baril de poudre dans la
salle basse près de la porte.

Comme il se tournait à demi, regardant de ce côté, un
soldat le coucha en joue. Au moment où le soldat ajustait
Marius, une main se posa sur le bout du canon du fusil,
30 et le boucha. C'était quelqu'un qui s'était élancé, le
jeune ouvrier au pantalon de velours[1]. Le coup partit,
traversa la main, et peut-être aussi l'ouvrier, car il
tomba, mais la balle n'atteignit pas Marius. Tout cela
dans la fumée, plutôt entrevu que vu. Marius, qui entrait
35 dans la salle basse, s'en aperçut à peine. Cependant il
avait confusément vu ce canon de fusil dirigé sur lui et
cette main qui l'avait bouché, et il avait entendu le coup.
Mais dans des minutes comme celle-là, les choses qu'on
voit vacillent et se précipitent, et l'on ne s'arrête à rien.
40 On se sent obscurément poussé vers plus d'ombre
encore, et tout est nuage.

Les insurgés, surpris, mais non effrayés, s'étaient ralliés.
Enjolras avait crié : Attendez ! ne tirez pas au hasard !
Dans la première confusion en effet ils pouvaient se
45 blesser les uns les autres. La plupart étaient montés à la
fenêtre du premier étage et aux mansardes d'où ils
dominaient les assaillants.

Tout à coup, on entendit une voix tonnante qui criait :
– Allez-vous-en, ou je fais sauter la barricade !
50 Tous se retournèrent du côté d'où venait la voix.

Marius était entré dans la salle basse, et y avait pris le
baril de poudre, puis il avait profité de la fumée et de
l'espèce de brouillard obscur qui emplissait l'enceinte

---

1. *le jeune ouvrier au pantalon de velours* : celui qui cherchait Marius quand Enjolras
et ses amis se rendaient aux barricades.

retranchée, pour se glisser le long de la barricade jusqu'à
55 cette cage de pavés où était fixée la torche. En arracher
la torche, y mettre le baril de poudre, pousser la pile de
pavés sous le baril, qui s'était sur-le-champ défoncé,
avec une sorte d'obéissance terrible, tout cela avait été
pour Marius le temps de se baisser et de se relever ; et
60 maintenant tous, gardes nationaux*, gardes municipaux,
officiers, soldats, pelotonnés à l'autre extrémité de la
barricade, le regardaient avec stupeur le pied sur les
pavés, la torche à la main, son fier visage éclairé par une
résolution fatale, penchant la flamme de la torche vers
65 ce monceau redoutable où l'on distinguait le baril de
poudre brisé, et poussant ce cri terrifiant :
– Allez-vous-en, ou je fais sauter la barricade !
Marius sur cette barricade après l'octogénaire[1], c'était la
vision de la jeune révolution après l'apparition de la
70 vieille.
– Sauter la barricade ! dit un sergent, et toi aussi !
Marius répondit :
– Et moi aussi.
Et il approcha la torche du baril de poudre.
75 Mais il n'y avait déjà plus personne sur le barrage. Les
assaillants, laissant leurs morts et leurs blessés,
refluaient pêle-mêle et en désordre vers l'extrémité de la
rue et s'y perdaient de nouveau dans la nuit. Ce fut un
sauve-qui-peut.
80 La barricade était dégagée.

---

1. C'est-à-dire M. Mabeuf, qui avait effectivement quatre-vingts ans.

5

FIN DES VERS DE JEAN PROUVAIRE

Tous entourèrent Marius. Courfeyrac lui sauta au cou.
– Te voilà !
– Quel bonheur ! dit Combeferre.
– Tu es venu à propos ! fit Bossuet[1].
– Sans toi j'étais mort ! reprit Courfeyrac.
– Sans vous j'étais gobé ! ajouta Gavroche.
Marius demanda :
– Où est le chef ?
– C'est toi, dit Enjolras.
Marius avait eu toute la journée une fournaise dans le cerveau, maintenant c'était un tourbillon. Ce tourbillon qui était en lui lui faisait l'effet d'être hors de lui et de l'emporter. Il lui semblait qu'il était déjà à une distance immense de la vie. Ses deux lumineux mois de joie et d'amour aboutissant brusquement à cet effroyable précipice, Cosette perdue pour lui, cette barricade, M. Mabeuf se faisant tuer pour la république, lui-même chef d'insurgés, toutes ces choses lui paraissaient un cauchemar monstrueux. Il était obligé de faire un effort d'esprit pour se rappeler que tout ce qui l'entourait était réel. Marius avait trop peu vécu encore pour savoir que rien n'est plus imminent que l'impossible, et que ce qu'il faut toujours prévoir, c'est l'imprévu. Il assistait à son propre drame comme à une pièce qu'on ne comprend pas.
Dans cette brume où était sa pensée, il ne reconnut pas Javert qui, lié à son poteau, n'avait pas fait un mouvement de tête pendant l'attaque de la barricade et qui regardait s'agiter autour de lui la révolte avec la résignation d'un martyr et la majesté d'un juge. Marius ne l'aperçut même pas.

---

1. *Bossuet* : surnom donné à Lesgle (jeu de mots : l'Aigle de Meaux était le surnom de l'évêque et écrivain célèbre Bossuet).

[Au moment où Combeferre va sortir parlementer avec les assiégeants pour échanger Javert contre Jean Prouvaire, leur ami poète fait prisonnier, on entend que celui-ci est fusillé : le tour de Javert est donc imminent.

Marius est sorti pour aller inspecter l'autre petite barricade.]

6

L'AGONIE DE LA MORT APRÈS L'AGONIE DE LA VIE

[...]
Comme Marius, l'inspection faite, se retirait, il entendit son nom prononcé faiblement dans l'obscurité.

Il se courba et vit dans l'ombre une forme qui se traînait
5 vers lui. Cela rampait sur le pavé. C'était cela qui lui parlait.

Le lampion permettait de distinguer une blouse, un pantalon de gros velours déchiré, des pieds nus, et quelque chose qui ressemblait à une mare de sang. Marius entre-
10 vit une tête pâle qui se dressait vers lui et qui lui dit :
– Vous ne me reconnaissez pas ?
– Non.
– Éponine.

Marius se baissa vivement. C'était en effet cette mal-
15 heureuse enfant. Elle était habillée en homme.
– Comment êtes-vous ici ? que faites-vous là ?
– Je meurs, lui dit-elle.

Il y a des mots et des incidents qui réveillent les êtres accablés. Marius s'écria comme en sursaut :
20 – Vous êtes blessée ! Attendez, je vais vous porter dans la salle. On va vous panser. Est-ce grave ? comment faut-il vous prendre pour ne pas vous faire de mal ? où souffrez-vous ? Du secours ! mon Dieu ! Mais qu'êtes-vous venue faire ici ?
25 Et il essaya de passer son bras sous elle pour la soulever. En la soulevant il rencontra sa main.

Elle poussa un cri faible.
– Vous ai-je fait mal ? demanda Marius.
– Un peu.
30 – Mais je n'ai touché que votre main.
Elle leva sa main vers le regard de Marius, et Marius au
milieu de cette main vit un trou noir.
– Qu'avez-vous donc à la main ? dit-il.
– Elle est percée.
35 – Percée !
– Oui.
– De quoi ?
– D'une balle.
– Comment ?
40 – Avez-vous vu un fusil qui vous couchait en joue ?
– Oui, et une main qui l'a bouché.
– C'était la mienne.
Marius eut un frémissement.
– Quelle folie ! Pauvre enfant ! Mais tant mieux, si c'est
45 cela, ce n'est rien. Laissez-moi vous porter sur un lit. On
va vous panser, on ne meurt pas d'une main percée.
Elle murmura :
– La balle a traversé la main, mais elle est sortie par le
dos. C'est inutile de m'ôter d'ici. Je vais vous dire com-
50 ment vous pouvez me panser, mieux qu'un chirurgien.
Asseyez-vous près de moi sur cette pierre.
Il obéit ; elle posa sa tête sur les genoux de Marius, et,
sans le regarder, elle dit :
– Oh ! que c'est bon ! Comme on est bien ! Voilà ! Je ne
55 souffre plus.
Elle demeura un moment en silence, puis elle tourna
son visage avec effort et regarda Marius.
– Savez-vous cela, monsieur Marius ? Cela me taquinait
que vous entriez dans ce jardin, c'était bête, puisque
60 c'était moi qui vous avais montré la maison, et puis enfin
je devais bien me dire qu'un jeune homme comme
vous...
Elle s'interrompit et, franchissant les sombres transitions qui étaient sans doute dans son esprit, elle reprit
65 avec un déchirant sourire :
– Vous me trouviez laide, n'est-ce pas ?
Elle continua :

– Voyez-vous, vous êtes perdu! Maintenant personne ne sortira de la barricade. C'est moi qui vous ai amené
70 ici, tiens! Vous allez mourir, j'y compte bien. Et pourtant, quand j'ai vu qu'on vous visait, j'ai mis la main sur la bouche du canon de fusil. Comme c'est drôle! Mais c'est que je voulais mourir avant vous. Quand j'ai reçu cette balle, je me suis traînée ici, on ne m'a pas vue, on
75 ne m'a pas ramassée. Je vous attendais, je disais : Il ne viendra donc pas? Oh! si vous saviez, je mordais ma blouse, je souffrais tant! Maintenant je suis bien.
Elle avait un air insensé, grave et navrant. Sa blouse déchirée montrait sa gorge nue. Elle appuyait en parlant
80 sa main percée sur sa poitrine où il y avait un autre trou, et d'où il sortait par instants un flot de sang comme le jet de vin d'une bonde[1] ouverte.
Marius considérait cette créature infortunée avec une profonde compassion.
85 – Oh! reprit-elle tout à coup, cela revient. J'étouffe!
Elle prit sa blouse et la mordit, et ses jambes se raidissaient sur le pavé.
[...]
– Écoutez, je ne veux pas vous faire une farce. J'ai dans
90 ma poche une lettre pour vous. Depuis hier. On m'avait dit de la mettre à la poste. Je l'ai gardée. Je ne voulais pas qu'elle vous parvînt. Mais vous m'en voudriez peut-être quand nous allons nous revoir tout à l'heure. On se revoit, n'est-ce pas? Prenez votre lettre.
95 Elle saisit convulsivement la main de Marius avec sa main trouée, mais elle semblait ne plus percevoir la souffrance. Elle mit la main de Marius dans la poche de sa blouse. Marius y sentit en effet un papier.
– Prenez, dit-elle.
100 Marius prit la lettre.
Elle fit un signe de satisfaction et de consentement.
– Maintenant pour ma peine, promettez-moi...
Et elle s'arrêta.
– Quoi? demanda Marius.

---

1. *une bonde* : un trou permettant de vider un récipient (ici, un tonneau).

105 – Promettez-moi !
– Je vous promets.
– Promettez-moi de me donner un baiser sur le front
quand je serai morte. – Je le sentirai.
Elle laissa retomber sa tête sur les genoux de Marius et
110 ses paupières se fermèrent. Il crut cette pauvre âme partie. Éponine restait immobile ; tout à coup, à l'instant où
Marius la croyait à jamais endormie, elle ouvrit lentement ses yeux où apparaissait la sombre profondeur de
la mort, et lui dit avec un accent dont la douceur sem-
115 blait déjà venir d'un autre monde :
– Et puis, tenez, monsieur Marius, je crois que j'étais un
peu amoureuse de vous.
Elle essaya encore de sourire et expira.

7

GAVROCHE PROFOND CALCULATEUR
DES DISTANCES

Marius tint sa promesse. Il déposa un baiser sur ce front
livide où perlait une sueur glacée. Ce n'était pas une
infidélité à Cosette ; c'était un adieu pensif et doux à une
malheureuse âme.
5 Il n'avait pas pris sans un tressaillement la lettre qu'Éponine lui avait donnée. Il avait tout de suite senti là un
événement. Il était impatient de la lire. Le cœur de
l'homme est ainsi fait, l'infortunée enfant avait à peine
fermé les yeux que Marius songeait à déplier ce papier. Il
10 la reposa doucement sur la terre et s'en alla. Quelque
chose lui disait qu'il ne pouvait lire cette lettre devant ce
cadavre.
Il s'approcha d'une chandelle dans la salle basse. C'était
un petit billet plié et cacheté avec ce soin élégant des
15 femmes. L'adresse était d'une écriture de femme et portait :

    – À monsieur, monsieur Marius Pontmercy, chez
M. Courfeyrac, rue de la Verrerie, n° 16.
    Il défit le cachet et lut :

20   «Mon bien-aimé, hélas! mon père veut que nous par-
tions tout de suite. Nous serons ce soir rue de l'Homme-
Armé[1], n° 7. Dans huit jours nous serons en Angleterre.
COSETTE. 4 juin.»
    [...]

25   Alors il songea qu'il lui restait deux devoirs à accomplir :
informer Cosette de sa mort et lui envoyer un suprême
adieu, et sauver de la catastrophe imminente qui se préparait ce pauvre enfant, frère d'Éponine et fils de Thénardier.

30   Il avait sur lui un portefeuille ; le même qui avait contenu
le cahier où il avait écrit tant de pensées d'amour pour
Cosette. Il en arracha une feuille et écrivit au crayon ces
quelques lignes :
    «Notre mariage était impossible. J'ai demandé à mon
35   grand-père, il a refusé ; je suis sans fortune, et toi aussi.
J'ai couru chez toi, je ne t'ai plus trouvée, tu sais la
parole que je t'avais donnée, je la tiens. Je meurs. Je
t'aime. Quand tu liras ceci, mon âme sera près de toi, et
te sourira.»

40   N'ayant rien pour cacheter cette lettre, il se borna à plier
le papier en quatre et y mit cette adresse :
    *À Mademoiselle Cosette Fauchelevent, chez M. Fauche-
levent, rue de l'Homme-Armé, n° 7.*
    La lettre pliée, il demeura un moment pensif, reprit son
45   portefeuille, l'ouvrit et écrivit avec le même crayon sur
la première page ces quatre lignes :
    «Je m'appelle Marius Pontmercy. Porter mon cadavre
chez mon grand-père, M. Gillenormand, rue des Filles-
du-Calvaire, n° 6, au Marais.»

50   Il remit le portefeuille dans la poche de son habit, puis il
appela Gavroche. Le gamin, à la voix de Marius, accourut avec sa mine joyeuse et dévouée.

---

1. *rue de l'Homme-Armé* : par rapport aux Halles, elle se situe un peu plus au
nord-est ; c'est là que Jean Valjean avait loué une autre maison (cf. note 1, p. 187).

– Veux-tu faire quelque chose pour moi ?
– Tout, dit Gavroche. Dieu du bon Dieu ! sans vous, vrai,
55 j'étais cuit.
– Tu vois bien cette lettre ?
– Oui.
– Prends-la. Sors de la barricade sur-le-champ
(Gavroche, inquiet, commença à se gratter l'oreille), et
60 demain matin tu la remettras à son adresse, à mademoiselle Cosette, chez M. Fauchelevent, rue de
l'Homme-Armé, n° 7.
L'héroïque enfant répondit :
– Ah ! bien, mais ! pendant ce temps-là, on prendra la
65 barricade, et je n'y serai pas.
– La barricade ne sera plus attaquée qu'au point du jour
selon toute apparence et ne sera pas prise avant demain
midi.
Le nouveau répit que les assaillants laissaient à la barri-
70 cade se prolongeait en effet. C'était une de ces intermittences, fréquentes dans les combats nocturnes, qui
sont toujours suivies d'un redoublement d'acharnement.
– Eh bien, dit Gavroche, si j'allais porter votre lettre
demain matin ?
75 – Il sera trop tard. La barricade sera probablement blo-
quée, toutes les rues seront gardées, et tu ne pourras
sortir. Va tout de suite.
Gavroche ne trouva rien à répliquer, il restait là, indécis,
et se grattant l'oreille tristement. Tout à coup, avec un
80 de ces mouvements d'oiseau qu'il avait, il prit la lettre.
– C'est bon, dit-il.
Et il partit en courant par la ruelle Mondétour.
Gavroche avait eu une idée qui l'avait déterminé, mais
qu'il n'avait pas dite, de peur que Marius n'y fît quelque
85 objection[1].
Cette idée, la voici :
– Il est à peine minuit, la rue de l'Homme-Armé n'est
pas loin, je vais porter la lettre tout de suite, et je serai
revenu à temps.

---

1. *objection* : argument opposé.

Questions

Compréhension

• La métamorphose de Marius

1. *Récapitulez ses actions dans la bataille : de quelles qualités fait-il preuve ?*

2. *Est-ce que cela correspond à l'image* que l'on avait de lui ? Quelle transformation s'est opérée ? À quoi est-elle due ?*

3. *Quelle réplique d'Enjolras souligne cette nouvelle dimension ?*

• La misère et la splendeur d'Éponine (chap. 6, p. 222)

4. *Pourquoi est-elle habillée en garçon ? À quels moments fallait-il la reconnaître sous cet habit dans les chapitres précédents ?*

5. *Mettez en parallèle la vie de Marius et celle d'Éponine jusqu'à ce chapitre (naissance, famille, enfance, éducation, événements, etc.) : qu'ont-elles de commun ? de différent ?*

6. *Quels sentiments montre Marius à l'égard d'Éponine ? Quel jugement porte sur lui le lecteur après lecture de ce chapitre ? Cela confirme-t-il ce que nous savons de lui ?*

7. *Malgré sa déchéance et malgré sa mort, qu'est-ce qui contribue à grandir le personnage d'Éponine ? Pourquoi peut-on dire qu'elle est une héroïne* à part entière ?*

• Le combat

8. *Expliquez la phrase : «On se sent obscurément poussé vers plus d'ombre encore, et tout est nuage » (chap. 4, p. 219, l. 40-41).*

9. *De quel point de vue* est racontée la bataille ? Qui semble avoir l'avantage ? Relevez des passages du texte qui l'indiquent.*

10. *Quels personnages sont cependant lucides sur l'issue du combat ? À quoi doivent-ils cette lucidité ?*

Écriture / Réécriture

11. *Dans quels sens faut-il prendre le mot «agonie» qui figure deux fois dans le titre du chapitre 6 (p. 222) ?*

12. *Relevez le champ lexical* de l'émotion dans ce même chapitre : est-il abondant ? D'où provient le pathétique* de la scène ?*

13. *Réécrivez ces scènes en supposant que c'est Marius qui est blessé et Éponine qui est indemne.*

14. *Décrivez le combat sur la barricade du point de vue* des assaillants.*

Mise en scène

15. *Quel découpage en plans*, quels cadrages*, quels angles de prises de vues*, quels éclairages choisiriez-vous pour adapter ces cinq chapitres à l'écran ? Comparez ensuite vos idées avec l'une des mises en scène existantes (par exemple, celle de Raymond Bernard).*

Les assauts se succèdent, dessin de Brion.

LIVRE QUINZIÈME

La rue de l'Homme-Armé

1

BUVARD, BAVARD

[Jean Valjean a donc emmené Cosette et leur servante, Toussaint, de sa maison de la rue Plumet à celle de la rue de l'Homme-Armé. Il n'a emporté qu'une petite valise dont il ne se sépare jamais. Il commence à se rassurer...]

Il arrangeait en lui-même, et avec toutes sortes de facilités, le départ pour l'Angleterre avec Cosette, et il voyait sa félicité se reconstruire n'importe où dans les perspectives de sa rêverie.

5 Tout en marchant de long en large à pas lents, son regard rencontra tout à coup quelque chose d'étrange. Il aperçut en face de lui, dans le miroir incliné qui surmontait le buffet, et il lut distinctement les quatre lignes que voici

10 «Mon bien-aimé, hélas! mon père veut que nous partions tout de suite. Nous serons ce soir rue de l'Homme-Armé, n° 7. Dans huit jours nous serons à Londres. – Cosette, 4 juin.»
Jean Valjean s'arrêta hagard.

15 Cosette en arrivant avait posé son buvard sur le buffet devant le miroir, et, toute à sa douloureuse angoisse, l'avait oublié là, sans même remarquer qu'elle le laissait tout ouvert, et ouvert précisément à la page sur laquelle elle avait appuyé, pour les sécher, les quatre lignes

20 écrites par elle et dont elle avait chargé le jeune ouvrier passant rue Plumet. L'écriture s'était imprimée sur le buvard.
Le miroir reflétait l'écriture.
Il en résultait ce qu'on appelle en géométrie l'image

25 symétrique ; de telle sorte que l'écriture renversée sur le

buvard s'offrait redressée dans le miroir et présentait
son sens naturel; et Jean Valjean avait sous les yeux la
lettre écrite la veille par Cosette à Marius.
C'était simple et foudroyant.
30 Jean Valjean alla au miroir. Il relut les quatre lignes,
mais il n'y crut point. Elles lui faisaient l'effet d'apparaître dans de la lueur d'éclair. C'était une hallucination.
Cela était impossible. Cela n'était pas.
Peu à peu sa perception devint plus précise; il regarda le
35 buvard de Cosette, et le sentiment du fait réel lui revint.
Il prit le buvard et dit: Cela vient de là. Il examina
fiévreusement les quatre lignes imprimées sur le buvard,
le renversement des lettres en faisait un griffonnage
bizarre, et il n'y vit aucun sens. Alors il se dit: Mais cela
40 ne signifie rien, il n'y a rien d'écrit là. Et il respira à
pleine poitrine avec un inexprimable soulagement. Qui
n'a pas eu de ces joies bêtes dans les instants horribles?
L'âme ne se rend pas au désespoir sans avoir épuisé
toutes les illusions.
45 Il tenait le buvard à la main et le contemplait, stupide-
ment heureux, presque prêt à rire de l'hallucination
dont il avait été dupe. Tout à coup ses yeux retombèrent
sur le miroir, et il revit la vision. Les quatre lignes s'y
dessinaient avec une netteté inexorable•. Cette fois ce
50 n'était pas un mirage. La récidive• d'une vision est une
réalité, c'était palpable, c'était l'écriture redressée dans
le miroir. Il comprit.
[...] Excepté Cosette, c'est-à-dire excepté une enfance,
Jean Valjean n'avait, dans toute sa longue vie, rien
55 connu de ce qu'on peut aimer. Les passions et les
amours qui se succèdent n'avaient point fait en lui de
ces verts successifs, vert tendre sur vert sombre, qu'on
remarque sur les feuillages qui passent l'hiver et sur les
hommes qui passent la cinquantaine. En somme, et
60 nous y avons plus d'une fois insisté, toute cette fusion
intérieure, tout cet ensemble, dont la résultante était une
haute vertu, aboutissait à faire de Jean Valjean un père
pour Cosette. Père étrange forgé de l'aïeul, du fils, du
frère et du mari qu'il y avait dans Jean Valjean; père
65 dans lequel il y avait même une mère; père qui aimait
Cosette et qui l'adorait, et qui avait cette enfant pour

lumière, pour demeure, pour famille, pour patrie, pour
paradis.

Aussi, quand il vit que c'était décidément fini, qu'elle lui
70 échappait, qu'elle glissait de ses mains, qu'elle se déro-
bait, que c'était du nuage, que c'était de l'eau, quand il
eut devant les yeux cette évidence écrasante : un autre
est le but de son cœur, un autre est le souhait de sa vie ;
il y a le bien-aimé, je ne suis que le père ; je n'existe
75 plus ; quand il ne put plus douter, quand il se dit : Elle
s'en va hors de moi ! la douleur qu'il éprouva dépassa le
possible. Avoir fait tout ce qu'il avait fait pour en venir
là ! et, quoi donc ! n'être rien ! Alors, comme nous
venons de le dire, il eut de la tête aux pieds un frémisse-
80 ment de révolte. Il sentit jusque dans la racine de ses
cheveux l'immense réveil de l'égoïsme, et le moi hurla
dans l'abîme de cet homme. [...]

Éponine meurt dans les bras de Marius.

Compréhension

1. *De quel autre chapitre faut-il rapprocher celui-ci ? Quel est leur point commun ? Quelle évolution apparaît cependant ici ?*

2. *Par quels sentiments successifs passe Jean Valjean ?*

3. *En quoi est-il un « père étrange » ?*

4. *Comment expliquer sa réaction finale ?*

5. *Quelle évolution peut-on lui prêter désormais ? Regardez en particulier le titre de la cinquième partie qui suit ce chapitre.*

Écriture

6. *Sur quel jeu de mots repose le titre ? Quelle impression crée-t-il ?*

7. *Relevez le champ lexical* de l'illusion dans ce passage.*

8. *Que cherchent à révéler ces procédés relevés aux questions 6. et 7. sur la vérité des êtres ?*

9. *Étudiez le rythme* du dernier paragraphe : quels passages sont ainsi davantage mis en valeur ?*

10. *Sur quelle antithèse* repose la force de la phrase : « C'était simple et foudroyant » (l. 29) ? Quel autre procédé la renforce ?*

11. *Quelles métaphores* contient la phrase : « et le moi hurla dans l'abîme de cet homme » (l. 81-82) ? Expliquez-la.*

12. *Relevez le champ lexical soulignant la violence des sentiments.*

13. *Au début du chapitre, que sait déjà le lecteur que Jean Valjean ignore ? Comment le lecteur est-il en position de supériorité par rapport au personnage ?*

Mise en perspective

14. *Vous semble-t-il normal que l'amour que l'on porte à un être soit mêlé d'égoïsme ? Cherchez des arguments et des contre-arguments que vous présenterez selon un plan organisé.*

Bilan

L'action

• Ce que nous savons

• *Paris, 1831 : l'idylle entre Marius et Cosette est très menacée par la jalousie de Jean Valjean. Autre retour dans le passé : la vision de la cadène rappelle à Jean Valjean d'où il vient et où il risque de retourner.*

• *Paris, 5 juin 1832 : l'épopée. L'action se concentre sur une seule journée car elle est historique, et l'espace du roman se rétrécit presque à la barricade où vont se retrouver la plupart des personnages principaux. L'insurrection républicaine ranime les ardeurs d'Enjolras et de ses amis. Mais la lutte qui s'engage contre les troupes du gouvernement est périlleuse...*

• *Si l'idylle s'est renforcée (les amoureux se rencontrant en cachette), elle se heurte au mépris de M. Gillenormand et à la décision de Jean Valjean de partir pour l'Angleterre. Du coup, Marius ne songe plus qu'à mourir et le signifie à Cosette dans une lettre que Gavroche doit lui porter.*

• À quoi nous attendre ?

1. *L'idylle est-elle condamnée ? Cosette recevra-t-elle la lettre de Marius ? Quelle réaction aura-t-elle ? M. Gillenormand changera-t-il d'avis ? Que va faire Jean Valjean ? Puisque la mort d'Éponine, l'autre amoureuse de Marius, laisse la place à Cosette, faut-il attendre la mort du «père» pour que les amoureux se retrouvent ?*

2. *Quelles chances de victoire ont les insurgés ? Que se passera-t-il en cas de défaite ?*

Les personnages

• Ce que nous savons

• *Comme supposé, **Jean Valjean,** désormais caché sous le pseudonyme de M. Fauchelevent, et **Cosette** étaient bien M. Leblanc et sa fille. Les relations entre les deux personnages se sont dégradées, Jean Valjean étant jaloux de **Marius.** Plus grave encore : cette jalousie réveille en lui la haine et la violence qu'il s'acharnait à faire taire. Le héros que l'on admirait manifeste ainsi un égoïsme très humain.*

• ***Thénardier** s'est évadé mais, contraint de se cacher, il semble pour l'instant inoffensif.*

• **Javert,** lui aussi neutralisé, à la merci des insurgés, ne peut plus poursuivre les criminels.

Les « trois nouveaux venus » s'accomplissent :

• **Marius** devient le héros* que le lecteur espérait. Mais il n'a toujours pas accompli le nécessaire pour gagner Cosette.

• **Enjolras** se retrouve en situation d'agir pour ses idées : il manifeste la même inhumaine intransigeance.

• **Gavroche** révèle des qualités de cœur et de courage qui donnent à son personnage de gamin insolent une dimension héroïque.

• **À quoi nous attendre ?**

1. *La mort rôde : quels héros y échapperont ?*

2. *Gavroche, que l'on essaie d'éloigner de la barricade, a-t-il plus de chances d'être sauvé ?*

3. *Que va-t-il arriver à Javert ?*

4. *Thénardier et Jean Valjean vont-ils en profiter pour se venger sans crainte du châtiment ?*

5. *Jean Valjean va-t-il se sacrifier pour le bonheur de Cosette et redevenir le héros que le titre de la cinquième partie laisse entrevoir ?*

L'écriture

Comme l'illustre son titre, cette partie oscille entre l'analyse psychologique propre aux romans d'amour et le caractère épique* des grandes aventures humaines, quand l'homme se bat pour ses idées : une simple maquette devient l'œuvre de Dieu ; les héros, accomplissant des exploits dans d'âpres luttes, se transfigurent ; les forces du mal prennent des formes fantastiques*...

CINQUIÈME PARTIE
JEAN VALJEAN

LIVRE PREMIER

La guerre entre quatre murs

[Gavroche a porté la lettre de Marius rue de l'Homme-Armé mais l'a confiée à un homme qui connaissait Cosette et a promis de la lui remettre : c'est en fait Jean Valjean qui a ainsi intercepté la lettre et l'a lue. Ce dernier revêt son uniforme de garde national* et se rend à la barricade défendue par Marius et ses amis.

Le jour se lève sur ce 6 juin 1832, l'attaque de l'armée reprend, aidée des canons désormais... Jean Valjean donne son uniforme à l'un des insurgés pour qu'il puisse s'échapper et réussit quelques tirs qui rendent bien service aux assiégés. Mais les munitions vont manquer, prévient Enjolras. Gavroche, revenu, l'a entendu...]

15

GAVROCHE DEHORS

Courfeyrac tout à coup aperçut quelqu'un au bas de la barricade, dehors dans la rue, sous les balles.

Gavroche avait pris un panier à bouteilles dans le cabaret, était sorti par la coupure[1], et était paisiblement
5   occupé à vider dans son panier les gibernes* pleines de cartouches des gardes nationaux tués sur le talus de la redoute*.

– Qu'est-ce que tu fais là ? dit Courfeyrac.

Gavroche leva le nez.
10   – Citoyen, j'emplis mon panier.

– Tu ne vois donc pas la mitraille ?

Gavroche répondit :

---

1. *coupure* : brèche faite dans la barricade par le canon.

– Eh bien, il pleut. Après?

Courfeyrac cria.

15 – Rentre!

– Tout à l'heure, fit Gavroche.

Et, d'un bond, il s'enfonça dans la rue.

On se souvient que la compagnie Fannicot, en se retirant, avait laissé derrière elle une traînée de cadavres.

20 Une vingtaine de morts gisaient çà et là dans toute la
longueur de la rue sur le pavé. Une vingtaine de
gibernes* pour Gavroche, une provision de cartouches
pour la barricade.

La fumée était dans la rue comme un brouillard. Qui-
25 conque a vu un nuage tombé dans une gorge de montagnes, entre deux escarpements à pic, peut se figurer
cette fumée resserrée et comme épaissie par deux
sombres lignes de hautes maisons. Elle montait lentement et se renouvelait sans cesse; de là un obscurcisse-
30 ment graduel qui blêmissait même le plein jour. C'est à
peine si d'un bout à l'autre de la rue, pourtant fort
courte, les combattants s'apercevaient.

Cet obscurcissement, probablement voulu et calculé par
les chefs qui devaient diriger l'assaut de la barricade, fut
35 utile à Gavroche.

Sous les plis de ce voile de fumée et grâce à sa petitesse,
il put s'avancer assez loin dans la rue sans être vu. Il
dévalisa les sept ou huit premières gibernes sans grand
danger.

40 Il rampait à plat ventre, galopait à quatre pattes, prenait
son panier aux dents, se tordait, glissait, ondulait, ser-
pentait d'un mort à l'autre, et vidait la giberne ou la
cartouchière comme un singe ouvre une noix.

De la barricade, dont il était encore assez près, on
45 n'osait lui crier de revenir, de peur d'appeler l'attention
sur lui.

Sur un cadavre, qui était un caporal, il trouva une poire*
à poudre.

– Pour la soif, dit-il, en la mettant dans sa poche.

50 À force d'aller en avant, il parvint au point où le brouillard de la fusillade devenait transparent.

Si bien que les tirailleurs de la ligne rangés et à l'affût
derrière leur levée de pavés, et les tirailleurs de la

banlieue massés à l'angle de la rue, se montrèrent sou-
55 dainement quelque chose qui remuait dans la fumée.
Au moment où Gavroche débarrassait de ses cartouches
un sergent gisant près d'une borne, une balle frappa le
cadavre.
– Fichtre ! fit Gavroche. Voilà qu'on me tue mes morts.
60 Une deuxième balle fit étinceler le pavé à côté de lui.
Une troisième renversa son panier.
Gavroche regarda, et vit que cela venait de la banlieue.
Il se dressa tout droit, debout, les cheveux au vent, les
mains sur les hanches, l'œil fixé sur les gardes natio-
65 naux• qui tiraient, et il chanta :
       On est laid à Nanterre[1],
       C'est la faute à Voltaire•,
       Et bête à Palaiseau[1],
       C'est la faute à Rousseau[2].
70 Puis il ramassa son panier, y remit, sans en perdre une
seule, les cartouches qui en étaient tombées, et, avançant
vers la fusillade, alla dépouiller une autre giberne•. Là une
quatrième balle le manque encore. Gavroche chanta :
       Je ne suis pas notaire[3],
75   C'est la faute à Voltaire ;
       Je suis petit oiseau,
       C'est la faute à Rousseau.
Une cinquième balle ne réussit qu'à tirer de lui un troisième couplet :
80   Joie est mon caractère,
       C'est la faute à Voltaire ;
       Misère est mon trousseau[4],
       C'est la faute à Rousseau.
Cela continua ainsi quelque temps.

---

1. *Nanterre, Palaiseau* : précisément deux communes de la banlieue parisienne.
2. *Rousseau* Jean-Jacques (1712-1778) : écrivain et philosophe genevois (Suisse)
de langue française. Il collabora à la rédaction de l'*Encyclopédie* et écrivit, entre
autres, *Discours sur l'origine de l'inégalité* (1755).
3. *notaire* : les notaires, censés bien gagner leur vie, étaient souvent représentés
comme gros et gras.
4. *trousseau* : au sens propre, linge et vêtements donnés à une jeune fille qui se
marie ou à un enfant qui entre en pension. Au sens figuré, ce mot signifie « bien,
richesse, patrimoine ».

85 Le spectacle était épouvantable et charmant. Gavroche, fusillé, taquinait la fusillade. Il avait l'air de s'amuser beaucoup. C'était le moineau becquetant les chasseurs. Il répondait à chaque décharge par un couplet. On le visait sans cesse, on le manquait toujours. Les gardes nationaux•
90 et les soldats riaient en l'ajustant. Il se couchait, puis se redressait, s'effaçait dans un coin de porte, puis bondissait, disparaissait, reparaissait, se sauvait, revenait, ripostait à la mitraille par des pieds de nez, et cependant pillait les cartouches, vidait les gibernes• et remplissait son
95 panier. Les insurgés, haletants d'anxiété, le suivaient des yeux. La barricade tremblait ; lui, il chantait. Ce n'était pas un enfant, ce n'était pas un homme ; c'était un étrange gamin fée. On eût dit le nain invulnérable de la mêlée. Les balles couraient après lui, il était plus leste qu'elles. Il
100 jouait on ne sait quel effrayant jeu de cache-cache avec·la mort ; chaque fois que la face camarde• du spectre s'approchait, le gamin lui donnait une pichenette[1].
Une balle pourtant, mieux ajustée ou plus traître que les autres, finit par atteindre l'enfant feu follet. On vit
105 Gavroche chanceler, puis il s'affaissa. Toute la barricade poussa un cri ; mais il y avait de l'Antée[2] dans ce pygmée ; pour le gamin toucher le pavé, c'est comme pour le géant toucher la terre ; Gavroche n'était tombé que pour se redresser ; il resta assis sur son séant, un long filet de sang
110 rayait son visage, il éleva ses deux bras en l'air, regarda du côté d'où était venu le coup, et se mit à chanter :

　　　　Je suis tombé par terre,
　　　　C'est la faute à Voltaire,
　　　　Le nez dans le ruisseau,
115　　　 C'est la faute à...

Il n'acheva point. Une seconde balle du même tireur l'arrêta court. Cette fois il s'abattit la face contre le pavé, et ne remua plus. Cette petite grande âme venait de s'envoler.

---

1. *une pichenette* : un petit coup donné avec le doigt, une chiquenaude.
2. *Antée* : géant de la mythologie grecque qui reprenait des forces dès qu'il touchait le sol.

Questions

Compréhension

• Les titres

1. *Que laisse supposer le titre du livre premier sur la suite du combat ?*

2. *Avant d'avoir lu le chapitre, que pense-t-on du sort de Gavroche d'après le titre du chapitre 15, surtout si on le met en rapport avec celui du livre premier ?*

3. *Quel sens prend ce titre après la lecture ?*

• L'humour de Gavroche

4. *Que signifie l'expression « une poire pour la soif » ? Expliquez le jeu de mots que fait Gavroche en l'appliquant à la « poire• à poudre ».*

5. *Relevez d'autres traits d'humour de sa part. Quelle fonction remplit cet humour ? Que ou qui tourne-t-il surtout en dérision ?*

• La mort de Gavroche

6. *Quels éléments font d'abord croire qu'il est invincible ?*

7. *Qui peut lui assurer cette protection (cf. livre sixième, chap. 2, p. 199, pour vous aider) ?*

8. *Par quels moyens V. Hugo maintient-il le suspense ? À quelle ligne a-t-on le dénouement ?*

9. *Cette mort paraît-elle triste ? Pourquoi ?*

• L'héroïsme de Gavroche

10. *De quelles qualités fait preuve Gavroche ici ? Lesquelles avait-on déjà décelées auparavant ?*

11. *Relevez les éléments qui donnent une dimension épique* au personnage.*

12. *Cherchez le sens de « un gavroche » : que signifie le passage du nom propre au nom commun ? Comment expliquez-vous que ce personnage soit un héros* hugolien mieux connu que Marius et peut-être même que Jean Valjean ?*

Écriture

13. *Étudiez le rythme* et les antithèses* dans les lignes 85 à 102 : que mettent-ils en valeur ?*

14. *Dans ce paragraphe comme dans le reste du texte, quels mots sont surtout employés pour décrire Gavroche? (Comparez avec la question 13. du chapitre 4, p. 209.)*

15. *Quel oxymore* contient la phrase : «Cette petite grande âme venait de s'envoler»? Expliquez son sens. Comment cette formule parvient-elle à masquer le pathétique* de la mort? Relevez, dans tout le chapitre, les autres mots du champ lexical* auquel appartient «s'envoler»?*

16. *Quelle dimension donnent à cette fin les mots «âme» et «s'envoler»?*

17. *Par quels effets de style se caractérise la dernière phrase du chapitre? Comment appelle-t-on ce genre de phrases finales? Relevez-en d'autres exemples dans d'autres chapitres.*

Mise en musique

18. *Rédigez les autres couplets de la chanson de Gavroche puis, avec l'aide de votre professeur de musique, composez-en la musique. Vous pouvez vous référer à la comédie musicale adaptée du roman (cf. Filmographie, p. 352).*

18

LE VAUTOUR DEVENU PROIE

[Les cartouches récoltées par Gavroche sont distribuées, et Enjolras fait partiellement murer les fenêtres du cabaret à l'aide de pavés. Il fait aussi monter des haches pour couper l'escalier au besoin, ordonne à six hommes de s'embusquer dans les étages et aux vingt autres de rester à la barricade.]

Ces dispositions faites, il se tourna vers Javert, et lui dit :
– Je ne t'oublie pas.
Et, posant sur la table un pistolet, il ajouta :
– Le dernier qui sortira d'ici cassera la tête à cet espion.
5   – Ici ? demanda une voix.
– Non, ne mêlons pas ce cadavre aux nôtres. On peut enjamber la petite barricade sur la ruelle Mondétour. Elle n'a que quatre pieds de haut. L'homme est bien garrotté*. On l'y mènera, et on l'y exécutera.
10 Quelqu'un, en ce moment-là, était plus impassible qu'Enjolras ; c'était Javert.
Ici Jean Valjean apparut.
Il était confondu dans le groupe des insurgés. Il en sortit, et dit à Enjolras :
15 – Vous êtes le commandant ?
– Oui.
– Vous m'avez remercié tout à l'heure.
– Au nom de la République. La barricade a deux sauveurs, Marius Pontmercy et vous.
20 – Pensez-vous que je mérite une récompense ?
– Certes.
– Eh bien, j'en demande une.
– Laquelle ?
– Brûler moi-même la cervelle à cet homme-là.
25 Javert leva la tête, vit Jean Valjean, eut un mouvement imperceptible, et dit :
– C'est juste.
Quant à Enjolras, il s'était mis à recharger sa carabine ; il promena ses yeux autour de lui :
30 – Pas de réclamation ?
Et il se tourna vers Jean Valjean :

245

– Prenez le mouchard*.

Jean Valjean, en effet, prit possession de Javert en s'asseyant sur l'extrémité de la table. Il saisit le pistolet, et
35 un faible cliquetis annonça qu'il venait de l'armer.

Presque au même instant, on entendit une sonnerie de clairon.

– Alerte! cria Marius du haut de la barricade.

Javert se mit à rire de ce rire sans bruit qui lui était
40 propre, et, regardant fixement les insurgés, leur dit :

– Vous n'êtes guère mieux portants que moi.

– Tous dehors! cria Enjolras.

Les insurgés s'élancèrent en tumulte, et, en sortant, reçurent dans le dos, qu'on nous passe l'expression,
45 cette parole de Javert :

– À tout à l'heure!

19

JEAN VALJEAN SE VENGE

Quand Jean Valjean fut seul avec Javert, il défit la corde qui assujettissait[1] le prisonnier par le milieu du corps, et dont le nœud était sous la table. Après quoi, il lui fit signe de se lever.
5 Javert obéit, avec cet indéfinissable sourire où se condense la suprématie de l'autorité enchaînée.

Jean Valjean prit Javert par la martingale[2] comme on prendrait une bête de somme par la bricole[3], et, l'entraînant après lui, sortit du cabaret, lentement, car Javert,
10 entravé aux jambes, ne pouvait faire que de très petits pas.

Jean Valjean avait le pistolet au poing.

---

1. *assujettissait* : enchaînait.
2. *martingale* : courroie par laquelle Javert était attaché.
3. *bricole* : pièce du harnais.

Ils franchirent ainsi le trapèze intérieur de la barricade.
Les insurgés, tout à l'attaque imminente, tournaient le
15 dos.
Marius, seul, placé de côté à l'extrémité gauche du barrage, les vit passer. Ce groupe du patient et du bourreau
s'éclaira de la lueur sépulcrale• qu'il avait dans l'âme.
Jean Valjean fit escalader, avec quelque peine, à Javert
20 garrotté, mais sans le lâcher un seul instant, le petit
retranchement de la ruelle Mondétour.
Quand ils eurent enjambé ce barrage, ils se trouvèrent
seuls dans la ruelle. Personne ne les voyait plus. Le
coude des maisons les cachait aux insurgés. Les cadavres
25 retirés de la barricade faisaient un monceau terrible à
quelques pas.
On distinguait dans le tas des morts une face livide, une
chevelure dénouée, une main percée, et un sein de
femme demi-nu. C'était Éponine.
30 Javert considéra obliquement cette morte, et, profondément calme, dit à demi-voix :
– Il me semble que je connais cette fille-là.
Puis il se tourna vers Jean Valjean.
Jean Valjean mit le pistolet sous son bras, et fixa sur
35 Javert un regard qui n'avait pas besoin de paroles pour
dire : – Javert, c'est moi.
Javert répondit :
– Prends ta revanche.
Jean Valjean tira de son gousset• un couteau, et l'ouvrit.
40 – Un surin[1] ! s'écria Javert. Tu as raison. Cela te
convient mieux.
Jean Valjean coupa la martingale que Javert avait au cou,
puis il coupa les cordes qu'il avait aux poignets, puis, se
baissant, il coupa la ficelle qu'il avait aux pieds ; et, se
45 redressant, il lui dit :
– Vous êtes libre.
Javert n'était pas facile à étonner. Cependant, tout
maître qu'il était de lui, il ne put se soustraire à une
commotion. Il resta béant• et immobile.

---

1. *surin* : couteau, poignard (terme populaire et familier).

50 Jean Valjean poursuivit :
– Je ne crois pas que je sorte d'ici. Pourtant, si, par
hasard, j'en sortais, je demeure, sous le nom de Fauche-
levent, rue de l'Homme-Armé, numéro sept.
Javert eut un froncement de tigre qui lui entrouvrit un
55 coin de la bouche, et il murmura entre ses dents :
– Prends garde.
– Allez, dit Jean Valjean.
Javert reprit :
– Tu as dit Fauchelevent, rue de l'Homme-Armé ?
60 – Numéro sept.
Javert répéta à demi-voix : – Numéro sept.
Il reboutonna sa redingote, remit de la roideur• militaire
entre ses deux épaules, fit demi-tour, croisa les bras en
soutenant son menton dans une de ses mains, et se mit à
65 marcher dans la direction des halles. Jean Valjean le
suivait des yeux. Après quelques pas, Javert se retourna,
et cria à Jean Valjean :
– Vous m'ennuyez. Tuez-moi plutôt.
Javert ne s'apercevait pas lui-même qu'il ne tutoyait plus
70 Jean Valjean.
– Allez-vous-en, dit Jean Valjean.
Javert s'éloigna à pas lents. Un moment après, il tourna
l'angle de la rue des Prêcheurs.
Quand Javert eut disparu, Jean Valjean déchargea le pis-
75 tolet en l'air.
Puis il rentra dans la barricade et dit :
– C'est fait.

[*Marius entre-temps a reconnu Javert et s'est souvenu du
guet-apens* : «un froid sombre» *lui traverse le cœur quand
il entend le père de Cosette dire* : «C'est fait.»
*Mais la lutte reprend, encore plus âpre, et beaucoup des
insurgés sont tués.*]

22

PIED À PIED

Quand il n'y eut plus de chefs vivants qu'Enjolras et
Marius aux deux extrémités de la barricade, le centre,
qu'avaient si longtemps soutenu Courfeyrac, Joly, Bossuet, Feuilly et Combeferre, plia. Le canon, sans faire de
5 brèche praticable, avait assez largement échancré le
milieu de la redoute• ; là, le sommet de la muraille avait
disparu sous le boulet, et s'était écroulé, et les débris qui
étaient tombés, tantôt à l'intérieur, tantôt à l'extérieur,
avaient fini, en s'amoncelant, par faire, des deux côtés
10 du barrage, deux espèces de talus, l'un au-dedans,
l'autre au-dehors. Le talus extérieur offrait à l'abordage
un plan incliné.
Un suprême assaut y fut tenté et cet assaut réussit. La
masse hérissée de baïonnettes• et lancée au pas gymnas-
15 tique arriva irrésistible, et l'épais front de bataille de la
colonne d'attaque apparut dans la fumée au haut de l'es-
carpement. Cette fois, c'était fini. Le groupe d'insurgés
qui défendait le centre recula pêle-mêle.
Alors le sombre amour de la vie se réveilla chez quelques-
20 uns. Couchés en joue par cette forêt de fusils, plusieurs ne
voulurent plus mourir. C'est là une minute où l'instinct de
la conservation pousse des hurlements et où la bête repa-
raît dans l'homme. Ils étaient acculés à la haute maison[1] à
six étages qui faisait le fond de la redoute. Cette maison
25 pouvait être le salut. Cette maison était barricadée et
comme murée du haut en bas. Avant que la troupe de ligne
fût dans l'intérieur de la redoute, une porte avait le temps
de s'ouvrir et de se fermer, la durée d'un éclair suffisait
pour cela, et la porte de cette maison, entrebâillée brus-
30 quement et refermée tout de suite, pour ces désespérés
c'était la vie. En arrière de cette maison, il y avait les rues,
la fuite possible, l'espace. Ils se mirent à frapper contre

---

1. *maison* : cf. IV, XII, 8 (pp. 211 à 213).

cette porte à coups de crosse et à coups de pied, appelant, criant, suppliant, joignant les mains. Personne
35 n'ouvrit. De la lucarne du troisième étage la tête morte[1] les regardait.

Mais Enjolras et Marius, et sept ou huit ralliés autour d'eux, s'étaient élancés et les protégeaient. Enjolras avait crié aux soldats : N'avancez pas ! et un officier n'ayant pas
40 obéi, Enjolras avait tué l'officier. Il était maintenant dans la petite cour intérieure de la redoute, adossé à la maison de Corinthe, l'épée d'une main, la carabine de l'autre, tenant ouverte la porte du cabaret qu'il barrait aux assaillants. Il cria aux désespérés : – Il n'y a qu'une porte
45 ouverte. Celle-ci. – Et, les couvrant de son corps, faisant à lui seul face à un bataillon, il les fit passer derrière lui. Tous s'y précipitèrent. Enjolras, exécutant avec sa carabine, dont il se servait maintenant comme d'une canne, ce que les bâtonnistes[2] appellent la rose couverte[3], rabattit les
50 baïonnettes autour de lui et devant lui, et entra le dernier ; et il y eut un instant horrible, les soldats voulant pénétrer, les insurgés voulant fermer. La porte fut close avec une telle violence qu'en se remboîtant dans son cadre, elle laissa voir coupés et collés à son chambranle les cinq
55 doigts d'un soldat qui s'y était cramponné.

Marius était resté dehors. Un coup de feu venait de lui casser la clavicule ; il sentit qu'il s'évanouissait et qu'il tombait. En ce moment, les yeux déjà fermés, il eut la commotion d'une main vigoureuse qui le saisissait, et
60 son évanouissement, dans lequel il se perdit, lui laissa à peine le temps de cette pensée mêlée au suprême souvenir de Cosette : – Je suis fait prisonnier. Je serai fusillé.

[Enjolras et les survivants se sont retirés à l'intérieur du cabaret, au premier étage. Mais les assiégeants réussissent à forcer la porte. Les insurgés épuisent leurs dernières cartouches, utilisent des bouteilles comme massues mais ne peuvent résister à l'assaut.]

---

1. *tête morte* : cf. IV, XII, 8 (pp. 211 à 213).
2. *bâtonnistes* : personnes pratiquant l'escrime avec un bâton.
3. *la rose couverte* : le moulinet pour écarter l'arme de l'adversaire.

23

ORESTE[1] À JEUN ET PYLADE[1] IVRE

Enfin, se faisant la courte échelle, s'aidant du squelette
de l'escalier, grimpant aux murs, s'accrochant au plafond, écharpant[2], au bord de la trappe même, les derniers qui résistaient, une vingtaine d'assiégeants, sol-
5 dats, gardes nationaux•, gardes municipaux, pêle-mêle,
la plupart défigurés par des blessures au visage dans
cette ascension redoutable, aveuglés par le sang, furieux,
devenus sauvages, firent irruption dans la salle du premier étage. Il n'y avait plus là qu'un seul homme qui fût
10 debout, Enjolras. Sans cartouches, sans épée, il n'avait
plus à la main que le canon de sa carabine dont il avait
brisé la crosse sur la tête de ceux qui entraient. Il avait
mis le billard entre les assaillants et lui ; il avait reculé à
l'angle de la salle, et là, l'œil fier, la tête haute, ce tron-
15 çon d'arme au poing, il était encore assez inquiétant
pour que le vide se fût fait autour de lui. Un cri s'éleva :
– C'est le chef. C'est lui qui a tué l'artilleur. Puisqu'il
s'est mis là, il y est bien. Qu'il y reste. Fusillons-le sur
place.
20 – Fusillez-moi, dit Enjolras.
Et, jetant le tronçon de sa carabine, et croisant les bras,
il présenta sa poitrine.
L'audace de bien mourir émeut toujours les hommes.
Dès qu'Enjolras eut croisé les bras, acceptant la fin, l'as-
25 sourdissement de la lutte cessa dans la salle, et ce chaos
s'apaisa subitement dans une sorte de solennité sépul-
crale•. Il semblait que la majesté menaçante d'Enjolras
désarmé et immobile pesât sur ce tumulte, et que, rien
que par l'autorité de son regard tranquille, ce jeune
30 homme, qui seul n'avait pas une blessure, superbe,

---

1. *Oreste, Pylade* : deux amis très proches dans l'Antiquité grecque (Grantaire est
très sceptique quant à la révolution mais éprouve une véritable adoration pour
Enjolras).
2. *écharpant* : taillant en pièces.

sanglant, charmant, indifférent comme un invulnérable,
contraignît cette cohue sinistre à le tuer avec respect. Sa
beauté, en ce moment-là augmentée de sa fierté, était un
resplendissement, et, comme s'il ne pouvait pas plus
35 être fatigué que blessé, après les effrayantes vingt-quatre
heures qui venaient de s'écouler, il était vermeil et rose.
C'était de lui peut-être que parlait le témoin qui disait
plus tard devant le conseil de guerre : «Il y avait un
insurgé que j'ai entendu nommer Apollon[1].» Un garde
40 national• qui visait Enjolras abaissa son arme en disant :
«Il me semble que je vais fusiller une fleur.»
Douze hommes se formèrent en peloton à l'angle
opposé à Enjolras et apprêtèrent leurs fusils en silence.
Puis un sergent cria : – Joue[2].
45 Un officier intervint.
– Attendez.
Et s'adressant à Enjolras :
– Voulez-vous qu'on vous bande les yeux?
– Non.
50 – Est-ce bien vous qui avez tué le sergent d'artillerie?
– Oui.
Depuis quelques instants Grantaire s'était réveillé.
Grantaire, on s'en souvient, dormait depuis la veille
dans la salle haute du cabaret, assis sur une chaise,
55 affaissé sur une table.
[...]
Relégué qu'il était dans un coin et comme abrité derrière
le billard, les soldats, l'œil fixé sur Enjolras, n'avaient
pas même aperçu Grantaire, et le sergent se préparait à
60 répéter l'ordre : En joue! quand tout à coup ils entendirent une voix forte crier à côté d'eux :
– Vive la république! J'en suis.
Grantaire s'était levé.
L'immense lueur de tout le combat qu'il avait manqué,
65 et dont il n'avait pas été, apparut dans le regard éclatant
de l'ivrogne transfiguré.

---

1. *Apollon* : dieu grec, symbole de la beauté masculine.
2. *Joue* : En joue!

Il répéta : Vive la république ! traversa la salle d'un pas
ferme, et alla se placer devant les fusils debout près
d'Enjolras.
70 – Faites-en deux d'un coup, dit-il.
Et, se tournant vers Enjolras avec douceur, il lui dit :
– Permets-tu ?
Enjolras lui serra la main en souriant.
Ce sourire n'était pas achevé que la détonation éclata.
75 Enjolras, traversé de huit coups de feu, resta adossé au
mur comme si les balles l'y eussent cloué. Seulement il
pencha la tête.
Grantaire, foudroyé, s'abattit à ses pieds.
[...]

24

PRISONNIER

Marius était prisonnier en effet. Prisonnier de Jean Valjean.
La main qui l'avait étreint par-derrière au moment où il
tombait et dont, en perdant connaissance, il avait senti
5 le saisissement, était celle de Jean Valjean.
Jean Valjean n'avait pas pris au combat d'autre part
que de s'y exposer. Sans lui, à cette phase suprême de
l'agonie, personne n'eût songé aux blessés. Grâce à lui,
partout présent dans le carnage comme une provi-
10 dence•, ceux qui tombaient étaient relevés, transportés
dans la salle basse, et pansés. Dans les intervalles, il
réparait la barricade. Mais rien qui pût ressembler à un
coup, à une attaque, ou même à une défense personnelle, ne sortit de ses mains. Il se taisait et secourait. Du
15 reste, il avait à peine quelques égratignures. Les balles
n'avaient pas voulu de lui. Si le suicide faisait partie de
ce qu'il avait rêvé en venant dans ce sépulcre•, de ce
côté-là il n'avait point réussi. Mais nous doutons qu'il
eût songé au suicide, acte irréligieux.

20 Jean Valjean, dans la nuée épaisse du combat, n'avait
pas l'air de voir Marius ; le fait est qu'il ne le quittait pas
des yeux. Quand un coup de feu renversa Marius, Jean
Valjean bondit avec une agilité de tigre, s'abattit sur lui
comme une proie, et l'emporta.
25 Le tourbillon de l'attaque était en cet instant-là si violemment concentré sur Enjolras et sur la porte du cabaret que personne ne vit Jean Valjean, soutenant dans ses
bras Marius évanoui, traverser le champ dépavé de la
barricade et disparaître derrière l'angle de la maison de
30 Corinthe.

*[Cherchant une issue possible alors qu'il est menacé de
tous côtés, il regarde partout.]*

À force de regarder, on ne sait quoi de vaguement saisis-
sable dans une telle agonie se dessina et prit forme à ses
pieds, comme si c'était une puissance du regard de faire
éclore la chose demandée. Il aperçut à quelques pas de
35 lui, au bas du petit barrage si impitoyablement gardé et
guetté au-dehors, sous un écroulement de pavés qui la
cachait en partie, une grille de fer posée à plat et de
niveau avec le sol. Cette grille, faite de forts barreaux
transversaux, avait environ deux pieds• carrés. L'enca-
40 drement de pavés qui la maintenait avait été arraché, et
elle était comme descellée. À travers les barreaux on
entrevoyait une ouverture obscure, quelque chose de
pareil au conduit d'une cheminée ou au cylindre d'une
citerne. Jean Valjean s'élança. Sa vieille science des éva-
45 sions lui monta au cerveau comme une clarté. Écarter
les pavés, soulever la grille, charger sur ses épaules
Marius inerte comme un corps mort, descendre, avec ce
fardeau sur les reins, en s'aidant des coudes et des
genoux, dans cette espèce de puits heureusement peu
50 profond, laisser retomber au-dessus de sa tête la lourde
trappe de fer sur laquelle les pavés ébranlés croulèrent
de nouveau, prendre pied sur une surface dallée à trois
mètres au-dessous du sol, cela fut exécuté comme ce
qu'on fait dans le délire, avec une force de géant et une
55 rapidité d'aigle ; cela dura quelques minutes à peine.

Jean Valjean se trouva avec Marius toujours évanoui, dans une sorte de long corridor souterrain.

Là, paix profonde, silence absolu, nuit.

60 L'impression qu'il avait autrefois éprouvée en tombant de la rue dans le couvent, lui revint. Seulement, ce qu'il emportait aujourd'hui, ce n'était plus Cosette, c'était Marius.

65 C'est à peine maintenant s'il entendait au-dessus de lui comme un vague murmure, le formidable tumulte du cabaret pris d'assaut.

Jean Valjean (Jean Gabin) sauvant Marius (Giani Esposito), mise en scène de Jean-Paul Le Chanois, 1957.

Questions

Compréhension

• Les titres

1. *Expliquez leur sens.*

2. *En particulier pour le chapitre 19 (p. 246), que laisse supposer le titre ? Correspond-il au contenu du chapitre ? Comment ménage-t-il le suspense ?*

• Défaite ou victoire ?

3. *À quels indices comprend-on que la fin du combat est proche ? Relevez en particulier les faits soulignant que la violence monte.*

4. *Qu'arrive-t-il aux principaux chefs insurgés ? Quel sort attend les autres ?*

5. *En quoi sont-ils cependant victorieux ?*

• La dualité de Jean Valjean

6. *« Jean Valjean tue Javert » : quels actes et quelles paroles le prouveraient ?*

7. *« Il épargne Javert » : comment peut-on l'expliquer (envisagez toutes les solutions possibles) ? Qui connaît cette vérité ?*

8. *Quelles indications rappellent la face sombre de l'ancien forçat (cf. chap. 24, pp. 253 à 255) ?*

9. *Quels actes montrent au contraire la générosité du héros* qu'il est devenu ?*

10. *Que va-t-il faire de Marius ? Envisagez toutes les solutions en les justifiant.*

• Enjolras

11. *Lesquels de ses actes confirment l'héroïsme du personnage ?*

12. *En comparant la description des assaillants et celle d'Enjolras (chap. 23, p. 251), quels détails renforcent la grandeur de ce dernier ?*

13. *Quel(s) rôle(s) joue Grantaire dans cette fin ?*

14. *Que symbolisent* leurs positions dans la mort (chap. 23, l. 75 à 78) ?*

• Javert

15. *Que signifie son « À tout à l'heure ! » (chap. 18, l. 46) ?*

16. *Quels sentiments successifs affiche-t-il? Connaît-on ses sentiments profonds? Pourquoi?*

17. *Quel jugement porte-t-on sur lui?*

Écriture / Réécriture

18. *Dans le déroulement chronologique, comment se place le chapitre 24 par rapport au chapitre 23? Pourquoi Hugo a-t-il voulu cet ordre du récit?*

19. *Quels termes (chapitres 22 et 24) soulignent que Marius est en danger de mort?*

20. *En quels lieux différents se passent ces chapitres? Que constatez-vous sur l'importance de l'espace qu'ils occupent? Que peut signifier cette évolution?*

21. *Pour chaque événement, que sait le lecteur que les acteurs du drame ignorent?*

22. *Relevez les termes qui soulignent la grandeur et la pureté d'Enjolras (chapitre 23).*

23. *Réécrivez les chapitres 18 et 19 du point de vue* de Javert, en ajoutant ses réactions et ses sentiments cachés.*

Jean Valjean (Harry Baur) portant Marius dans les égouts.

LIVRE TROISIÈME

La boue, mais l'âme

*[Portant toujours Marius blessé, il progresse difficile-
ment dans le dédale souterrain, cherchant à gagner l'égout
de ceinture. Il échappe de justesse à une patrouille, descen-
due inspecter s'il ne s'y cachait point de vaincus de l'insurrection.*

*Pendant ce temps, sur la rive droite de la Seine, un
homme filé par un policier disparaît par une grille qu'il a
dû ouvrir grâce à une clef.]*

4

LUI AUSSI PORTE SA CROIX

Jean Valjean avait repris sa marche et ne s'était plus
arrêté.

Cette marche était de plus en plus laborieuse. Le niveau
de ces voûtes varie ; la hauteur moyenne est d'environ
5 cinq pieds• six pouces, et a été calculée pour la taille
d'un homme ; Jean Valjean était forcé de se courber
pour ne pas heurter Marius à la voûte ; il fallait à chaque
instant se baisser, puis se redresser, tâter sans cesse le
mur. La moiteur des pierres et la viscosité[1] du radier• en
10 faisaient de mauvais points d'appui, soit pour la main,
soit pour le pied. Il trébuchait dans le hideux fumier de
la ville. Les reflets intermittents des soupiraux[2] n'appa-
raissaient qu'à de très longs intervalles, et si blêmes que
le plein soleil y semblait clair de lune ; tout le reste était

---

1. *viscosité* : caractère de ce qui est gluant, poisseux.
2. *soupiraux* : pluriel de «soupirail» ; ouverture pratiquée pour donner de l'air ou
du jour à une cave.

15 brouillard, miasme•, opacité, noirceur. Jean Valjean
avait faim et soif ; soif surtout ; et c'est là, comme la mer,
un lieu plein d'eau où l'on ne peut boire. Sa force, qui
était prodigieuse, on le sait, et fort peu diminuée par
l'âge, grâce à sa vie chaste• et sobre, commençait pour-
20 tant à fléchir. La fatigue lui venait, et la force en décrois-
sant faisait croître le poids du fardeau. Marius, mort
peut-être, pesait comme pèsent les corps inertes. Jean
Valjean le soutenait de façon que la poitrine ne fût pas
gênée et que la respiration pût toujours passer le mieux
25 possible. Il sentait entre ses jambes le glissement rapide
des rats. Un d'eux fut effaré au point de le mordre. Il lui
venait de temps en temps par les bavettes[1] des bouches
de l'égout un souffle d'air frais qui le ranimait.
[...]

6

LE FONTIS

*[Dans sa marche, Jean Valjean arrive à un fontis, c'est-à-
dire un effondrement boueux du sol de l'égout.]*

Jean Valjean sentit le pavé se dérober sous lui. Il entra
dans cette fange[2]. C'était de l'eau à la surface, de la vase
au fond. Il fallait bien passer. Revenir sur ses pas était
impossible. Marius était expirant et Jean Valjean exté-
5 nué. Où aller d'ailleurs ? Jean Valjean avança. Du reste la
fondrière• parut peu profonde aux premiers pas. Mais à
mesure qu'il avançait, ses pieds plongeaient. Il eut bientôt de la vase jusqu'à mi-jambe et de l'eau plus haut que
les genoux. Il marchait, exhaussant[3] de ses deux bras

---

1. *bavettes* : bandes de zinc protégeant les ouvertures.
2. *fange* : boue.
3. *exhaussant* : portant encore plus haut.

10 Marius le plus qu'il pouvait au-dessus de l'eau. La vase
lui venait maintenant aux jarrets et l'eau à la ceinture. Il
ne pouvait déjà plus reculer. Il enfonçait de plus en plus.
Cette vase, assez dense pour le poids d'un homme, ne
pouvait évidemment en porter deux. Marius et Jean Val-
15 jean eussent eu chance de s'en tirer isolément. Jean Valjean continua d'avancer, soutenant ce mourant qui était
un cadavre peut-être.
L'eau lui venait aux aisselles ; il se sentait sombrer ; c'est
à peine s'il pouvait se mouvoir dans la profondeur de
20 bourbe¹ où il était. La densité, qui était le soutien, était
aussi l'obstacle. Il soulevait toujours Marius, et, avec une
dépense de force inouïe, il avançait ; mais il enfonçait. Il
n'avait plus que la tête hors de l'eau, et ses deux bras
élevant Marius. Il y a, dans les vieilles peintures du
25 déluge², une mère qui fait ainsi de son enfant.
Il enfonça encore, il renversa sa face en arrière pour
échapper à l'eau et pouvoir respirer ; qui l'eût vu dans
cette obscurité eût cru voir un masque flottant sur de
l'ombre ; il apercevait vaguement au-dessus de lui la tête
30 pendante et le visage livide de Marius ; il fit un effort
désespéré, et lança son pied en avant ; son pied heurta
on ne sait quoi de solide, un point d'appui. Il était
temps.
Il se dressa et se tordit et s'enracina avec une sorte de
35 furie sur ce point d'appui. Cela lui fit l'effet de la première marche d'un escalier remontant à la vie.
Ce point d'appui, rencontré dans la vase au moment
suprême, était le commencement de l'autre versant du
radier•, qui avait plié sans se briser et s'était courbé sous
40 l'eau comme une planche et d'un seul morceau. Les
pavages bien construits font voûte et ont de ces
fermetés-là. Ce fragment du radier, submergé en partie,
mais solide, était une véritable rampe, et, une fois sur

---

1. *bourbe* : boue noire et épaisse.
2. L'épisode biblique du Déluge (pluies torrentielles submergeant le monde) a fait
l'objet de nombreux tableaux.

cette rampe, on était sauvé. Jean Valjean remonta ce
45 plan incliné et arriva de l'autre côté de la fondrière•.
En sortant de l'eau, il se heurta à une pierre et tomba sur
les genoux. Il trouva que c'était juste, et y resta quelque
temps, l'âme abîmée dans on ne sait quelle parole à
Dieu.
50 Il se redressa, frissonnant, glacé, infect, courbé sous ce
mourant qu'il traînait, tout ruisselant de fange, l'âme
pleine d'une étrange clarté.

*[Épuisé, il aperçoit enfin la lumière du jour, donc une
issue. Il y parvient mais elle est fermée d'une grille. Désespéré, il ne sait plus que faire quand un homme lui propose
la clef à condition qu'il partage l'argent que Jean Valjean a
volé, croit-il, au «mort» qu'il transporte. Jean Valjean
reconnaît en cet homme Thénardier qui, lui, n'identifie pas
Jean Valjean. Il lui donne le peu d'argent qu'il a sur lui et
l'autre lui ouvre la grille, non sans avoir déchiré un pan de
l'habit du «mort».]*

9

MARIUS FAIT L'EFFET D'ÊTRE MORT
À QUELQU'UN QUI S'Y CONNAÎT

Il laissa glisser Marius sur la berge.
Ils étaient dehors!
Les miasmes•, l'obscurité, l'horreur, étaient derrière lui.
L'air salubre, pur, vivant, joyeux, librement respirable,
5 l'inondait. Partout autour de lui le silence, mais le
silence charmant du soleil couché en plein azur. Le crépuscule s'était fait; la nuit venait, la grande libératrice,
l'amie de tous ceux qui ont besoin d'un manteau
d'ombre pour sortir d'une angoisse. Le ciel s'offrait de
10 toutes parts comme un calme énorme, la rivière arrivait
à ses pieds avec le bruit d'un baiser. On entendait le
dialogue aérien des nids qui se disaient bonsoir dans les

ormes des Champs-Élysées. Quelques étoiles, piquant faiblement le bleu pâle du zénith et visibles à la seule
15 rêverie, faisaient dans l'immensité de petits resplendissements imperceptibles. Le soir déployait sur la tête de Jean Valjean toutes les douceurs de l'infini.

C'était l'heure indécise et exquise qui ne dit ni oui ni non. Il y avait déjà assez de nuit pour qu'on pût s'y
20 perdre à quelque distance, et encore assez de jour pour qu'on pût s'y reconnaître de près.

Jean Valjean fut pendant quelques secondes irrésistiblement vaincu par toute cette sérénité auguste• et caressante ; il y a de ces minutes d'oubli ; la souffrance
25 renonce à harceler le misérable ; tout s'éclipse dans la pensée ; la paix couvre le songeur comme une nuit ; et, sous le crépuscule qui rayonne, et à l'imitation du ciel qui s'illumine, l'âme s'étoile. Jean Valjean ne put s'empêcher de contempler cette vaste ombre claire qu'il avait
30 au-dessus de lui ; pensif, il prenait dans le majestueux silence du ciel éternel un bain d'extase et de prière. Puis, vivement, comme si le sentiment d'un devoir lui revenait, il se courba vers Marius, et, puisant de l'eau dans le creux de sa main, il lui en jeta doucement quel-
35 ques gouttes sur le visage. Les paupières de Marius ne se soulevèrent pas ; cependant sa bouche entrouverte respirait.

Jean Valjean allait plonger de nouveau sa main dans la rivière, quand tout à coup il sentit je ne sais quelle gêne,
40 comme lorsqu'on a sans le voir, quelqu'un derrière soi. Nous avons déjà indiqué ailleurs cette impression, que tout le monde connaît.

Il se retourna.

Comme tout à l'heure, quelqu'un en effet était derrière
45 lui.

Un homme de haute stature, enveloppé d'une longue redingote, les bras croisés, et portant dans son poing droit un casse-tête[1] dont on voyait la pomme de plomb,

---

1. *un casse-tête* : une arme composée d'une chaîne et d'une grosse masse de plomb.

se tenait debout à quelques pas en arrière de Jean Val-
50 jean accroupi sur Marius.
C'était, l'ombre aidant, une sorte d'apparition. Un
homme simple en eût eu peur à cause du crépuscule, et
un homme réfléchi à cause du casse-tête.
Jean Valjean reconnut Javert.
55 [...]
Javert ne reconnut pas Jean Valjean qui, nous l'avons
dit, ne se ressemblait plus à lui-même. Il ne décroisa pas
les bras, assura son casse-tête dans son poing par un
mouvement imperceptible, et dit d'une voix brève et
60 calme :
— Qui êtes-vous ?
— Moi.
— Qui, vous ?
— Jean Valjean.
65 Javert mit le casse-tête entre ses dents, ploya les jarrets,
inclina le torse, posa ses deux mains puissantes sur les
épaules de Jean Valjean, qui s'y emboîtèrent comme
dans deux étaux, l'examina, et le reconnut. Leurs
visages se touchaient presque. Le regard de Javert était
70 terrible.
Jean Valjean demeura inerte sous l'étreinte de Javert
comme un lion qui consentirait à la griffe d'un lynx.
— Inspecteur Javert, dit-il, vous me tenez. D'ailleurs,
depuis ce matin je me considère comme votre prison-
75 nier. Je ne vous ai point donné mon adresse pour chercher à vous échapper. Prenez-moi. Seulement, accordez-
moi une chose.
Javert semblait ne pas entendre. Il appuyait sur Jean
Valjean sa prunelle fixe. Son menton froncé poussait ses
80 lèvres vers son nez, signe de rêverie farouche. Enfin, il
lâcha Jean Valjean, se dressa tout d'une pièce, reprit à
plein poignet le casse-tête, et, comme dans un songe,
murmura plutôt qu'il ne prononça cette question :
— Que faites-vous là ? et qu'est-ce que c'est que cet
85 homme ?
Il continuait de ne plus tutoyer Jean Valjean.
Jean Valjean répondit, et le son de sa voix parut réveiller
Javert :
— C'est de lui précisément que je voulais vous parler.

90 Disposez de moi comme il vous plaira ; mais aidez-moi à le rapporter chez lui. Je ne vous demande que cela.
La face de Javert se contracta comme cela lui arrivait toutes les fois qu'on semblait le croire capable d'une concession. Cependant il ne dit pas non.

[Ils ramènent effectivement Marius chez son grand-père, M. Gillenormand. Puis Jean Valjean demande à Javert de passer chez lui, afin de dire à Cosette où est l'homme qu'elle aime ; il se résigne à être arrêté ensuite.]

11

ÉBRANLEMENT DANS L'ABSOLU

[...]
Ils s'engagèrent dans la rue. Elle était comme d'habitude déserte. Javert suivait Jean Valjean. Ils arrivèrent au numéro 7. Jean Valjean frappa. La porte s'ouvrit.
5   – C'est bien, dit Javert. Montez.
Il ajouta avec une expression étrange et comme s'il faisait effort en parlant de la sorte :
– Je vous attends ici.
Jean Valjean regarda Javert. Cette façon de faire était
10 peu dans les habitudes de Javert. Cependant, que Javert eût maintenant en lui une sorte de confiance hautaine, la confiance du chat qui accorde à la souris une liberté de la longueur de sa griffe, résolu qu'était Jean Valjean à se livrer et à en finir, cela ne pouvait le surprendre beau-
15 coup. Il poussa la porte, entra dans la maison, cria au portier qui était couché et qui avait tiré le cordon[1] de son lit : C'est moi ! et monta l'escalier.
Parvenu au premier étage, il fit une pause. Toutes les

---

1. *tiré le cordon* : à l'époque, le concierge ouvrait la porte en tirant une corde.

voies douloureuses ont des stations[1]. La fenêtre du
20 palier, qui était une fenêtre-guillotine[2], était ouverte.
Comme dans beaucoup d'anciennes maisons, l'escalier
prenait jour et avait vue sur la rue. Le réverbère de la
rue, situé précisément en face, jetait quelque lumière sur
les marches, ce qui faisait une économie d'éclairage.
25 Jean Valjean, soit pour respirer, soit machinalement, mit
la tête à cette fenêtre. Il se pencha sur la rue. Elle est
courte et le réverbère l'éclairait d'un bout à l'autre. Jean
Valjean eut un éblouissement de stupeur; il n'y avait
plus personne.
30 Javert s'en était allé.

1. *stations* : arrêts, pauses; c'est une allusion au chemin (*via dolorosa*) que fit le
Christ en portant sa croix.
2. *fenêtre-guillotine* : la fenêtre est divisée en deux parties dans le sens horizontal,
chaque partie pouvant glisser sur l'autre pour donner de l'air par en haut ou par en
bas.

Questions

Compréhension

• **« Lui aussi porte sa croix »**

1. À qui d'autre que Jean Valjean fait allusion le titre du chapitre 4 ? Quelle « croix » porte chacun ?

2. Dans quel but cet « autre » portait-il une croix ? Que peut-on en déduire sur le sort de Jean Valjean ?

3. Quelles autres allusions à Dieu contiennent ces pages ?

• **« La voie douloureuse »**

4. Quel trajet accomplit Jean Valjean (précisez les montées et les descentes) ?

5. Quelles difficultés réelles affronte-t-il dans l'égout ?

6. Que symbolise* en fait l'égout ? Qu'apporte au héros* d'y être descendu et d'en être remonté ?

• **Javert**

7. Quelles transformations constate-t-on chez lui ?

8. Comment expliquer sa disparition à la fin ? Envisagez toutes les solutions : laquelle est la plus plausible ?

Écriture / Réécriture

9. Sur quelle antithèse* repose le titre du livre troisième ? Quelle phrase du chapitre 6 l'illustre et la développe parfaitement ?

10. Quels termes font croire que Marius est mort ? Par quels rebondissements passe l'action de ces chapitres ? Quelles menaces pèsent encore à la fin sur les deux héros ?

11. Mettez en parallèle la description de l'égout (pp. 258 à 261) et de l'extérieur (pp. 261-262) : éléments les composant, lumière, impression faite sur l'homme... Que symbolise chacun de ces deux décors ?

12. Quels éléments épiques* trouve-t-on dans les chapitres 4 et 6 ?

13. Décrivez à votre tour un lieu répugnant et dangereux ; et racontez l'épreuve d'un héros qui s'y aventure pour accomplir une mission ; utilisez des mots relevés dans ces pages.

Mise en perspective

14. Faites des recherches sur le thème de la «Descente aux Enfers». Quelles différences et ressemblances constatez-vous avec cette «Descente à l'égout» (décor, dangers affrontés, prestige du héros*, portée symbolique*...) ?

Javert se suicide, dessin de Brion.

LIVRE QUATRIÈME

Javert déraillé

JAVERT DÉRAILLÉ

[Pendant que Marius est soigné par un médecin et rouvre les yeux pour la plus grande joie de son grand-père, Javert s'est dirigé vers la Seine, entre le pont Notre-Dame et le pont au Change, là où le courant du fleuve est très rapide et dangereux. Il s'accoude au parapet.]

Depuis quelques heures Javert avait cessé d'être simple. Il était troublé ; ce cerveau, si limpide dans sa cécité[1], avait perdu sa transparence ; il y avait un nuage dans ce cristal. Javert sentait dans sa conscience le devoir de se
5 dédoubler, et il ne pouvait se le dissimuler. Quand il avait rencontré si inopinément Jean Valjean sur la berge de la Seine, il y avait eu en lui quelque chose du loup qui ressaisit sa proie et du chien qui retrouve son maître.
10 Il voyait devant lui deux routes également droites toutes deux, mais il en voyait deux ; et cela le terrifiait, lui qui n'avait jamais connu dans sa vie qu'une ligne droite. Et, angoisse poignante, ces deux routes étaient contraires. L'une de ces deux lignes droites excluait l'autre.
15 Laquelle des deux était la vraie ?
Sa situation était inexprimable.
Devoir la vie à un malfaiteur, accepter cette dette et la rembourser, être, en dépit de soi-même, de plain-pied avec un repris de justice, et lui payer un service avec un
20 autre service ; se laisser dire : Va-t'en, et lui dire à son

---

1. *cécité* : fait d'être aveugle.

tour : Sois libre; sacrifier à des motifs personnels le
devoir, cette obligation générale, et sentir dans ces
motifs personnels quelque chose de général aussi, et de
supérieur peut-être; trahir la société pour rester fidèle à
25 sa conscience; que toutes ces absurdités se réalisassent
et qu'elles vinssent s'accumuler sur lui-même, c'est ce
dont il était atterré.
Une chose l'avait étonné, c'était que Jean Valjean lui eût
fait grâce, et une chose l'avait pétrifié, c'était que, lui
30 Javert, il eût fait grâce à Jean Valjean.
Où en était-il? Il se cherchait et ne se trouvait plus.
Que faire maintenant? Livrer Jean Valjean, c'était mal;
laisser Jean Valjean libre, c'était mal. Dans le premier
cas, l'homme de l'autorité tombait plus bas que
35 l'homme du bagne; dans le second, un forçat montait
plus haut que la loi et mettait le pied dessus. Dans les
deux cas, déshonneur pour lui Javert. Dans tous les par-
tis qu'on pouvait prendre, il y avait de la chute. La destinée a de certaines extrémités à pic sur l'impossible et
40 au-delà desquelles la vie n'est plus qu'un précipice.
Javert était à une de ces extrémités-là.
Une de ses anxiétés, c'était d'être contraint de penser.
La violence même de toutes ces émotions contradictoires l'y obligeait. La pensée, chose inusitée pour lui, et
45 singulièrement douloureuse.
[...]
Jean Valjean le déconcertait. Tous les axiomes[1] qui
avaient été les points d'appui de toute sa vie s'écrou-
laient devant cet homme. La générosité de Jean Valjean
50 envers lui Javert l'accablait. D'autres faits, qu'il se rappelait et qu'il avait autrefois traités de mensonges et de
folies, lui revenaient maintenant comme des réalités.
M. Madeleine reparaissait derrière Jean Valjean, et les
deux figures se superposaient de façon à n'en plus faire
55 qu'une, qui était vénérable•. Javert sentait que quelque
chose d'horrible pénétrait dans son âme, l'admiration
pour un forçat. Le respect d'un galérien•, est-ce que

---

1. *axiomes* : principes de base incontestables.

c'est possible ? Il en frémissait, et ne pouvait s'y soustraire. Il avait beau se débattre, il était réduit à confesser
60 dans son for intérieur la sublimité de ce misérable. Cela
était odieux.
[...]
Il était forcé de reconnaître que la bonté existait. Ce
forçat avait été bon. Et lui-même, chose inouïe, il venait
65 d'être bon. Donc il se dépravait[1].
Il se trouvait lâche. Il se faisait horreur.
L'idéal pour Javert, ce n'était pas d'être humain, d'être
grand, d'être sublime ; c'était d'être irréprochable.
Or il venait de faillir.
70 [...]
Toutes sortes de nouveautés énigmatiques s'entrou-
vraient devant ses yeux. Il s'adressait des questions, et il
se faisait des réponses, et ses réponses l'effrayaient. Il se
demandait : Ce forçat, ce désespéré, que j'ai poursuivi
75 jusqu'à le persécuter, et qui m'a eu sous son pied, et qui
pouvait se venger, et qui le devait tout à la fois pour sa
rancune et pour sa sécurité, en me laissant la vie, en me
faisant grâce, qu'a-t-il fait ? Son devoir. Non. Quelque
chose de plus. Et moi, en lui faisant grâce à mon tour,
80 qu'ai-je fait ? Mon devoir. Non. Quelque chose de plus. Il
y a donc quelque chose de plus que le devoir ? Ici il
s'effarait ; sa balance se disloquait ; l'un des plateaux
tombait dans l'abîme, l'autre s'en allait dans le ciel, et
Javert n'avait pas moins d'épouvante de celui qui était
85 en haut que de celui qui était en bas. Sans être le moins
du monde ce qu'on appelle voltairien•, ou philosophe,
ou incrédule, respectueux au contraire, par instinct,
pour l'église établie, il ne la connaissait que comme un
fragment auguste• de l'ensemble social ; l'ordre était son
90 dogme[2] et lui suffisait ; depuis qu'il avait âge d'homme et
de fonctionnaire, il mettait dans la police à peu près
toute sa religion ; étant, et nous employons ici les mots

---

1. *dépravait* : se corrompait, s'avilissait.
2. *dogme* : principe d'une doctrine.

sans la moindre ironie et dans leur acception[1] la plus
sérieuse, étant, nous l'avons dit, espion comme on est
95 prêtre. Il avait un supérieur, M. Gisquet ; il n'avait guère
songé jusqu'à ce jour à cet autre supérieur, Dieu.

Ce chef nouveau, Dieu, il le sentait inopinément, et en
était troublé.

Il était désorienté de cette présence inattendue ; il ne
100 savait que faire de ce supérieur-là, lui qui n'ignorait pas
que le subordonné est tenu de se courber toujours, qu'il
ne doit ni désobéir, ni blâmer, ni discuter, et que, vis-à-
vis d'un supérieur qui l'étonne trop, l'inférieur n'a
d'autre ressource que sa démission.

105 Mais comment s'y prendre pour donner sa démission à
Dieu ?

[...]

Javert demeura quelques minutes immobile, regardant
cette ouverture de ténèbres ; il considérait l'invisible
110 avec une fixité qui ressemblait à de l'attention. L'eau
bruissait. Tout à coup, il ôta son chapeau et le posa sur
le rebord du quai. Un moment après, une figure haute et
noire, que de loin quelque passant attardé eût pu
prendre pour un fantôme, apparut debout sur le parapet,
115 se courba vers la Seine, puis se redressa, et tomba droite
dans les ténèbres ; il y eut un clapotement sourd ; et
l'ombre seule fut dans le secret des convulsions de cette
forme obscure disparue sous l'eau.

---

1. *acception* : sens particulier (d'un mot).

Questions

Compréhension

• *« Deux routes »*

1. *Quels sont les deux choix possibles et leurs conséquences pour Javert?*

2. *Pourquoi choisit-il le suicide en fin de compte?*

• **Javert transformé**

3. *Combien y a-t-il de personnages dans ce chapitre? Quelle importance y est accordée à l'action?*

4. *De quel(s) autre(s) chapitre(s) peut-on le rapprocher? Pourquoi? Quelle différence subsiste néanmoins?*

5. *Quelle image avait-on de Javert avant?*

6. *Qu'apporte ce chapitre dans l'appréciation du personnage?*

• *« Cet autre supérieur »*

7. *En quoi Jean Valjean et Javert ont-ils fait plus que leur devoir?*

8. *Pourquoi la découverte de Dieu trouble-t-elle tant Javert?*

Écriture / Réécriture

9. *Quelles remarques faites-vous sur le titre du livre et celui du chapitre? sur le nombre de chapitres que comporte ce livre? Comment l'interprétez-vous?*

10. *Expliquez l'image* contenue dans le titre.*

11. *Quelles antithèses* apparaissent dans les premières lignes?*

12. *Relevez les alinéas* de ce chapitre : en quoi soulignent-ils les étapes importantes de la réflexion de Javert?*

13. *Relevez les termes qui désignent Javert dans les lignes 108 à 118 : comment est suggérée sa disparition? À votre tour, utilisez ces termes et d'autres synonymes pour décrire l'apparition ou la disparition progressive d'un personnage.*

[Marius guérit et revoit Cosette qui séduit M. Gillenor-mand. Les amoureux peuvent donc se marier. Mariage d'autant mieux accueilli que Jean Valjean est allé récupé-rer, dans une forêt où il l'avait cachée, la fortune amassée par lui du temps où il était M. Madeleine et en a fait la dot de Cosette : près de six cent mille francs...

Par ailleurs Marius, dont les souvenirs sont très confus, aimerait retrouver Thénardier et l'homme qui l'a sauvé. Recherches vaines... Personne en effet, chez M. Gillenor-mand, ne fait le lien entre M. Fauchelevent et l'être hirsute et boueux qui a ramené Marius blessé.]

LIVRE SIXIÈME

La nuit blanche

2

JEAN VALJEAN A TOUJOURS SON BRAS EN ÉCHARPE

[Le 16 février 1833, Marius et Cosette se marient. Comme c'est un Mardi-Gras, leurs voitures passent au milieu des défilés de carnaval. Le visage du « père » de Cosette, qui a le bras en écharpe (il dit s'être blessé au pouce droit), semble familier à un masque qui demande à un autre, une jeune fille, de chercher à savoir par la suite qui était dans cette noce-là, ce jour-là, car lui-même ne peut se montrer au grand jour. La jeune fille masquée répond au nom d'Azelma...

Après la mairie et l'église, le repas de noces a lieu chez M. Gillenormand.]

La salle à manger était une fournaise de choses gaies. Au

centre, au-dessus de la table blanche et éclatante, un
lustre de Venise à lames plates, avec toutes sortes d'oiseaux de couleur, bleus, violets, rouges, verts, perchés au
5   milieu des bougies ; autour du lustre des girandoles[1], sur
le mur des miroirs-appliques à triples et quintuples
branches ; glaces, cristaux, verreries, vaisselles, porce-
laines, faïences, poteries, orfèvrerie, argenteries, tout
étincelait et se réjouissait. Les vides entre les candé-
10 labres[2] étaient comblés par les bouquets, en sorte que, là
où il n'y avait pas une lumière, il y avait une fleur.
Dans l'antichambre trois violons et une flûte jouaient en
sourdine des quatuors de Haydn[3].
Jean Valjean s'était assis sur une chaise dans le salon,
15 derrière la porte, dont le battant se repliait sur lui de
façon à le cacher presque. Quelques instants avant
qu'on se mît à table, Cosette vint, comme par coup de
tête, lui faire une grande révérence en étalant de ses
deux mains sa toilette de mariée, et, avec un regard ten-
20 drement espiègle, elle lui demanda :
– Père, êtes-vous content ?
– Oui, dit Jean Valjean, je suis content.
– Eh bien, riez alors.
Jean Valjean se mit à rire.
25 Quelques instants après, Basque annonça que le dîner
était servi.
Les convives, précédés de M. Gillenormand donnant le
bras à Cosette, entrèrent dans la salle à manger, et se
répandirent, selon l'ordre voulu, autour de la table.
30 Deux grands fauteuils y figuraient, à droite et à gauche
de la mariée, le premier pour M. Gillenormand, le
second pour Jean Valjean. M. Gillenormand s'assit.
L'autre fauteuil resta vide.
On chercha des yeux « monsieur Fauchelevent ».
35 Il n'était plus là.
M. Gillenormand interpella Basque.

---

1. *girandoles* : chandeliers à plusieurs branches et pendeloques de cristal.
2. *candélabres* : grands chandeliers à plusieurs branches.
3. *Haydn* : compositeur autrichien (1732-1809).

– Sais-tu où est monsieur Fauchelevent ?
– Monsieur, répondit Basque. Précisément. Monsieur
Fauchelevent m'a dit de dire à monsieur qu'il souffrait
40 un peu de sa main malade, et qu'il ne pourrait dîner
avec monsieur le baron et madame la baronne. Qu'il
priait qu'on l'excusât, qu'il viendrait demain matin. Il
vient de sortir.
Ce fauteuil vide refroidit un moment l'effusion du repas
45 de noces. Mais, M. Fauchelevent absent, M. Gillenormand était là, et le grand-père rayonnait pour deux. Il
affirma que M. Fauchelevent faisait bien de se coucher
de bonne heure, s'il souffrait, mais que ce n'était qu'un
« bobo ». Cette déclaration suffit. D'ailleurs, qu'est-ce
50 qu'un coin obscur dans une telle submersion de joie ?
[...]

3

L'INSÉPARABLE

Qu'était devenu Jean Valjean ?
Immédiatement après avoir ri, sur la gentille injonction
de Cosette, personne ne faisant attention à lui, Jean Valjean s'était levé, et, inaperçu, il avait gagné l'anti-
5 chambre. C'était cette même salle où, huit mois auparavant, il était entré noir de boue, de sang et de poudre,
rapportant le petit-fils à l'aïeul. La vieille boiserie était
enguirlandée de feuillages et de fleurs ; les musiciens
étaient assis sur le canapé où l'on avait déposé Marius.
10 Basque en habit noir, en culotte courte, en bas blancs et
en gants blancs, disposait des couronnes de roses autour
de chacun des plats qu'on allait servir. Jean Valjean lui
avait montré son bras en écharpe, l'avait chargé d'expliquer son absence, et était sorti.
15 Les croisées• de la salle à manger donnaient sur la rue.
Jean Valjean demeura quelques minutes debout et
immobile dans l'obscurité sous ces fenêtres radieuses. Il

écoutait. Le bruit confus du banquet venait jusqu'à lui. Il
entendait la parole haute et magistrale du grand-père,
20 les violons, le cliquetis des assiettes et des verres, les
éclats de rire, et dans toute cette rumeur gaie il distinguait la douce voix joyeuse de Cosette.

*[Il retourne chez lui, rue de l'Homme-Armé, et entre
dans sa chambre.]*

Il avait dégagé son bras de l'écharpe, et il se servait de sa
main droite comme s'il n'en souffrait pas.
25 Il s'approcha de son lit, et ses yeux s'arrêtèrent, fut-ce
par hasard ? fut-ce avec intention ? sur l'*inséparable,* dont
Cosette avait été jalouse, sur la petite malle qui ne le
quittait jamais. Le 4 juin, en arrivant rue de l'Homme-
Armé, il l'avait déposée sur un guéridon près de son
30 chevet. Il alla à ce guéridon avec une sorte de vivacité,
prit dans sa poche une clef, et ouvrit la valise.
Il en tira lentement les vêtements avec lesquels, dix ans
auparavant, Cosette avait quitté Montfermeil ; d'abord la
petite robe noire, puis le fichu noir, puis les bons gros
35 souliers d'enfant que Cosette aurait presque pu mettre
encore, tant elle avait le pied petit, puis la brassière de
futaine[1] bien épaisse, puis le jupon de tricot, puis le
tablier à poche, puis les bas de laine. Ces bas, où était
encore gracieusement marquée la forme d'une petite
40 jambe, n'étaient guère plus longs que la main de Jean
Valjean. Tout cela était de couleur noire. C'était lui qui
avait apporté ces vêtements pour elle à Montfermeil. À
mesure qu'il les ôtait de la valise, il les posait sur le lit. Il
pensait. Il se rappelait. C'était en hiver, un mois de
45 décembre très froid, elle grelottait à demi nue dans des
guenilles, ses pauvres petits pieds tout rouges dans des
sabots. Lui, Jean Valjean, il lui avait fait quitter ces haillons pour lui faire mettre cet habillement de deuil. La
mère avait dû être contente dans sa tombe de voir sa
50 fille porter son deuil, et surtout de voir qu'elle était vêtue

---

1. *futaine* : étoffe pelucheuse.

et qu'elle avait chaud. Il pensait à cette forêt de Montfermeil; ils l'avaient traversée ensemble, Cosette et lui;
il pensait au temps qu'il faisait, aux arbres sans feuilles,
au bois sans oiseaux, au ciel sans soleil; c'est égal, c'était
55 charmant. Il rangea les petites nippes• sur le lit, le fichu
près du jupon, les bas à côté des souliers, la brassière à
côté de la robe, et il les regarda l'une après l'autre. Elle
n'était pas plus haute que cela, elle avait sa grande poupée dans ses bras, elle avait mis son louis d'or dans la
60 poche de ce tablier, elle riait, ils marchaient tous les
deux se tenant par la main, elle n'avait que lui au
monde.
Alors sa vénérable• tête blanche tomba sur le lit, ce
vieux cœur stoïque• se brisa, sa face s'abîma pour ainsi
65 dire dans les vêtements de Cosette, et si quelqu'un eût
passé dans l'escalier en ce moment, on eût entendu d'effrayants sanglots.

4

IMMORTALE JECUR[1]

[...]
Cosette avait Marius, Marius possédait Cosette. Ils
avaient tout, même la richesse. Et c'était son œuvre.
Mais ce bonheur, maintenant qu'il existait, maintenant
5 qu'il était là, qu'allait-il en faire, lui Jean Valjean?
S'imposerait-il à ce bonheur?
[...]
Imposer son bagne à ces deux enfants éblouissants, ou
consommer lui-même son irrémédiable engloutissement.

---

1. *Immortale jecur* : «foie immortel» en latin; le foie, dans l'Antiquité, représentait
l'organe des sentiments, comme le cœur pour nous; dans le supplice célèbre de
Prométhée, son foie était dévoré, cause d'une douleur éternelle.

10 D'un côté le sacrifice de Cosette, de l'autre le sien
propre.
À quelle solution, s'arrêta-t-il ?
Quelle détermination prit-il ? Quelle fut, au dedans de
lui-même, sa réponse définitive à l'incorruptible inter-
15 rogatoire de la fatalité ? Quelle porte se décida-t-il à
ouvrir ? Quel côté de sa vie prit-il le parti de fermer et de
condamner ? Entre tous ces escarpements insondables
qui l'entouraient, quel fut son choix ? Quelle extrémité
accepta-t-il ? Auquel de ces gouffres fit-il un signe de
20 tête ?
Sa rêverie vertigineuse dura toute la nuit.
Il resta là jusqu'au jour, dans la même attitude, ployé en
deux sur ce lit, prosterné sous l'énormité du sort, écrasé
peut-être, hélas ! les poings crispés, les bras étendus à
25 angle droit comme un crucifié décloué[1] qu'on aurait jeté
la face contre terre. Il demeura douze heures, les douze
heures d'une longue nuit d'hiver, glacé, sans relever la
tête et sans prononcer une parole. Il était immobile
comme un cadavre, pendant que sa pensée se roulait à
30 terre et s'envolait, tantôt comme l'hydre[2], tantôt comme
l'aigle. À le voir ainsi sans mouvement on eût dit un
mort ; tout à coup il tressaillait convulsivement et sa
bouche, collée aux vêtements de Cosette, les baisait ;
alors on voyait qu'il vivait.
35 Qui ? on ? puisque Jean Valjean était seul et qu'il n'y
avait personne là ?
Le On qui est dans les ténèbres.

---

1. *crucifié décloué* : allusion au Christ supplicié et cloué sur une croix.
2. *hydre* : serpent monstrueux.

LIVRE SEPTIÈME
La dernière gorgée du calice•

1

LE SEPTIÈME CERCLE• ET LE HUITIÈME CIEL[1]

*[Le lendemain, 17 février, Jean Valjean se rend chez
M. Gillenormand et demande à voir Marius, qui entre,
radieux.]*

– Que je suis content de vous voir! Si vous saviez
comme vous nous avez manqué hier! Bonjour, père.
Comment va votre main? Mieux, n'est-ce pas? [...] Vous
viendrez vous installer ici. Et dès aujourd'hui. Ou vous
5   aurez affaire à Cosette. Elle entend nous mener tous par
le bout du nez, je vous en préviens. Vous avez vu votre
chambre, elle est tout près de la nôtre, elle donne sur les
jardins; on a fait arranger ce qu'il y avait à la serrure, le
lit est fait, elle est toute prête, vous n'avez qu'à arriver.
10 Cosette a mis près de votre lit une grande vieille bergère[2] en velours d'Utrecht, à qui elle a dit : tends-lui les
bras. Tous les printemps, dans le massif d'acacias qui est
en face de vos fenêtres, il vient un rossignol. Vous l'aurez dans deux mois. Vous aurez son nid à votre gauche
15 et le nôtre à votre droite. La nuit il chantera, et le jour
Cosette parlera. Votre chambre est en plein midi.
Cosette vous y rangera vos livres, votre voyage du

---

1. *huitième ciel* : chez les Anciens, le huitième ciel est le ciel des étoiles; chez
Dante, le Paradis est constitué de neuf cieux symbolisant des degrés croissants du
bonheur, comme l'Enfer est composé de neuf cercles.
2. *bergère* : grand fauteuil rembourré sur les côtés.

279

capitaine Cook[1], et l'autre, celui de Vancouver, toutes
vos affaires. Il y a, je crois, une petite valise à laquelle
20 vous tenez, j'ai disposé un coin d'honneur pour elle.
Vous avez conquis mon grand-père, vous lui allez. Nous
vivrons ensemble. Savez-vous le whist[2]? vous comblerez
mon grand-père, si vous savez le whist. C'est vous qui
mènerez promener Cosette mes jours de palais[3], vous lui
25 donnerez le bras, vous savez, comme au Luxembourg,
autrefois. Nous sommes absolument décidés à être très
heureux. Et vous en serez, de notre bonheur, entendez-
vous, père. Ah çà, vous déjeunez avec nous aujourd'hui ?
– Monsieur, dit Jean Valjean, j'ai une chose à vous dire.
30 Je suis un ancien forçat.
La limite des sons aigus perceptibles peut être tout aussi
bien dépassée pour l'esprit que pour l'oreille. Ces mots :
Je suis un ancien forçat, sortant de la bouche de M. Fauchelevent et entrant dans l'oreille de Marius, allaient au
35 delà du possible. Marius n'entendit pas. Il lui sembla
que quelque chose venait de lui être dit ; mais il ne sut
quoi. Il resta béant•.
Il s'aperçut alors que l'homme qui lui parlait était
effrayant. Tout à son éblouissement, il n'avait pas jus-
40 qu'à ce moment remarqué cette pâleur terrible.
Jean Valjean dénoua la cravate noire qui lui soutenait le
bras droit, défit le linge roulé autour de sa main, mit son
pouce à nu et le montra à Marius.
– Je n'ai rien à la main, dit-il.
45 Marius regarda le pouce.
– Je n'y ai jamais rien eu, reprit Jean Valjean.
Il n'y avait en effet aucune trace de blessure.
Jean Valjean poursuivit :
– Il convenait que je fusse absent de votre mariage. Je
50 me suis fait absent le plus que j'ai pu. J'ai supposé cette
blessure pour ne point faire un faux, pour ne pas

---

1. *capitaine Cook* : navigateur anglais du XVIIIe siècle, auquel on doit la découverte
de nombreuses contrées de l'océan Pacifique.
2. *whist* : jeu de cartes, ancêtre du bridge.
3. *jours de palais* : Marius étant avocat, il doit se rendre certains jours au Palais de
Justice pour plaider.

introduire de nullité dans les actes du mariage, pour être dispensé de signer.

Marius bégaya.

55 — Qu'est-ce que cela veut dire ?

— Cela veut dire, répondit Jean Valjean, que j'ai été aux galères•.

— Vous me rendez fou ! s'écria Marius épouvanté.

— Monsieur Pontmercy, dit Jean Valjean, j'ai été dix-
60 neuf ans aux galères. Pour vol. Puis j'ai été condamné à perpétuité. Pour vol. Pour récidive•. À l'heure qu'il est, je suis en rupture de ban•.

Marius avait beau reculer devant la réalité, refuser le fait, résister à l'évidence, il fallait s'y rendre. Il commença à
65 comprendre, et comme cela arrive toujours en cas pareil, il comprit au delà. Il eut le frisson d'un hideux éclair intérieur ; une idée qui le fit frémir, lui traversa l'esprit. Il entrevit dans l'avenir, pour lui-même, une destinée difforme.

70 — Dites tout, dites tout ! cria-t-il. Vous êtes le père de Cosette.

Et il fit deux pas en arrière avec un mouvement d'indicible[1] horreur.

[Jean Valjean révèle à Marius sa véritable identité et lui explique qu'il n'est pas le père de Cosette mais l'a recueillie quand elle était tout petite. Il dit aussi que les six cent mille francs de dot sont un dépôt qu'il restitue.]

— Mais enfin, s'écria-t-il, pourquoi me dites-vous tout
75 cela ? Qu'est-ce qui vous y force ? Vous pouviez vous garder le secret à vous-même. Vous n'êtes ni dénoncé, ni poursuivi, ni traqué. Vous avez une raison pour faire, de gaîté de cœur, une telle révélation. Achevez. Il y a autre chose. À quel propos faites-vous cet aveu ? Pour
80 quel motif ?

— Pour quel motif ? répondit Jean Valjean d'une voix si basse et si sourde qu'on eût dit que c'était à lui-même

---

1. *indicible* : si intense qu'on ne peut l'exprimer.

qu'il parlait plus qu'à Marius. Pour quel motif, en effet, ce forçat vient-il dire : Je suis un forçat ? Eh bien oui ! le
85 motif est étrange. C'est par honnêteté.
[...] Continuer d'être monsieur Fauchelevent, cela arrangeait tout. Oui, excepté mon âme. Il y avait de la joie partout sur moi, le fond de mon âme restait noir. Ce n'est pas assez d'être heureux, il faut être content. Ainsi
90 je serais resté monsieur Fauchelevent, ainsi mon vrai visage, je l'aurais caché, ainsi, en présence de votre épanouissement, j'aurais eu une énigme, ainsi, au milieu de votre plein jour, j'aurais eu des ténèbres ; ainsi, sans crier gare, tout bonnement, j'aurais introduit le bagne à
95 votre foyer, je me serais assis à votre table avec la pensée que, si vous saviez qui je suis, vous m'en chasseriez, je me serais laissé servir par des domestiques qui, s'ils avaient su auraient dit : Quelle horreur ! [...]
Et mon mensonge, et ma fraude, et mon indignité, et ma
100 lâcheté, et ma trahison, et mon crime, je l'aurais bu goutte à goutte, je l'aurais recraché, puis rebu, j'aurais fini à minuit et recommencé à midi, et mon bonjour aurait menti, et mon bonsoir aurait menti, et j'aurais dormi là-dessus, et j'aurais mangé cela avec mon pain,
105 et j'aurais regardé Cosette en face, et j'aurais répondu au sourire de l'ange par le sourire du damné•, j'aurais été un fourbe[1] abominable ! Pourquoi faire ? pour être heureux. Pour être heureux, moi ! Est-ce que j'ai le droit d'être heureux ? Je suis hors de la vie, monsieur.
110 [...]
– À présent que vous savez, croyez-vous, monsieur, vous qui êtes le maître, que je ne dois plus voir Cosette ?
– Je crois que ce serait mieux, répondit froidement Marius.
115 – Je ne la verrai plus, murmura Jean Valjean.
Et il se dirigea vers la porte.
Il mit la main sur le bec-de-cane, le pêne[2] céda, la porte s'entrebâilla, Jean Valjean l'ouvrit assez pour pouvoir

1. *fourbe* : qui trompe autrui, hypocrite.
2. *le pêne* : la pièce d'une serrure qui pénètre dans la gâche.

passer, demeura une seconde immobile, puis referma la
120 porte et se retourna vers Marius.

Il n'était plus pâle, il était livide. Il n'y avait plus de
larmes dans ses yeux, mais une sorte de flamme tragique. Sa voix était redevenue étrangement calme.

– Tenez, monsieur, dit-il, si vous voulez, je viendrai la
125 voir. Je vous assure que je le désire beaucoup. Si je
n'avais pas tenu à voir Cosette, je ne vous aurais pas fait
l'aveu que je vous ai fait, je serais parti. [...]

Mettez-vous à ma place, je n'ai plus que cela. Et puis, il
faut prendre garde. Si je ne venais plus du tout, il y
130 aurait un mauvais effet, on trouverait cela singulier. Par
exemple, ce que je puis faire, c'est de venir le soir,
quand il commence à être nuit.

– Vous viendrez tous les soirs, dit Marius, et Cosette
vous attendra.
135 – Vous êtes bon, monsieur, dit Jean Valjean.

Marius salua Jean Valjean, le bonheur reconduisit jusqu'à la porte le désespoir, et ces deux hommes se quit-
tèrent.

*Jean Valjean (Charles Laughton) et Marius (Fredric March) dans les égouts,
mise en scène de Rickart Boleslawski, États-Unis, 1935.*

LIVRE HUITIÈME
La décroissance crépusculaire

4

L'ATTRACTION ET L'EXTINCTION

[Jean Valjean, qui a commencé par rencontrer chaque jour Cosette, se sent peu à peu importun car Marius, toujours répugné par l'idée qu'il est un bagnard, souhaite l'éloigner de sa femme. Jean Valjean espace ses visites puis ne fait plus que le trajet, sans entrer chez Cosette. Il fait croire qu'il est en voyage.]

Peu à peu, ce vieillard cessa d'aller jusqu'à l'angle de la rue des Filles-du-Calvaire[1] ; il s'arrêtait à mi-chemin dans la rue Saint-Louis[1] ; tantôt un peu plus loin, tantôt un peu plus près. Un jour, il resta au coin de la rue
5 Culture-Sainte-Catherine, et regarda la rue des Filles-du-Calvaire de loin. Puis il hocha silencieusement la tête de droite à gauche, comme s'il se refusait quelque chose, et rebroussa chemin.
Bientôt il ne vint même plus jusqu'à la rue Saint-Louis. Il
10 arrivait jusqu'à la rue Pavée, secouait le front, et s'en retournait ; puis il n'alla plus au-delà de la rue des Trois-Pavillons ; puis il ne dépassa plus les Blancs-Manteaux. On eût dit un pendule qu'on ne remonte plus et dont les oscillations s'abrègent en attendant qu'elles s'arrêtent.
15 Tous les jours, il sortait de chez lui à la même heure, il entreprenait le même trajet, mais il ne l'achevait plus, et, peut-être sans qu'il en eût conscience, il le

---

1. *rue des Filles-du-Calvaire, rue Saint-Louis* : ces rues et celles qui vont suivre représentent un trajet d'ouest en est de plus en plus court.

raccourcissait sans cesse. Tout son visage exprimait
cette unique idée : À quoi bon? La prunelle était
éteinte ; plus de rayonnement. La larme aussi était tarie ;
elle ne s'amassait plus dans l'angle des paupières ; cet
œil pensif était sec. La tête du vieillard était toujours
tendue en avant ; le menton par moments remuait ; les
plis de son cou maigre faisaient de la peine. Quelquefois,
quand le temps était mauvais, il avait sous le bras un
parapluie, qu'il n'ouvrait point. Les bonnes femmes du
quartier disaient : C'est un innocent. Les enfants le suivaient en riant.

Jean Valjean mourant (Harry Baur).

Compréhension

• **« L'inséparable »**

1. *Pourquoi Jean Valjean a-t-il gardé les vêtements de Cosette ?*

2. *Connaissant le contenu de la mallette, quel autre sens pouvez-vous donner à « L'inséparable » ?*

• **Le sacrifice de Jean Valjean**

3. *Par quelles étapes progressives disparaît-il de la vie de Marius et Cosette ? Pour quelles raisons le fait-il à chaque fois ?*

4. *Qu'est-ce qui différencie le chapitre « Immortale jecur » (p. 277) des autres ? En quoi marque-t-il le passage à un sacrifice plus grand ?*

5. *En quoi Jean Valjean est-il « hors de la vie » (l. 109, p. 282) ?*

6. *Qui est désigné par cette périphrase* : « Le On qui est dans les ténèbres » (l. 37, p. 278) ? Expliquez-la. Identifie-t-on facilement ce « On » ? Pourquoi ?*

7. *Comment expliquez-vous la réaction de Marius ? Comment la jugez-vous ? Est-elle conforme à ce que nous savons du personnage ?*

Écriture

8. *À quels indices le lecteur comprend-il que le bras en écharpe est une ruse ? En connaît-il la raison ?*

9. *Pourquoi ignore-t-on la décision prise par Jean Valjean (chap. 4, p. 278) ? De quel point de vue* est racontée la scène ?*

10. *Relevez en deux colonnes les éléments qui composent le décor de Marius et Cosette et ceux qui constituent l'univers de Jean Valjean : lumière, couleurs, température... Que met en évidence la comparaison* des deux décors ?*

11. *Relevez le champ lexical* de la souffrance qui s'applique à Jean Valjean (au moins dans les chapitres 3 et 4, pp. 275 à 278). Quels mots indiquent l'intensité de cette souffrance ?*

12. *Quelle est la figure de style dans la phrase :* «le bonheur reconduisit jusqu'à la porte le désespoir» (l. 136-137, p. 283) ? *Expliquez-la.*

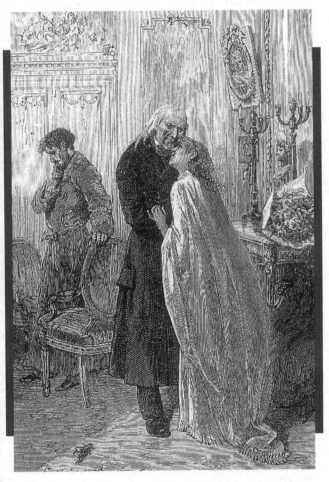

La Dernière Gorgée du calice, *dessin de Émile Bayard.*

LIVRE NEUVIÈME

Suprême ombre, suprême aurore

4

BOUTEILLE D'ENCRE QUI NE RÉUSSIT QU'À BLANCHIR

[Vers le milieu de l'été 1833, alors que Jean Valjean se meurt, désespéré d'avoir perdu Cosette, un homme fait un soir passer une lettre à Marius, annonçant qu'il a un secret à lui vendre. À l'odeur Marius reconnaît le papier des lettres de Jondrette : c'est en effet Thénardier qui s'introduit et s'imagine révéler la véritable identité du « père » de Cosette : Jean Valjean ! Si Marius connaît déjà cette prétendue nouvelle, en revanche il croit toujours l'ancien forçat coupable d'avoir volé M. Madeleine (l'enquête qu'il a menée ne lui a pas fait comprendre qu'il s'agit là du même homme) et tué Javert. Thénardier, un moment déconcerté, voit ici le moyen de reprendre l'avantage : il lui prouve, par des coupures de journaux, que l'innocence de Jean Valjean est totalement établie sur ces points-là.]

Marius ne put retenir un cri de joie :
– Eh bien alors, ce malheureux est un admirable homme ! toute cette fortune était vraiment à lui ! c'est Madeleine, la providence• de tout un pays ! c'est Jean
5 Valjean, le sauveur de Javert ! c'est un héros ! c'est un saint !
– Ce n'est pas un saint, et ce n'est pas un héros, dit Thénardier. C'est un assassin et un voleur.
Et il ajouta du ton d'un homme qui commence à se
10 sentir quelque autorité : – Calmons-nous.
Voleur, assassin, ces mots que Marius croyait disparus, et qui revenaient, tombèrent sur lui comme une douche de glace.

– Encore! dit-il.
15 – Toujours, fit Thénardier. Jean Valjean n'a pas volé
Madeleine, mais c'est un voleur. Il n'a pas tué Javert,
mais c'est un meurtrier.
– Voulez-vous parler, reprit Marius, de ce misérable vol
d'il y a quarante ans, expié, cela résulte de vos journaux
20 mêmes, par toute une vie de repentir, d'abnégation* et
de vertu?
– Je dis assassinat et vol, monsieur le baron. Et je répète
que je parle de faits actuels. Ce que j'ai à vous révéler est
absolument inconnu. [...]
25 Monsieur le baron, le 6 juin 1832, il y a un an environ,
le jour de l'émeute, un homme était dans le Grand Égout
de Paris, du côté où l'égout vient rejoindre la Seine,
entre le pont des Invalides et le pont d'Iéna.
Marius rapprocha brusquement sa chaise de celle de
30 Thénardier. Thénardier remarqua ce mouvement et
continua avec la lenteur d'un orateur qui tient son inter-
locuteur et qui sent la palpitation de son adversaire sous
ses paroles :
– Cet homme, forcé de se cacher, pour des raisons du
35 reste étrangères à la politique, avait pris l'égout pour
domicile et en avait une clef. C'était, je le répète, le
6 juin ; il pouvait être huit heures du soir. L'homme
entendit du bruit dans l'égout. Très surpris, il se blottit
et guetta. C'était un bruit de pas, on marchait dans
40 l'ombre, on venait de son côté. Chose étrange, il y avait
dans l'égout un autre homme que lui. La grille de sortie
de l'égout n'était pas loin. Un peu de lumière qui en
venait lui permit de reconnaître le nouveau venu et de
voir que cet homme portait quelque chose sur son dos. Il
45 marchait courbé. L'homme qui marchait courbé était un
ancien forçat, et ce qu'il traînait sur ses épaules était un
cadavre. Flagrant délit d'assassinat, s'il en fut. Quant au
vol, il va de soi ; on ne tue pas un homme gratis. Ce
forçat allait jeter ce cadavre à la rivière. Un fait à noter,
50 c'est qu'avant d'arriver à la grille de sortie, ce forçat, qui
venait de loin dans l'égout, avait nécessairement rencontré une fondrière* épouvantable où il semble qu'il
eût pu laisser le cadavre ; mais, dès le lendemain, les
égoutiers, en travaillant à la fondrière, y auraient

55 retrouvé l'homme assassiné, et ce n'était pas le compte
de l'assassin. Il avait mieux aimé traverser la fondrière•,
avec son fardeau, et ses efforts ont dû être effrayants, il
est impossible de risquer plus complètement sa vie ; je
ne comprends pas qu'il soit sorti de là vivant.

60 La chaise de Marius se rapprocha encore. Thénardier en
profita pour respirer longuement. Il poursuivit :
– Monsieur le baron, un égout n'est pas le Champ de
Mars. On y manque de tout, et même de place. Quand
deux hommes sont là, il faut qu'ils se rencontrent. C'est

65 ce qui arriva. Le domicilié et le passant furent forcés de
se dire bonjour, à regret l'un et l'autre. Le passant dit au
domicilié : – *Tu vois ce que j'ai sur le dos, il faut que je
sorte, tu as la clef, donne-la-moi.* Ce forçat était un
homme d'une force terrible. Il n'y avait pas à refuser.

70 Pourtant celui qui avait la clef parlementa, uniquement
pour gagner du temps. Il examina ce mort, mais il ne put
rien voir, sinon qu'il était jeune, bien mis, l'air d'un
riche, et tout défiguré par le sang. Tout en causant, il
trouva moyen de déchirer et d'arracher par derrière,

75 sans que l'assassin s'en aperçût, un morceau de l'habit
de l'homme assassiné. Pièce à conviction, vous comprenez ; moyen de ressaisir la trace des choses et de prouver
le crime au criminel. Il mit la pièce à conviction dans sa
poche. Après quoi il ouvrit la grille, fit sortir l'homme

80 avec son embarras sur le dos, referma la grille et se
sauva, se souciant peu d'être mêlé au surplus de l'aventure et surtout ne voulant pas être là quand l'assassin
jetterait l'assassiné à la rivière. Vous comprenez à
présent. Celui qui portait le cadavre, c'est Jean Valjean ;

85 celui qui avait la clef vous parle en ce moment ; et le
morceau de l'habit...
Thénardier acheva la phrase en tirant de sa poche et en
tenant, à la hauteur de ses yeux, pincé entre ses deux
pouces et ses deux index, un lambeau de drap noir

90 déchiqueté, tout couvert de taches sombres.
Marius s'était levé, pâle, respirant à peine, l'œil fixé sur
le morceau de drap noir et, sans prononcer une parole,
sans quitter ce haillon du regard, il reculait vers le mur
et, de sa main droite étendue derrière lui, cherchait en

95 tâtonnant sur la muraille une clef qui était à la serrure

d'un placard près de la cheminée. Il trouva cette clef, ouvrit le placard, et y enfonça son bras sans y regarder, et sans que sa prunelle effarée se détachât du chiffon que Thénardier tenait déployé.

100 Cependant Thénardier continuait :

– Monsieur le baron, j'ai les plus fortes raisons de croire que le jeune homme assassiné était un opulent étranger attiré par Jean Valjean dans un piège et porteur d'une somme énorme.

105 – Le jeune homme était moi, et voici l'habit ! cria Marius, et il jeta sur le parquet un vieil habit noir tout sanglant.

Puis, arrachant le morceau des mains de Thénardier, il s'accroupit sur l'habit, et rapprocha du pan déchiqueté

110 le morceau déchiré. La déchirure s'adaptait exactement, et le lambeau complétait l'habit.

[Marius, révélant qu'il a reconnu en Thénardier le Jondrette de jadis, se déchaîne contre lui et l'accuse de tous ses crimes. Mais, en même temps, il lui jette des billets à la tête car «Waterloo [le] protège», lui dit-il. Payant ainsi la dette de son père, il le somme de partir à New York avec sa fille, lui promettant pour là-bas vingt mille francs. Thénardier s'exécutera et, fidèle à sa mauvaise nature, y deviendra négrier.

Mais Marius, rongé de remords à cause de son ingratitude envers Jean Valjean, se précipite rue de l'Homme-Armé avec Cosette afin de lui témoigner sa reconnaissance s'il en est encore temps.]

5

NUIT DERRIÈRE LAQUELLE IL Y A LE JOUR

Au coup qu'il entendit frapper à sa porte, Jean Valjean se retourna.

– Entrez, dit-il faiblement.

La porte s'ouvrit. Cosette et Marius parurent.

5   Cosette se précipita dans la chambre.

Marius resta sur le seuil, debout, appuyé contre le montant de la porte.

– Cosette! dit Jean Valjean, et il se dressa sur sa chaise, les bras ouverts et tremblants, hagard, livide, sinistre,

10 une joie immense dans les yeux.

Cosette, suffoquée d'émotion, tomba sur la poitrine de Jean Valjean.

– Père! dit-elle.

Jean Valjean, bouleversé, bégayait :

15 – Cosette! elle! vous, madame! c'est toi! Ah mon Dieu!

Et, serré dans les bras de Cosette, il s'écria :

– C'est toi! tu es là! Tu me pardonnes donc!

Marius, baissant les paupières pour empêcher ses larmes de couler, fit un pas et murmura entre ses lèvres

20 contractées convulsivement pour arrêter les sanglots :

– Mon père!

– Et vous aussi, vous me pardonnez! dit Jean Valjean.

Marius ne put trouver une parole, et Jean Valjean ajouta : – Merci.

25 Cosette arracha son châle et jeta son chapeau sur le lit.

– Cela me gêne, dit-elle.

Et, s'asseyant sur les genoux du vieillard, elle écarta ses cheveux blancs d'un mouvement adorable, et lui baisa le front.

30 Jean Valjean se laissait faire, égaré.

Cosette, qui ne comprenait que très confusément, redoublait ses caresses, comme si elle voulait payer la dette de Marius.

[*Alors que Cosette fait des projets d'avenir avec Marius, l'état de Jean Valjean s'aggrave encore, malgré le bonheur qu'il éprouve à la revoir. Dans un dernier souffle, il explique comment son industrie de la verroterie lui a permis de gagner honnêtement ces six cent mille francs.*]

– Il ne faut donc pas s'étonner des six cent mille francs,

35 monsieur Pontmercy. C'est de l'argent honnête. Vous pouvez être riches tranquillement. Il faudra avoir une voiture, de temps en temps une loge aux théâtres, de

belles toilettes de bal, ma Cosette, et puis donner de
bons dîners à vos amis, être très heureux. J'écrivais tout
40 à l'heure à Cosette. Elle trouvera ma lettre. C'est à elle
que je lègue les deux chandeliers qui sont sur la cheminée. Ils sont en argent ; mais pour moi ils sont en or, ils
sont en diamant ; ils changent les chandelles qu'on y
met, en cierges. Je ne sais pas si celui qui me les a
45 donnés est content de moi là-haut. J'ai fait ce que j'ai
pu. Mes enfants, vous n'oublierez pas que je suis un
pauvre, vous me ferez enterrer dans le premier coin de
terre venu sous une pierre pour marquer l'endroit. C'est
là ma volonté. Pas de nom sur la pierre. Si Cosette veut
50 venir un peu quelquefois, cela me fera plaisir. Vous
aussi, monsieur Pontmercy. Il faut que je vous avoue que
je ne vous ai pas toujours aimé ; je vous en demande
pardon. Maintenant, elle et vous, vous n'êtes plus qu'un
pour moi. Je vous suis très reconnaissant. Je sens que
55 vous rendez Cosette heureuse. Si vous saviez, monsieur
Pontmercy, ses belles joues roses, c'était ma joie ; quand
je la voyais un peu pâle, j'étais triste. Il y a dans la
commode un billet de cinq cents francs. Je n'y ai pas
touché. C'est pour les pauvres. Cosette, vois-tu la petite
60 robe, là, sur le lit ? la reconnais-tu ? Il n'y a pourtant que
dix ans de cela. Comme le temps passe ! Nous avons été
bien heureux. C'est fini. Mes enfants, ne pleurez pas, je
ne vais pas très loin. Je vous verrai de là. Vous n'aurez
qu'à regarder quand il fera nuit, vous me verrez sourire.
65 Cosette, te rappelles-tu Montfermeil ? Tu étais dans le
bois, tu avais bien peur ; te rappelles-tu quand j'ai pris
l'anse du seau d'eau ? C'est la première fois que j'ai touché ta pauvre petite main. Elle était si froide ! Ah ! vous
aviez les mains rouges dans ce temps-là, mademoiselle,
70 vous les avez bien blanches, maintenant. Et la grande
poupée ! te rappelles-tu ? Tu la nommais Catherine. Tu
regrettais de ne pas l'avoir emmenée au couvent !
Comme tu m'as fait rire des fois, mon doux ange !
Quand il avait plu, tu embarquais sur les ruisseaux des
75 brins de paille, et tu les regardais aller. Un jour, je t'ai
donné une raquette en osier, et un volant avec des
plumes jaunes, bleues, vertes. Tu l'as oublié, toi. Tu étais
si espiègle toute petite ! Tu jouais. Tu te mettais des

cerises aux oreilles. Ce sont là des choses du passé. Les
80 forêts où l'on a passé avec son enfant, les arbres où l'on
s'est promené, les couvents où l'on s'est caché, les jeux,
les bons rires de l'enfance, c'est de l'ombre. Je m'étais
imaginé que tout cela m'appartenait. Voilà où était ma
bêtise. Ces Thénardier ont été méchants. Il faut leur par-
85 donner. Cosette, voici le moment venu de te dire le nom
de ta mère. Elle s'appelait Fantine. Retiens ce nom-là :
Fantine. Mets-toi à genoux toutes les fois que tu le pro-
nonceras. Elle a bien souffert. Et t'a bien aimée. Elle a
eu en malheur tout ce que tu as en bonheur. Ce sont les
90 partages de Dieu. Il est là-haut, il nous voit tous, et il sait
ce qu'il fait au milieu de ses grandes étoiles. Je vais donc
m'en aller, mes enfants. Aimez-vous bien toujours. Il n'y
a guère autre chose que cela dans le monde : s'aimer.
Vous penserez quelquefois au pauvre vieux qui est mort
95 ici. Ô ma Cosette ! ce n'est pas ma faute, va, si je ne t'ai
pas vue tous ces temps-ci, cela me fendait le cœur ; j'allais jusqu'au coin de la rue, je devais faire un drôle d'effet aux gens qui me voyaient passer, j'étais comme fou,
une fois je suis sorti sans chapeau[1]. Mes enfants, voici
100 que je ne vois plus très clair, j'avais encore des choses à
dire, mais c'est égal. Pensez un peu à moi. Vous êtes des
êtres bénis. Je ne sais pas ce que j'ai, je vois de la
lumière. Approchez encore. Je meurs heureux. Donnez-
moi vos chères têtes bien-aimées, que je mette mes
105 mains dessus.
Cosette et Marius tombèrent à genoux, éperdus, étouffés
de larmes, chacun sur une des mains de Jean Valjean.
Ces mains augustes• ne remuaient plus.
Il était renversé en arrière, la lueur des deux chandeliers
110 l'éclairait ; sa face blanche regardait le ciel, il laissait
Cosette et Marius couvrir ses mains de baisers ; il était
mort.
La nuit était sans étoiles et profondément obscure. Sans
doute, dans l'ombre, quelque ange immense était
115 debout, les ailes déployées, attendant l'âme.

---

1. *sans chapeau* : les bourgeois de l'époque se devaient de porter un chapeau.

6

L'HERBE CACHE ET LA PLUIE EFFACE

Il y a, au cimetière du Père-Lachaise[1], aux environs de la fosse commune[2], loin du quartier élégant de cette ville des sépulcres•, loin de tous ces tombeaux de fantaisie qui étalent en présence de l'éternité les hideuses modes
5 de la mort, dans un angle désert, le long d'un vieux mur, sous un grand if auquel grimpent les liserons, parmi les chiendents et les mousses, une pierre. Cette pierre n'est pas plus exempte[3] que les autres des lèpres[4] du temps, de la moisissure, du lichen, et des fientes[5] d'oiseaux.
10 L'eau la verdit, l'air la noircit. Elle n'est voisine d'aucun sentier, et l'on n'aime pas aller de ce côté-là, parce que l'herbe est haute et qu'on a tout de suite les pieds mouillés. Quand il y a un peu de soleil, les lézards y viennent. Il y a, tout autour, un frémissement de folles avoines. Au
15 printemps, les fauvettes chantent dans l'arbre.
Cette pierre est toute nue. On n'a songé en la taillant qu'au nécessaire de la tombe, et l'on n'a pris d'autre soin que de faire cette pierre assez longue et assez étroite pour couvrir un homme.
20 On n'y lit aucun nom.
Seulement, voilà de cela bien des années déjà, une main y a écrit au crayon ces quatre vers qui sont devenus peu à peu illisibles sous la pluie et la poussière, et qui probablement sont aujourd'hui effacés :

25   Il dort. Quoique le sort fût pour lui bien étrange,
        Il vivait. Il mourut quand il n'eut plus son ange ;
        La chose simplement d'elle-même arriva,
        Comme la nuit se fait lorsque le jour s'en va.

---

1. *cimetière du Père-Lachaise* : cimetière parisien situé dans les quartiers nord-est.
2. *fosse commune* : endroit où sont ensevelis tous ceux qui n'ont pas les moyens de payer un enterrement et d'acheter une place dans le cimetière.
3. *exempte* : qui est préservée, qui ne subit pas.
4. *lèpres* : taches qui creusent une surface.
5. *fientes* : excréments.

Questions

Compréhension

• **Thénardier (chap. 4)**

1. *Comment tous ses propos se retournent-ils en preuves d'innocence pour Jean Valjean et en accusations contre lui-même ?*

2. *Récapitulez ses noms, fonctions et lieux d'habitation au cours du récit ; qu'y a-t-il en revanche de permanent en lui ?*

3. *Pourquoi ne progresse-t-il pas vers le bien ? Quel sens cela prend-il dans l'économie du roman ?*

• **Le pardon de Jean Valjean (chap. 5)**

4. *De quoi demande-t-il pardon ? Que prouve ce chapitre sur son évolution envers Marius et Cosette ? Comment expliquer cette évolution ?*

5. *À votre avis, n'y a-t-il que lui qui ait quelque chose à se faire pardonner ? Pour quelles raisons cet autre pardon n'est-il pas exprimé ?*

• **L'épitaphe (chap. 6)**

6. *Quels aspects de la vie de Jean Valjean ont été retenus dans l'épitaphe ? Par quels mots sont-ils évoqués ?*

7. *Quels aspects ont été passés sous silence ? Pourquoi ?*

Écriture

8. *Que font espérer les titres du livre neuvième, des chapitres 4 et 5 ? Que penser alors du dernier titre ? Où retrouve-t-on le mot « ombre » dans le chapitre 5 ? Commentez son sens.*

9. *Quels procédés du roman policier sont utilisés au chapitre 4 ?*

10. *Quelle période du passé Jean Valjean se remémore-t-il ? Dans quels autres chapitres en avait-il été de même ? Pourquoi cette préférence ?*

11. *Quels temps du passé sont utilisés ? Justifiez-les.*

12. *Quel chapitre est surtout écrit au présent ? Quelle valeur a ce temps ici ?*

13. *Comment faut-il comprendre le verbe* «s'aimer» *dans la phrase :* «Il n'y a guère autre chose que cela dans le monde : s'aimer» *(l. 92-93, p. 294)* ?

FUNÉRAILLES DE VICTOR HUGO
A LOUER
60 PLACES
AU PREMIER ETAGE
Boulevard Saint-Germain
En face l'École de Médecine
S'ADRESSER : 14, RUE DU HELDER, 14

Bilan

L'action

1. L'histoire d'une conscience
Jean Valjean est le personnage central autour duquel le roman s'organise. Il est d'abord le misérable détruit psychologiquement et moralement par la société. Grâce à Mgr Myriel il reconquiert sa dignité, non sans devoir affronter de graves crises de conscience. Retrouvez cinq moments où il doit choisir entre ce qu'il sait être le bien et son intérêt personnel.

2. Les cercles de la misère
Plus que l'histoire personnelle de Jean Valjean, le roman est la dénonciation de toute la misère du peuple.
a) Quels personnages évoquent la misère des femmes ? celle des enfants ? Quels passages évoquent les crimes auxquels les hommes sont conduits et les peines qui s'ensuivent ?
b) L'action progresse-t-elle, soit dans le sens d'une amélioration du sort des misérables, soit dans le sens d'une dégradation ? Répondez en considérant l'évolution des personnages principaux.

3. L'Histoire
Les deux années les plus déterminantes pour l'action correspondent à d'importants événements historiques : en quelle année Jean Valjean rencontre-t-il Mgr Myriel ? Où et quand presque tous les personnages vont-ils se retrouver dans la quatrième partie ?

Les personnages

4. Avoir un nom
Symbole de leur exclusion de la société, les misérables n'ont pas de nom : parfois des noms d'emprunt dont ils doivent changer faute de pouvoir assumer leur véritable identité, parfois pas de nom de famille, définitivement ou temporairement ; parfois ils n'ont plus de nom du tout. Rappelez les personnages qui sont dans ce cas en précisant, si nécessaire, à quel moment du récit.

5. Des héros romantiques
En quoi la plupart des personnages ont-ils en commun un dévouement romantique* à un idéal ou à un être aimé ?

6. Dieu
Hugo a écrit que le premier personnage de son livre était « l'infini ». À quels moments du récit la présence d'un Dieu près des héros* est-elle nettement évoquée ? Qu'est-ce qui, dans le plan

même du roman, montre l'importance que Hugo attache à cette dimension religieuse ?

Le message de l'auteur

7. « Le livre que le lecteur a sous les yeux en ce moment, c'est, d'un bout à l'autre, dans son ensemble et dans ses détails, quelles que soient les intermittences, les exceptions ou les défaillances, la marche du mal au bien » *(V, I, 20).*
Discutez cette affirmation de Hugo sur son propre livre.

8. *Pensez-vous, comme le souhaitait Hugo dans l'exergue, que ce roman peut « ne pas être inutile » ? Justifiez votre réponse.*

9. *Quelles phrases frappantes auriez-vous relevées comme étant caractéristiques de la pensée de l'auteur ?*

L'écriture

10. *Pour plaire au lecteur, Hugo a le souci de la variété : alterner l'action, la description, les dialogues, la réflexion ; à l'intérieur même d'un chapitre, alterner longs paragraphes et brefs alinéas*. Il «découpe» son récit et l'organise, comme au cinéma, en un montage qui permet de mener plusieurs actions de front. Pour ménager des rebondissements, il utilise des retours en arrière et des coups de théâtre. Pour émouvoir, il décrit des situations et des personnages pathétiques*.*
Donnez au moins un exemple de chacune des caractéristiques énoncées ci-dessus.

11. *Ce roman vous semble-t-il être une épopée* ? Pourquoi ?*

DATES	ÉVÉNEMENTS HISTORIQUES	ÉVÉNEMENTS CULTURELS
1802		Chateaubriand, *René*, *Génie du christia-nisme*.
1804	Sacre de Napoléon Iᵉʳ.	Beethoven, *Symphonie Héroïque*.
1805	Bataille d'Austerlitz.	
1815	Bataille de Waterloo. Les Cent-Jours. Restauration : Louis XVIII.	Géricault, *Le Radeau de la Méduse* (pein-ture romantique, 1819).
1825	Sacre de Charles X.	
1830	Révolution. Louis-Philippe, roi des Fran-çais.	Stendhal, *Le Rouge et le Noir* (roman).
1833		Balzac, *Eugénie Grandet* (roman).
1835		Vigny, *Chatterton* (théâtre romantique)
1843		Poe, *Le Scarabée d'or* (fantastique).
1845		Dumas, *Le Comte de Monte-Cristo* (roman).
1848	Révolution : Seconde République. Prési-dence de Louis-Napoléon Bonaparte. Adoption du suffrage universel.	Marx et Engels, *Manifeste du Parti communiste*.
1851	2 déc. : coup d'État de L.-N. Bonaparte.	Verdi, *Rigoletto* (opéra).
1852	Second Empire : L.-N. Bonaparte devient Napoléon III.	
1853		Michelet achève son *Histoire de la Révo-lution française*.
1856		Pasteur combat la théorie de la généra-tion spontanée.
1857		Baudelaire, *Les Fleurs du Mal* (poésie)
1859		Darwin, *De l'origine des espèces*.
1864	Création à Londres de la Iʳᵉ Internatio-nale des Travailleurs autour de Marx.	Edison invente le télégraphe duplex.
1865		Wagner, *Tristan et Isolde* (opéra).
1866		Verlaine, *Poèmes saturniens*.
1868	Mesures libérales en France sur la presse et les réunions.	
1869	Inauguration du canal de Suez.	Flaubert, *L'Éducation sentimentale* (roman).
1870	Défaite de Sedan. Chute de Napoléon III. Troisième République.	
1871	La Commune, gouvernement révolution-naire populaire ; Thiers, représentant légal de la république, réprime l'insurrec-tion de façon sanglante.	Zola, *Les Rougon-Macquart* (romans naturalistes). Rimbaud, *Le Bateau ivre* (poésie).
1874		Monet, *Impression, soleil levant* (peinture donnant son nom à l'impressionnisme)
1876	Lois sur la liberté de la presse.	
1881	Loi Jules Ferry sur la gratuité de l'en-seignement primaire.	

VIE ET ŒUVRE DE VICTOR HUGO	DATES
Naissance de Victor Hugo à Besançon, où son père, militaire, est momentanément affecté.	1802
Enfance à Paris avec sa mère, puis en pension après la mésentente et la séparation de ses parents.	1804
Création littéraire précoce et abondante (poésie, théâtre).	1815
Mariage avec Adèle Foucher. Ils auront quatre enfants.	1822
Préface de *Cromwell*, manifeste du théâtre romantique.	1827
Hernani (théâtre).	1830
Notre-Dame de Paris (roman) ; *Les Feuilles d'automne* (poésie).	1831
Rencontre de Juliette Drouet ; début d'une liaison qui durera jusqu'à la mort de Juliette (1883), malgré d'autres aventures épisodiques.	1833
Les Chants du crépuscule (poésie).	1835
Les Voix intérieures (poésie).	1837
Ruy Blas (théâtre).	1838
Les Rayons et les Ombres (poésie).	1840
Les Burgraves (théâtre). Mort de sa fille, Léopoldine (19 ans).	1843
Nommé pair de France.	1845
Élu député, il prononce de nombreux discours. Il vote à gauche et soutient Louis-Napoléon.	1848
Opposé au coup d'État, il doit s'exiler à Jersey, puis à Guernesey (jusqu'en 1870).	1851
Châtiments (poèmes écrits contre Napoléon III).	1853
Les Contemplations (poésie).	1856
La Légende des siècles (poésie).	1859
Les Misérables.	1862
Les Chansons des rues et des bois (poésie).	1865
Les Travailleurs de la mer (roman).	1866
L'Homme qui rit (roman).	1869
Retour triomphal de Victor Hugo à Paris.	1870
Élu député. Il condamne les violences de la Commune mais donne asile à des révolutionnaires fugitifs.	1871
L'Année terrible (poèmes sur les événements de la Commune).	1872
Quatrevingt-treize (roman).	1874
Élu sénateur.	1876
L'Art d'être grand-père (poésie) ; *La Légende des siècles* (second volume de ses poèmes).	1877
Mort de Victor Hugo à Paris. Des funérailles nationales sont célébrées.	1885

GAGNER SA VIE

Jusqu'à la révolution industrielle, «écrivain» n'était pas une profession. Les ouvrages les plus célèbres étaient imprimés à quelques milliers d'exemplaires, et un auteur ne pouvait guère gagner sa vie. Pour se consacrer à la littérature, il devait avoir des biens de famille, ou se faire «protéger» (c'est-à-dire entretenir) par un admirateur aisé, ou encore obtenir une charge d'État correctement rémunérée et pas trop prenante. Du fait de l'évolution prodigieuse des techniques d'imprimerie, il devient possible de produire pour bien moins cher beaucoup plus de livres (plus de cent mille exemplaires), que le progrès des transports diffuse rapidement, non seulement en France mais, après traduction, dans toute l'Europe et aux États-Unis.

La profession d'éditeur s'organise, et les auteurs vont négocier leurs contrats. Ils cèdent généralement leur production pour une somme forfaitaire, d'un montant très variable selon les ventes espérées : quelques centaines de francs pour une œuvre dont on espère peu, mais 300 000 F pour *Les Misérables*! À titre de comparaison, sachez qu'un ouvrier gagnait environ 600 F par an et un petit fonctionnaire 1 500 F.

À la fin du siècle, les auteurs réclament une rémunération au pourcentage, plus juste en cas de vente importante inattendue. L'éditeur Charpentier propose, en 1883, un pourcentage entre 11 et 12 %. Ce même Charpentier accepte, concernant Émile Zola, un troisième système : une rente de 500 F contre l'engagement de livrer deux volumes par an. Comme on le voit par les chiffres ci-dessus, la profession d'écrivain n'est pas très sûre financièrement : on peut gagner beaucoup mais aussi très peu. De Lamartine à Baudelaire, la plupart connurent des problèmes d'argent et souvent même la misère. C'est que les obstacles à la vente sont nombreux.

ÉVITER LA CENSURE

La censure religieuse et politique a encore été renforcée après 1851. On exclut de l'Université les professeurs qui «pensent mal» (les socialistes et les matérialistes qui expliquent le monde sans Dieu) et, pour plus de sûreté, on s'efforce de les empêcher tous de penser : l'agrégation de philosophie sera supprimée jusqu'en 1863. Pour vendre des livres, il faut une autorisation, et tout texte imprimé circulant dans un département doit recevoir du préfet une estampille (marque équivalant à un laissez-passer). Certains passages du roman de Flaubert, *Madame Bovary*, sont considérés comme indécents, et la publication n'est autorisée que tronquée (1856). Au terme d'un procès, l'auteur est cependant acquitté, et la version intégrale sort l'année suivante. C'est un succès commercial, mais seul l'éditeur en profite, l'auteur ayant, au mauvais moment, vendu ses droits pour 800 F. En 1857, Baudelaire est également condamné à la suppression de certains poèmes des *Fleurs du Mal* et à 300 F d'amende pour « *offense à la morale publique et aux bonnes mœurs* ».

En 1862, l'éditeur des *Misérables*, M. Lacroix, est lui aussi très inquiet : les chapitres sur les barricades « passeront-ils » ? Hugo tient bon. Le succès des premiers volumes est tel que le gouvernement n'ose pas interdire les derniers. Mais peu s'en est fallu : la pièce tirée du roman sera, elle, censurée.

Cette situation fait prospérer les éditions belges qui, fort bien équipées techniquement, diffusent les écrits des intellectuels exilés. Hugo fait imprimer à Bruxelles *Châtiments* et *Les Contemplations*; *La Légende des siècles* et *Les Misérables* paraissent en même temps à Bruxelles et à Paris.

PLAIRE AU GRAND PUBLIC

Pour vendre, il faut aussi plaire à un nouveau public, beaucoup plus large. En 1801, 10 % des jeunes appelés au service militaire savent lire; en 1865, on en compte 73 % et 94 % en 1901. Les livres sont encore chers pour beaucoup (3 F les plus petits, soit environ un jour et demi de travail ouvrier), mais il existe des « cabinets » (bibliothèques) et la presse entreprend la publication très appréciée de romans-feuilletons que les plus démunis parviennent à lire : le même exemplaire du journal circule entre plusieurs personnes! Ces histoires en épisodes sont les plus appréciées de cette nouvelle masse de lecteurs, encore peu cultivée, à la recherche d'action et d'émotions fortes. *Les Mystères de Paris* d'Eugène Sue ont été le plus grand succès du genre : passionnés, les lecteurs écrivaient à l'auteur pour lui indiquer comment, selon eux, l'histoire devrait progresser dans les épisodes à venir...

Pour écrire un roman-feuilleton, il faut être capable de livrer des épisodes à date fixe et savoir tenir le lecteur en haleine. Soulié, Dumas, Sue, Ponson du Terrail (*Rocambole*) furent des maîtres du genre, tandis que des auteurs plus « profonds » comme Balzac ou George Sand s'y essayèrent sans grande réussite. D'autres méprisèrent ce genre trop facile et commercial. Hugo y avait pensé quelque temps pour *Les Misérables*, mais on le lui déconseilla, en particulier à cause de la censure : la presse était encore plus surveillée que les livres, et une parution en épisodes risquait une interdiction à tout moment.

PLAIRE À SES PAIRS : ROMANTIQUES ET RÉALISTES

Au-delà de la réussite matérielle, le véritable écrivain recherche surtout un mode d'expression original et riche, et une reconnaissance par le public cultivé et les autres auteurs. Sur ce plan, la bataille romantique et la domination progressive du courant réaliste ont marqué le XIXe siècle. Le jeune Hugo est le chef de file du *cénacle*, groupe d'artistes romantiques à cheveux longs qui exaltent les passions, se plaisent dans les ruines, les orages et l'expression du mal de vivre. Leurs œuvres sont pleines d'antithèses*, de monstres ténébreux et d'idéaux éclatants, de grotesque et de sublime! Le romantisme est une réaction contre la domination des sentiments par la raison, qui était le propre du classicisme antérieur, et une remise en cause salutaire de règles qui avaient fait leur temps. Le roman-feuilleton en est issu, et presque tous les grands auteurs du siècle furent marqués par ce grand souffle d'air.

Le réalisme est une sorte de rappel à la nécessaire discipline en même temps qu'une exigence de l'esprit du temps, porté à la science et à l'étude sociale. L'auteur réaliste tend à l'objectivité : il écrit à partir de faits réels sur lesquels il se documente ; il traite de tous les sujets, même ceux qui semblent peu héroïques ou peu attrayants; il s'interdit les interventions subjectives* dans le récit.

Réalisme et romantisme peuvent sembler en opposition, mais on trouve fréquemment chez les romanciers la conjugaison des deux courants. Dans *Les Misérables*, de nombreux procédés réalistes (par exemple l'utilisation d'une documentation précise) sont utilisés au service d'idées romantiques. Car Hugo, par son goût des fortes antithèses et sa croyance en Dieu et en l'Idéal, restera essentiellement romantique. En revanche, Stendhal, Balzac et Flaubert s'intéresseront davantage au réalisme, qui les oblige à sortir de leur propre personnalité pour observer et imaginer ce que les autres peuvent penser et éprouver. Flaubert, pendant qu'il écrivait *Madame Bovary*, ne déclarait-il pas : «*Madame Bovary, c'est moi!*»

Après 1850, la mode sera nettement au réalisme, et la fin du siècle verra s'imposer d'autres grands auteurs comme Zola ou Maupassant. En 1862, le romantisme des *Misérables* est un peu décalé par rapport aux tendances du milieu littéraire, et l'on reprochera à Hugo son goût de l'«*énorme*» et la force d'un style et d'une imagination débridés.

LA PENSÉE SOCIALE AU XIXe SIÈCLE

La misère ouvrière est grande, et, sur la lancée de 1789, de nombreux intellectuels français adoptent des positions progressistes face à des régimes conservateurs.

Les idées socialistes se développent. Saint-Simon (1760-1825) s'en prend à tous les propriétaires-rentiers, qu'il traite de « *frelons* » inutiles à la société, par opposition aux « *abeilles* » que sont les travailleurs productifs. Charles Fourier (1772-1837), philosophe et économiste, rêve d'une organisation collective de la production qui assurerait à chaque ouvrier des tâches agréables et épanouissantes, imaginant même que la distinction travail/vacances pourrait disparaître ! D'une manière plus réaliste, Proudhon (1809-1865) expose les idées très modernes de coopératives, d'autogestion, de régionalisation.

D'autres sont seulement républicains. Un prêtre, Lamennais, fonde en 1830 le journal *L'Avenir*, dans lequel il critique le soutien que l'Église, peu soucieuse de vraie charité, a toujours apporté aux princes qui gouvernent. Lamartine, poète et homme politique, fait en 1856 une description horrifiée des maisons des canuts lyonnais, ces ouvriers de la soie qui s'étaient pourtant violemment révoltés en 1831.

L'ENGAGEMENT PERSONNEL
CONTRE LA MISÈRE

Hugo ne remet pas en cause toute l'organisation économique et sociale, comme les socialistes – et il n'a même pas toujours été « de gauche » (il écrivit, en 1825, une ode pour le sacre de Charles X !). Ce n'est qu'en 1848 qu'il se déclare républicain, et ses idées s'affirment alors suffisamment pour que le coup d'État instaurant le second Empire le contraigne à un long exil. Mais, au-delà de ses prises de position politique, Hugo a toujours été sensible aux injustices sociales et à la misère. Il a, à vingt ans, une correspondance suivie avec Lamennais, et bien des œuvres, des discours, des comportements témoignent, avant *Les Misérables*, d'un engagement en faveur du peuple.

• En 1829, il fait scandale avec *Le Dernier Jour d'un condamné* (journal imaginaire d'un condamné à mort avant son exécution) où il dénonce les causes sociales du crime et l'inhumanité de la justice.

• En 1834, il récidive sur le même thème avec *Claude Gueux* (cf. p. 324).

• En 1849, il prononce à l'Assemblée un discours sur la Misère (cf. p. 326) et soutient un projet d'enquête sur la pauvreté.

• En 1861, en exil à Guernesey, il instaure, chez lui, le « Dîner des enfants pauvres », œuvre charitable qui s'étendra ensuite à l'étranger. Plus généralement, ses livres de comptes, qu'en bon bourgeois il tenait très exactement à jour, montrent qu'il consacra toujours une partie de ses revenus à soulager la misère.

SITUATION DU ROMAN
DANS LES ANNÉES 1860

Le siècle de Hugo voit l'essor du roman, genre qui laisse à l'auteur une liberté d'écriture beaucoup plus grande que la poésie (versification) ou même le théâtre (impératifs de la mise en scène). Genre agréable aussi pour les lecteurs, séduits par les intrigues à rebondissements. Parallèlement à ses œuvres engagées, Hugo a écrit, en 1831, un chef-d'œuvre du roman historique, *Notre-Dame de Paris*. D'autres grands romanciers commencent leur carrière : Stendhal, Balzac, George Sand... Tous ces écrivains abordent les problèmes sociaux, bien que de manières diverses et pas nécessairement dans un sens militant. Stendhal présente dans *Le Rouge et le Noir* (1830) un jeune homme pauvre que son ambition perdra et qui accusera violemment la société de son échec ; Balzac peint la société de son temps, mais sans prise de position progressiste ; George Sand, en revanche, influencée comme Hugo par Lamennais, écrit quelques œuvres d'inspiration sociale (*Le Compagnon du Tour de France*, 1841).
D'autres auteurs, Dumas par exemple, séduisent le public populaire avec des romans d'aventure qu'ils publient en épisodes dans les journaux. Et quand le roman-feuilleton, lu par le peuple, se met à parler du peuple, de la misère et de la criminalité des faubourgs, de filles perdues et de cabarets louches, le succès devient phénoménal : tel fut celui des *Mystères de Paris* d'Eugène Sue (1842-1843), lu, d'ailleurs, dans toutes les classes de la société.
Enfin, un ouvrage très particulier eut, à lui seul, une grande influence en mettant le forçat à la mode. En 1828 sont parus les *Mémoires* de Vidocq, ancien bagnard entré dans la police et reconverti un temps dans l'industrie du papier. Cette histoire, peu banale et illustrant les passerelles possibles entre la société et ses bas-fonds, a largement inspiré les romanciers populaires mais aussi les autres : c'est Vidocq que Balzac décrit sous le nom de Vautrin dans *Le Père Goriot* (1835) et *Illusions perdues* (1837-1843), et si Hugo ne fait pas entrer Jean Valjean dans la police, le modèle de l'industrie papetière se retrouve dans la manufacture de M. Madeleine.

306

LE TRAVAIL DE CRÉATION

Hugo a conçu très tôt, dès 1828, le projet d'un roman sur la misère. Il rassemble toute une documentation sur Mgr Miollis, un vénérable évêque de Digne qui servira de modèle pour Mgr Bienvenu ; il visite les bagnes de Brest et de Toulon, recueille des témoignages sur la vie des prisonniers (il est en relation avec l'ancien forçat René Journet), sélectionne des coupures de presse ; il se documente sur les verroteries noires et sur les couvents.

En 1845, il commence la rédaction d'un roman qui doit s'intituler *Les Misères*. Si Hugo a toujours cru que l'écrivain devait être engagé dans les problèmes de son siècle, c'est une raison plus terre-à-terre qui le pousse au travail à ce moment précis : Eugène Sue venant de faire un triomphe avec *Les Mystères de Paris,* il s'agit d'écrire quelque chose du même genre, un peu plus relevé du point de vue littéraire, mais qui puisse avoir un retentissement comparable.

Le héros est un ancien forçat, Jean Tréjean. Les personnages de Mgr Myriel, de Fantine et de Cosette existent déjà. Hugo rédige en puisant dans tous les documents accumulés, mais aussi dans sa propre expérience : le 9 janvier 1841, dans une rue de Paris, il a vu un jeune homme bien habillé mettre une boule de neige dans le dos d'une fille qui arpentait le trottoir ; cris, bagarre, intervention de la police ; emmenée au poste, la prostituée ne fut relâchée que grâce à l'intervention de Victor Hugo lui-même, académicien connu. L'incident se retrouve déjà très exactement dans l'épisode de l'altercation entre Fantine et M. Bamatabois.

Ce travail est interrompu par la révolution de 1848.

Exilé, Hugo se consacre à la poésie. Il ne se remet véritablement à son roman qu'en 1860. Le contexte a changé ; sa philosophie, ses conceptions sociales et politiques se sont approfondies. Tout le manuscrit est à revoir. Il relit, transforme, complète encore ses informations (sur les rues de Paris, en particulier) et, surtout, sans rien ôter des procédés qui maintiennent l'intérêt (suspense, rebondissements...), il ajoute des chapitres qui enrichissent le sens de l'œuvre : l'ABC, le bas-fond, la cadène... Les six volumes envisagés initialement sont désormais au nombre de dix ! Ils paraissent enfin, en trois livraisons échelonnées, au cours de l'année 1862. Le succès est immédiat, et le roman est tout de suite traduit en plusieurs langues.

	Modification 1	Modification 2
	• Acte de générosité et de pardon de Mgr Myriel.	• Affaire Champmathieu : la loi et sa conscience s'opposent au bonheur de Jean Valjean.
SITUATION INITIALE	**Situation 2**	**Situation 3**
• Misère qui conduit au vol. • La loi punit et exclut le coupable : bagne. • Perte du sens moral et haine de la société pour Jean Valjean.	• Amélioration individuelle / déséquilibre légal. Jean Valjean – M. Madeleine retrouve le sens moral et se réinsert socialement / situation illégale : rupture de ban•.	• Dégradation individuelle / équilibre légal. Retour au bagne ; exclusion sociale et sens moral en danger.

1815	1817-1818	1823	1827-1830
• Mgr Myriel aide Jean Valjean.	• Fantine est abandonnée par son amant. • Cosette est confiée aux Thénardier.	• Fantine est secourue par Jean Valjean puis meurt. • Jean Valjean adopte Cosette.	• Présentation de Marius, qui fréquente Gavroche et les amis de l'ABC. • Il voit Cosette et Jean Valjean au Luxembourg.

À PROPOS DE L'ŒUVRE

DE JEAN VALJEAN

Modification 3	Modification 4	Modification 5
• Évasion de Jean Valjean et adoption de Cosette.	• Amour de Marius et de Cosette. • Sacrifice de Jean Valjean. • Préjugés de Marius.	• Révélations de Thénardier.
Situation 4	**Situation 5**	**SITUATION FINALE**
• Amélioration individuelle / déséquilibre légal. Le héros survit socialement, bien que caché ; son sens moral se réaffirme, et il est heureux sentimentalement / forçat évadé recherché par Javert.	• Dégradation individuelle / quasi-équilibre social. Jean Valjean seul / Javert a « déraillé » et renoncé à l'arrêter, mais l'ancien forçat ne peut prétendre à une vie sociale normale (exclu par Marius).	• Disparition du héros : Jean Valjean n'a pas retrouvé de place dans la société, mais il meurt dans la paix du cœur (retour de Cosette et Marius) et de la conscience (un ange attend son âme).

QUI SE CROISENT

1831-1832	juin 1832	février 1833	juin 1833
• Amour de Cosette et Marius. • Guet-apens Thénardier – Patron-Minette contre Jean Valjean, sous les yeux de Marius.	• Sur les barricades : mort de Gavroche et des amis de l'ABC. • Jean Valjean sauve Marius.	• Mariage de Cosette et de Marius. • Exclusion de Jean Valjean.	• Révélations de Thénardier. • Mort de Jean Valjean entouré de Cosette et de Marius.

LE JOURNAL AMUSANT

JOURNAL ILLUSTRÉ,

Journal d'images, journal comique, critique, satirique.

Créé par *CH. PHILIPON*, fondateur du *Charivari*, de la *Caricature*, des *Modes Parisiennes*, de la *Toilette de Paris*, etc.

LES MISÉRABLES DE VICTOR HUGO

LUS, MÉDITÉS, COMMENTÉS ET ILLUSTRÉS

par CHAM.

1re PARTIE.

Jean Valjean et M. Myriel faisant un steeple chase sur l'arbre du Bien et du Mal.

Caricature des Misérables *parue dans un journal illustré de 1862.*

À LA PARUTION DE L'ŒUVRE

Les Misérables était un roman attendu : le livre d'un proscrit est toujours un événement. Il eut un succès prodigieux mais il attira, dès sa parution, autant d'éloges enthousiastes que de critiques féroces : ce livre dérangeait. Les cinq parties n'ayant pas été publiées simultanément, comme pour un feuilleton, on attendait la suite. Voici un témoignage montrant l'enthousiasme du public :

> Le 15 mai 1862, avant six heures du matin, une foule compacte encombrait la rue de Seine devant un magasin encore fermé ; elle grossissait sans cesse et l'attente la rendait bruyante et même tumultueuse. On criait, on jouait des coudes, on se bousculait, on se battait même, car chacun voulait prendre la meilleure place, tout près de l'entrée [...]. Les boutiquiers sortaient, effarés, pour se renseigner, se demandant si ce n'était pas le prélude d'une émeute.
> [...]
> Le magasin qu'on voulait assiéger était bien inoffensif : on n'y vendait que des livres. C'était la librairie Pagnerre. [...]
> À six heures et demie, on descendit pour essayer d'ouvrir la porte du magasin, mais la pression de la foule rendait l'opération difficile. Enfin, au bout de quelques minutes, on ouvrit. Le spectacle qui s'offrait aux visiteurs était assez imposant. Des piles nombreuses de livres s'élevaient du plancher au plafond, menaçant de faire crouler le sol ; 48 000 volumes étaient entassés en pyramides. C'étaient les seconde et troisième parties du roman Les Misérables (Cosette et Marius). Le succès de la première partie, Fantine, parue le 3 avril, avait été si grand que les demandes étaient venues de toutes parts.
> G. Simon, « *Les Origines des Misérables* », dans *La Revue de Paris*, 1862.

Ce succès exaspère les adversaires irréductibles de Hugo. Barbey d'Aurevilly considère qu'il s'agit du « *livre le plus dangereux de ce temps* » (dans *L'Opinion*).
Les catholiques conservateurs lui reprochent sa dénonciation de la misère qui semble accuser Dieu et la religion :

> Sans doute la misère est un problème social, mais elle est en même temps un mystère divin. [...]
> Prétendre abolir la misère, c'est un rêve, un rêve dangereux.
> Et d'ailleurs, cherchez un genre de misère pour lequel le catholicisme n'ait pas trouvé un adoucissement ou une consolation, vous ne le trouverez pas.
> A. Nettement, extraits d'articles parus dans *L'Union*, les 15 et 23 avril 1862.

Lamartine partage l'opinion de Barbey d'Aurevilly :

Ce qui fait de ce livre un livre souvent dangereux pour le peuple, dont il aspire évidemment à être le code, c'est la partie dogmatique, c'est l'erreur de l'économiste à côté de la charité du philosophe ; en un mot c'est l'excès idéal, ou soi-disant tel, visé à plein bord, et visée à qui ? à la misère, imméritée et quelquefois très méritée des classes inférieures, négligées, oubliées, suspectes, mais parce qu'il fait trop espérer aux malheureux [...].

La plus dangereuse et la plus monstrueuse des passions à donner aux masses, c'est la passion de l'impossible. Ou presque tout est impossible dans les aspirations des Misérables, et la première de ces impossibilités, c'est l'extinction de toutes nos misères.

A. de Lamartine, Cours familier de littérature,
t. XIV et XV, 1863.

D'autres critiques stigmatisent les faiblesses proprement litté-raires du roman : erreurs et invraisemblances, disent-ils, digressions, exagérations de la pensée et du style...

Jean Valjean n'a jamais été dans la nécessité de voler un pain, tout le monde le lui eût donné.

Fantine, criant à l'aide dans sa détresse, eût trouvé mille bras pour lui apporter le salut à elle et à son enfant. [...]

Vous n'avez ici ni le droit de mensonge, ni le droit d'invraisem-blance.

Amusez-nous, mais sans tromperie. Intéressez-nous, mais avec des faits d'une vérité scrupuleuse, d'une exactitude entière, sinon vous n'élèverez qu'un château de cartes dont un souffle disperse les étages.

E. de Mirecourt, Les Vrais Misérables, 1862.

L'auteur est resté fidèle au culte de l'antithèse. On la retrouve presque à chaque page, parfois presque à chaque ligne, soit comme aspiration aux grands effets, soit comme forme ordinaire de langage. J'ai toujours admiré le sentiment modeste qui a déterminé un homme aussi éminent que M. V. Hugo à user d'un procédé à la portée du plus humble manœuvre littéraire. Je conviens qu'on peut ainsi éblouir la jeunesse, satisfaire le goût grossier des lecteurs, dérober un succès au vulgaire.

Courtat, Étude sur les Misérables de M. V. Hugo, 1862.

Or l'intelligence exaltée de M. Victor Hugo ne semble percevoir les faits et les idées qu'à travers un prisme incertain et grossissant tout ensemble. [...] Il met en œuvre le plus souvent des données impossibles et extrêmes.

De là ces inventions étranges, sans cesse reproduites, où, sous prétexte, par exemple, de faire éclater, dans la laideur physique ou dans l'infirmité de la condition, la beauté morale, il prend pour

312

héros [...] une prostituée comme Fantine, un forçat comme Jean Valjean.

> H. Perrot de Chezelles, *Examen du livre des Misérables de M. Victor Hugo*, 1863.

Quant aux amis (ou soi-disant amis) de Hugo, certains se taisent de peur de se compromettre face au pouvoir impérial. En revanche, d'autres le défendent courageusement :

> *Le succès immense de cette épopée des malheureux est le seul signe de vie morale qu'ait donné Paris.*
>
> Louise Colet, Lettre à Victor Hugo, 27 mai 1862.

> *Oui, je sais bien, les obstacles sont grands à ce grand livre... Il a frappé violemment les intelligences endormies et violemment il les réveille, et réveillées, il y en a qui regrettent leur torpeur.*
>
> Jules Janin, *Journal des Débats*, 30 Juin 1862.

Baudelaire avait d'abord voulu « *rendre justice au merveilleux talent avec lequel le poète s'empare de l'attention publique et la courbe, comme la tête récalcitrante d'un écolier paresseux, vers les gouffres prodigieux de la misère sociale* » (*Le Boulevard*, 20 avril 1862), ce dont Hugo l'avait remercié. Or Baudelaire, dans une lettre à sa mère, révèle le fond de sa pensée : « *Ce livre est immonde et inepte : J'ai montré, à ce sujet, que je possédais l'art de mentir* » (11 août). Néanmoins, quand il reprend son article, il écrit :

> Les Misérables *sont donc un livre de charité, un étourdissant rappel à l'ordre d'une société trop amoureuse d'elle-même et trop peu soucieuse de l'immortelle loi de fraternité ; un plaidoyer pour les misérables [...], proféré par la bouche la plus éloquente de ce temps. Malgré tout ce qu'il peut y avoir de tricherie volontaire ou d'inconsciente partialité dans la manière dont, aux yeux de la stricte philosophie, les termes du problème sont posés, nous pensons, exactement comme l'auteur, que des livres de cette nature ne sont jamais inutiles.*
>
> Charles Baudelaire, *L'Art romantique*, 1868.

Flaubert a le mérite de la franchise et illustre la contradiction dans laquelle se trouvent les intellectuels de l'époque :

> Les Misérables *m'exaspèrent et il n'est pas permis d'en dire du mal, on a l'air d'un mouchard. Je ne trouve dans ce livre ni vérité, ni grandeur. Quant au style, il me semble intentionnellement incorrect et bas. C'est une façon de flatter le populaire [...]. La position de l'auteur est inexpugnable, inattaquable, moi qui ai passé ma vie à l'adorer [...] je suis indigné. [...] La postérité ne lui pardonnera pas à celui-là d'avoir voulu être un penseur malgré sa nature.*
>
> Gustave Flaubert, Lettre à Mme Roger des Genettes, 1862.

AU XXᵉ SIÈCLE

Pour répondre aux critiques de Mirecourt, c'est le réalisme du roman qui est souligné :

> À côté de toute une part de poésie souvent grandiose, il y a en effet dans Les Misérables un côté réaliste, presque naturaliste, et qui même prélude à l'œuvre de Zola. [...]
>
> Tout le Paris de 1830 revit dans Les Misérables, ses hommes du peuple, ses bourgeois, ses mouvements de foules, ses révolutions, ses combats de rues, ses barricades, avec les sentiments et les idées de cette époque. En somme Les Misérables sont à 1830 ce qu'est L'Éducation sentimentale à 1848, et il ne serait pas étonnant d'ailleurs que Flaubert, quand il a écrit L'Éducation, s'en soit souvenu : il avait reçu avant Zola le coup de soleil des Misérables.
>
> F. Gregh, L'Œuvre de Victor Hugo, 1933.

Maurice Allem justifie les digressions et loue la dynamique des personnages :

> Une particularité des Misérables, c'est l'insertion, dans le récit, de longues dissertations qui l'interrompent et qui ne tiennent à ce récit que par des liens bien fragiles et presque factices. [...] Les romanciers populaires, ceux qui écrivent des romans destinés à n'être lus que par le peuple, se gardent de telles digressions. Il y aurait trop de risques de décourager le lecteur. Les Misérables, roman populaire par son sujet, n'est pas destiné à la lecture du peuple seul. Il s'adresse aussi, et plus encore peut-être, aux législateurs, aux moralistes, à ceux à qui, selon Victor Hugo, incombe le devoir, et auxquels il reconnaît le pouvoir de guérir les maux qu'il expose. [...]
>
> Le roman, dépouillé des digressions qui l'encombrent, est un roman qui entraîne. Avec ceux de ses personnages qui sont comme des symboles et dont tous les actes, toutes les attitudes, tous le propos semblent commandés par un sentiment unique et sans cesse agissant : l'ascension vers la perfection morale chez Jean Valjean, la passion du devoir professionnel chez Javert, la perpétration de louches manœuvres chez Thénardier ; il y a des personnages d'une conception moins rigide, d'une vérité plus humaine, l'infortunée Fantine, la charmante et touchante Cosette, l'étudiant pauvre, ce Marius si ardent en amour et en politique, le curieux vieillard Gillenormand, et ce Gavroche si hardi, si gouailleur, si brave et déjà si philosophe.
>
> Maurice Allem, « Introduction » aux Misérables, « Bibliothèque de la Pléiade », Gallimard, 1951.

Le personnage de Cosette peut pourtant sembler manquer d'épaisseur :

> *Super-héroïne incarnant les inoubliables clichés de l'Enfant pauvre, de la Jeune Fille amoureuse, de la pudique Mariée, Cosette est d'autre part dotée [...] d'un caractère singulièrement médiocre, que ne font que souligner les justifications psychologiques de Hugo. Elle est donc affaiblie d'un côté par la force des mythes qu'elle supporte, de l'autre par le voisinage du sublime de Jean Valjean : excusée d'être normale, Cosette ne tient pas le coup.*
> Nicole Savy, « *Cosette : un personnage qui n'existe pas* », dans
> *Lire les Misérables*, José Corti, 1985.

Reste le « charme » des *Misérables* auquel ne résiste pas même un intellectuel d'aujourd'hui.

> *La première fois où j'ai lu la version intégrale des Misérables, je n'étais plus enfant, j'étais adulte ; ayant commencé ma lecture-relecture vers le soir, je me surprenais à quatre heures du matin assise sur mon lit, cramponnée à mon livre et pleurant à chaudes larmes – chose dont je ne suis pas particulièrement coutumière. Les Misérables sont un livre qui bouleverse, avec des images fortes : Jean Valjean devant Myriel, [...] la « Tempête sous un crâne » et Jean Valjean aux Assises d'Arras, Jean Valjean prenant par son anse le seau de Cosette. Et la mort d'Enjolras, et la mort de Gavroche, et la mort d'Éponine – et la dernière visite de Cosette au héros mourant. Images inoubliables et qui creusent leur sillon, investissent quelque chose de nous qui est à la fois évident et inconscient. Créant aussi par contrecoup une forme nouvelle de ce que j'appelle, faute d'un meilleur nom, l'imaginaire collectif : nous sommes, que nous le voulions ou non, autres que si Les Misérables n'étaient pas, dans notre littérature, ce porche énorme. Cela, tout le monde le sait, même ceux qui « n'aiment pas Victor Hugo », et personne n'y peut rien. Mais un double mécanisme est au travail dans la réception de Hugo, de ce roman en particulier : l'admiration de convention pour l'œuvre énorme et candide, – le mépris de l'intellectuel pour un produit simplet, juste bon pour ces sauvages que sont les « gens du peuple » et les enfants. [...] Les Misérables sont un roman du sentiment, mais on y pleure sans honte et sans regret, même avec quelque vaillance. Peut-être est-ce, nous espérons avoir réussi à la suggérer, parce qu'ils sont aussi le roman d'une entreprise intellectuelle héroïque, un roman de la pensée.*
> Anne Ubersfeld, « Présentation » de *Lire les Misérables*,
> José Corti, 1985.

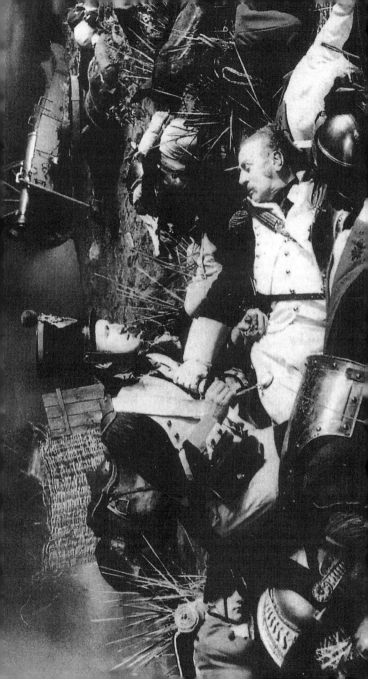

Paris est, en cette première moitié du XIXe siècle, la deuxième ville du monde, après Londres. Et, comme toutes ses consœurs d'Europe ou des États-Unis, elle connaît une explosion démographique : entre 1801 et 1848, Paris voit sa population doubler, pour atteindre plus d'un million.

Cet accroissement est dû plus à l'immigration de provinciaux ou même d'étrangers qu'à une augmentation de la natalité par rapport à la mortalité : Lucien de Rubempré, Eugène Rastignac, Frédéric Moreau (héros de Balzac et de Flaubert) illustrent ces jeunes gens qui viennent chercher gloire et fortune à Paris où se concentrent les vies politique, administrative, intellectuelle et artistique. À côté de ces bourgeois, nombre d'ouvriers émigrent pour travailler dans la capitale comme maçons ou employés des nouvelles industries.

UN CADRE IMMOBILE

Sous la Restauration et la Monarchie de Juillet, le visage de Paris ne va guère changer : ces deux régimes n'ont ni une politique urbaniste ambitieuse, ni un plan d'ensemble des travaux d'aménagement. Il faudra attendre pour cela les bouleversements orchestrés par Haussmann sous le second Empire. Paris reste circonscrit par le mur des Fermiers Généraux construit au XVIIIe siècle : il n'a aucune valeur défensive mais un rôle fiscal important, car il permet de canaliser les gens par les barrières où se trouvent les bureaux d'octroi et de faire payer un impôt indirect sur toutes les marchandises qui entrent dans la capitale. Ce n'est qu'en 1841 que Thiers réclamera pour défendre la ville une enceinte fortifiée qui englobera (complètement ou partiellement) les communes de Grenelle, Vaugirard, Issy, Vanves, Montrouge, Gentilly, Ivry, Bercy, Charonne, Belleville, La Villette, Montmartre, Batignolles, Monceau, Passy, Auteuil. Ces « fortifs », longues de 36 km et hautes de 10 m, isolées par un fossé large de 15 m, créent, sur cet espace annexé, une zone de baraques en planches où croupit une population misérable et qui subsisteront jusqu'en 1924. Des quarante-huit sections révolutionnaires, le Directoire a constitué douze arrondissements qui demeureront tels quels jusqu'en 1860. C'est alors que l'on annexera à Paris les communes citées ci-dessus, comprises entre le mur d'octroi et l'enceinte militaire, la superficie de Paris passant de 3 288 à 7 088 hectares. Les douze anciens arrondissements ne correspondent pas à ceux que nous connaissons actuellement : ainsi, sur la rive gauche, se situent l'aristocratique X^e, le XIe et le populeux et misérable XIIe arrondissement, alors que tous les autres se trouvent sur la rive droite qui se développera plus vite que l'autre, comme on va le voir.

On ne trouve guère de modernisme à Paris : vingt mille porteurs d'eau arpentent encore les rues avec leurs deux seaux en balance pour approvisionner les gens ; la circulation est très difficile, tant les rues sont étroites et tortueuses, et les ponts, nettement insuffisants.

Paris conserve même des aspects campagnards : des poules picorent le crottin dans les rues où retentissent les cris et chansons des métiers ambulants ; des lavandières vont blanchir leur linge sur les berges de la Seine. La campagne est toujours à portée d'une courte promenade pour voir les moulins de Montmartre, le village de Belleville ou les lilas et les roses d'Auteuil.

QUELQUES INNOVATIONS

Sous la Monarchie de Juillet, Rambuteau (préfet de la Seine en 1833) va apporter quelques modifications au visage de Paris. Depuis 1828, les Parisiens peuvent emprunter leurs premiers transports en commun : les omnibus, tel celui du roman qui, renversé, sert à la barricade des insurgés. Ce sont des voitures à trois chevaux qui peuvent transporter, pour vingt-cinq centimes, quatorze voyageurs et s'arrêtent à la demande sur trente-quatre lignes régulières. Le succès est tel que les compagnies se multiplient : en 1835, trois cent soixante-dix-huit voitures transporteront cent mille voyageurs par jour.

Rambuteau fait créer plus de deux cents kilomètres de trottoirs qui permettent aux piétons d'éviter un peu la saleté de la rue. Car, à cette époque, le macadam a fait une timide apparition pour recouvrir les chaussées, mais on le juge encore poussiéreux et trop cher. On plante aussi des arbres : Rambuteau y tient beaucoup.

L'hygiène est loin d'être satisfaisante : le choléra de 1832 a fait dix-huit mille victimes en trois mois et il faudrait détruire bien des rues noirâtres et nauséabondes où les eaux stagnantes qui croupissent devant les maisons dégagent une odeur de choux pourris à laquelle le Parisien reconnaît sa ville. Mais, de l'égout décrit par Hugo, il n'existe en 1824 que trente-sept kilomètres qui seront portés à cent soixante-cinq en 1855 (actuellement, il en existe deux mille cinquante, et ils ne se déversent plus dans la Seine). Paris est bien cette ville *« d'or et de fange »*, comme la caractérisait Voltaire.

Car, par ailleurs, la ville s'embellit et se développe. En 1836, on dresse l'obélisque de Louxor pour achever la place de la Concorde. La même année, l'Arc de Triomphe, conçu dès 1806, est enfin érigé place de l'Étoile.

Comme l'on construit beaucoup de «maisons de rapport», immeubles destinés à la location et très lucratifs, quatre nouveaux quartiers sont créés sur la rive droite : le quartier François Ier, non loin de cette redoutée Petite Pologne (près de la gare Saint-Lazare), évoquée par Eugène Sue dans *Les Mystères de Paris*; les quartiers Saint-Vincent de Paul, de l'Europe et, surtout, la «Nouvelle Athènes» (ainsi appelle-t-on les quartiers Saint-Georges et Notre-Dame de Lorette, à cause de leur architecture néoclassique; c'est là qu'habiteront des écrivains comme George Sand, des acteurs comme Talma, le «maître» de Thénardier, des peintres comme Géricault et Delacroix, des musiciens comme Chopin). Les Champs-Élysées prennent de l'expansion, attirant les promeneurs qui ont déserté le Palais-Royal.

Mais ce qui devient le cœur – et le portefeuille ! – de Paris, ce sont les grands boulevards, c'est-à-dire la large courbe qui va de la Bastille à la Madeleine, en particulier le boulevard des Capucines et celui des Italiens, les plus chics. Comme ils sont situés sur les anciens chemins de ronde des fortifications de Charles V (1360) – d'ailleurs, les trottoirs surélevés dans la partie Saint-Martin/Bonne Nouvelle attestent encore de cette fonction originelle –, la chaussée a dû être baissée et aplanie. Ils ont été les premiers dotés de trottoirs, plantés d'arbres et sont devenus des promenades où les piétons se plaisent à regarder passer les élégants équipages. Les théâtres comme les commerces de luxe et les cafés y fleurissent, contribuant à en faire un des lieux favoris des Parisiens.

Enfin, on projette le réaménagement des Halles, quartier aux ruelles si tortueuses qu'une charrette suffit à les bloquer – mais le plan conçu par Baltard demande des expropriations qui ne se font que timidement –, et la transformation du Louvre, jadis Palais royal, en un musée assorti d'une bibliothèque «pour le peuple»; Hugo en est, bien sûr, un partisan enthousiaste : *«Où était la splendeur du trône, mettre le rayonnement du génie.»*

LA VIE PARISIENNE

Les différentes couches de la population parisienne sont plus mélangées que ce n'est le cas aujourd'hui, mais on remarque déjà certaines localisations.

• Les aristocrates ont délaissé le Marais et s'installent dans le faubourg Saint-Germain (le Xe arrondissement de l'époque) ou les nouveaux quartiers (comme la Chaussée d'Antin du baron Nucingen chez Balzac).

• Les bourgeois sont divers, mais les deux types les plus

caractéristiques sont sans doute le rentier, tel M. Gillenor-mand, et le propriétaire de « maisons de rapport ». On exhibe ces « titres » comme de véritables professions. Quand ils n'ha-bitent pas des hôtels particuliers, ils occupent les appartements des étages nobles d'un immeuble, c'est-à-dire le premier et le deuxième, car, l'ascenseur n'existant pas, mieux vaut ne pas avoir trop de marches à gravir.

Dans les étages supérieurs vont donc vivre des familles ou des individus de plus en plus modestes jusqu'à la grisette, petite couturière comme Fantine. Tout ce monde se croise dans l'escalier, et le concierge – nouveau personnage – assure la liaison entre eux.

• Les artisans se rencontrent plus volontiers dans le faubourg Saint-Antoine, et les maçons, venus du Limousin ou du Poitou, s'entassent dans les ruelles proches de l'Hôtel de Ville.

À ces Parisiens, les distractions ne manquent pas. Car Paris connaît, même sous le régime bourgeois et prudent de la Monarchie de Juillet, une vie intellectuelle et artistique bouil-lonnante à laquelle chacun participe à sa façon. On est pour ou contre le romantisme, pour ou contre la musique de Wagner. On s'arrache *Le Journal des Débats* dans les cabinets de lec-ture : pourquoi ? Mais pour suivre le feuilleton, bien sûr ! Celui d'Eugène Sue, *Les Mystères de Paris*, fut un succès fabuleux au point qu'on ironisa : « *Paris retient son souffle, et les chevaux eux-mêmes regardent par-dessus l'épaule de leur cocher.* » Le public se presse aussi dans les théâtres (Porte Saint-Martin, Renaissance, Variétés) de ces boulevards en vogue où se jouent drames et mélodrames : c'est là que Hugo et d'autres feront jouer des pièces que les théâtres plus officiels leur ont refusées. Dans la partie plus populaire des boulevards, vers le Temple, pitres et saltimbanques se glissent entre les éventaires mobiles, les estrades de musiciens, chanteurs et diseuses de bonne aventure.

Le boulevard Poissonnière affiche plus d'élégance : on admire les vitrines des commerces de luxe (confiseur, bottier, gantier, chapelier, papetier du passage des Panoramas ; les pas-sages sont alors très à la mode). Et, boulevard des Italiens, les belles élégantes font arrêter leur attelage devant l'entrée d'un des cafés les plus courus (Café de Paris ou Café Tortoni), afin de se faire servir un rafraîchissement ou une glace.

Car on fréquente beaucoup les cafés : le café Musain, le cabaret Corinthe du roman, ou le bien réel cabaret de la mère Saguet à Vaugirard où discutaient d'art et de littérature Lamartine, Béranger, Dumas et... Hugo.

Il fait apparemment bon vivre dans ce Paris de la Monarchie de Juillet. Du moins, si l'on appartient à la bonne classe...

320

LA FACE CACHÉE

Car ce faste de la vie parisienne, qui ira croissant sous le second Empire, cache la misère et le désespoir que dénonce Hugo. L'expansion démographique et industrielle trop rapide n'a pu être absorbée par cette ville encore trop peu modernisée, et les pauvres vivent dans des conditions déplorables. Comme le décrit Balzac dans *Ferragus*, il est des «*rues nobles*» et des «*rues déshonorées*».

Les quartiers les plus miséreux sont, sur la rive droite, la Petite Pologne, les abords du Palais-Royal et des Tuileries (la rue de Rivoli n'existe pas encore), les Halles, le Louvre, les abords du Châtelet et de l'Hôtel de Ville. Là, chaque habitant occupe sept mètres carrés en moyenne contre cinquante-trois pour un riche de la Chaussée d'Antin. Sur la rive gauche, le XIIe est l'arrondissement le plus pauvre (officiellement, un indigent sur six habitants) : quartiers Saint-Marcel, de l'Observatoire, Saint-Jacques (où l'on a transporté l'échafaud). C'est là que se situe la masure Gorbeau. Et près des barrières gravite une population louche, «marginale» par rapport à la ville comme à la société.

Là sont les ruelles les plus fangeuses, les escaliers les plus branlants et les plus gluants, les courettes où s'entassent les ordures, faute d'organisation pour les enlever, la puanteur évoquée par tous les rapports de police. Le mobilier y est réduit : une table sur laquelle la concierge dépose une soupe (parfois enrichie de légumes, rarement de lard) où l'on trempe des tranches de pain, quelques chaises, des lits, car on loge à plusieurs dans la même pièce. La propreté est très limitée. Que font ces pauvres ? De petits métiers : camelots, chanteurs et marchands ambulants, porteurs d'eau, tondeurs de chiens, chiffonniers, ravageurs (ceux qui récupèrent sur la chaussée des clous, des chiffons, tout ce qui est encore exploitable, comme le font encore de nos jours, les enfants de pays pauvres qui fouillent les tas d'ordures). Ils remplacent les services réguliers de nettoyage ou d'approvisionnement que la ville n'a pas encore organisés. Ils sont aussi ouvriers (de nouvelles usines s'installent à la périphérie, la métallurgie à La Chapelle, les produits chimiques à Bercy). Dans le faubourg Saint-Antoine, on fabrique meubles et mécanique ; dans le quartier du Temple, la bijouterie et l'article de Paris. Abrutis de fatigue par des journées de travail excédant parfois quinze heures, ils rentrent à pied, faute de pouvoir s'offrir le fameux omnibus. Quand on a faim, on rogne sur tout : «*Cent mille parisiens ne savent pas à midi s'ils mangeront le soir.*» La taille des jeunes gens issus des quartiers pauvres est nettement inférieure, et la moyenne de vie descend à vingt-neuf ans chez les ouvriers (trente-et-un pour les autres).

Encore ne s'agit-il là que des «bons pauvres» : ceux qui ont un travail. Mais celui-ci n'est jamais garanti, et il n'y a pas d'indemnité. Alors, la misère engendre l'alcoolisme, le vagabondage et la mendicité ou la prostitution, comme pour Fantine. Combien sont-ils? Soixante-dix mille indigents (un habitant sur onze), selon les statistiques officielles. Mais, pour des historiens comme Buret et Chevalier, un Parisien sur quatre relève de cette misère monstrueuse. En tout cas, il semblerait que les «vieux Parisiens» soient moins exposés que ceux d'arrivée récente : eux ont éventuellement une famille ou des relations pour les soutenir.

Nul doute, au total, que la détresse des pauvres gens ne constitue un foyer propice à l'agitation révolutionnaire : en marge de la loi de la cité, étrangers à celle-ci, ils risquent fort de s'y opposer.

Dessin caricatural de Victor Hugo.

Le terme « misérable » a le double sens apparemment contra-dictoire de « pitoyable » et de « méprisable ». Le mot désigne, en effet, aussi bien le pauvre qui mérite compassion et secours que le criminel qui se livre à des actes indignes. Or, au XIXᵉ siècle, émerge l'idée d'un lien entre ces deux significations : n'est-ce pas la pauvreté qui fait le criminel ?

Accroissement démographique, essor industriel : une classe ouvrière mal payée envahit les villes, des taudis aux lamen-tables conditions d'hygiène se mettent à pulluler, regroupés dans des quartiers où les bourgeois n'osent plus s'aventurer ; vols, crimes, abandons d'enfants se multiplient. Dans ce contexte, la criminalité va être envisagée de manière nouvelle, non plus du point de vue d'une morale individuelle, mais comme un phénomène de société. Puisque les délinquants se recrutent majoritairement parmi les laissés-pour-compte du progrès, ces « misérables » sont donc d'abord des malheureux dignes de pitié, victimes d'une mauvaise organisation sociale. Actuellement, la misère n'a pas disparu mais ceux qui en souffrent revendiquent moins la pitié que la reconnaissance de leurs droits d'êtres humains. C'est d'« exclus » que l'on parle désormais, la société reconnaissant ainsi l'injustice faite à ceux qu'elle n'a pas réussi à intégrer, les jeunes qui préfèrent les bandes à l'école, les chômeurs, les sans-logis... Mais ce nou-veau terme n'a pas résolu le rapport conflictuel entre ces exclus et la société : c'est toujours dans les banlieues défavori-sées que sévit l'engrenage de la délinquance, de l'emprisonne-ment et, souvent, de la récidive.

LES MISÉRABLES SELON HUGO

> *« Avoir faim, avoir soif, c'est le point de départ ;*
> *être Satan, c'est le point d'arrivée. »*
> **(Les Misérables, III, VII, 2)**
> •

Pour Hugo, indigence et ignorance sont les deux sources du crime. Ce n'est pas à la psychologie du criminel qu'il s'in-téresse, mais à son type social de victime d'un ordre injuste. Dans le roman, le misérable est plus pitoyable que blâmable : Jean Valjean, le voleur de pain ; Fantine, la prostituée par amour maternel ; Gavroche, qui se reconnaît galopin mais se refuse voyou.

Une exception, l'infâme Thénardier, qui commence voleur à Waterloo, poursuit tortionnaire d'enfant à Montfermeil et ter-minera négrier après une carrière de gangster parisien. Ce personnage est le « méchant » nécessaire à l'action, mais aussi celui qui introduit le lecteur dans les bandes organisées des bas-fonds de la capitale, dans cette *« grande caverne du mal »* qui, elle, est bien le symbole d'une plaie sociale. Thénardier et Patron-Minette sont sans doute les plus exclus de tous, parce qu'ils ne sont même pas pitoyables : ils représentent cette partie du peuple qui possèdent une autre langue (ils parlent l'argot), et n'ont pas les mêmes valeurs morales que le reste de la société, puisque le crime leur paraît la bonne voie pour s'enrichir et égaler ainsi les bourgeois qu'ils envient.

De nombreux écrits et discours de Hugo, à des époques différentes de sa vie, témoignent d'une préoccupation constante pour ce problème de la misère et du crime qu'elle engendre. Il a raconté, à titre d'exemple, l'histoire romancée de Claude Gueux, emprisonné pour vol puis condamné à mort pour l'assassinat d'un gardien. Chômage et misère avaient entraîné le vol, la dureté du gardien avait provoqué le crime :

> *Voyez Claude Gueux. Cerveau bien fait, cœur bien fait, sans nul doute. Mais le sort le met dans une société si mal faite qu'il finit par voler. La société le met dans une prison si mal faite qu'il finit par tuer. Qui est réellement coupable ? Est-ce lui ? Est-ce nous ?*
> [...]
> *Le peuple a faim, le peuple a froid. La misère le pousse au crime ou au vice, selon le sexe. Ayez pitié du peuple, à qui le bagne prend ses fils, et le lupanar ses filles. Vous avez trop de forçats, vous avez trop de prostituées. Que prouvent ces deux ulcères ? Que le corps social a un vice dans le sang. Vous voilà réunis en consultation au chevet du malade : occupez-vous de la maladie.*
> [...]
> *Cette maladie, vous la traitez mal. [...]Le bagne est un vésicatoire[1] absurde qui laisse résorber, non sans l'avoir rendu pire encore, presque tout le mauvais sang qu'il extrait. La peine de mort est une amputation barbare. [...]*
> *La tête de l'homme du peuple, voilà la question. [...] Cette tête de l'homme du peuple, cultivez-la, défrichez-la, arrosez-la, fécondez-la, éclairez-la, moralisez-la, utilisez-la ; vous n'aurez pas besoin de la couper.*
>
> Victor Hugo, *Claude Gueux*, 1834.

---

1. vésicatoire : médicament qui provoque des boutons.

Sortir de la misère ?

•

• **La misère, dans le roman, est souvent fatale.** Patron-Minette, c'est le peuple perverti, bâtardisé, qui semble inexorablement condamné à l'obscurité des bas-fonds. Criminels endurcis, aucun de ces personnages du roman n'émerge à la lumière d'une quelconque réhabilitation.

Cependant, en marge de ce groupe évoluent des êtres qui sont bien plus victimes que coupables : Éponine, Gavroche. Leur vie s'achève pourtant sans qu'ils aient vu vraiment le jour : aucune mère attentive n'a mis l'enfant à l'abri des balles, et la jeune fille, hideusement vieillie avant l'âge par la misère, meurt de n'avoir pu se faire aimer de Marius.

De même, Fantine, orpheline pauvre qui ne pouvait prétendre au mariage avec son bourgeois de séducteur, s'enfonce dans une déchéance sans retour, secourue trop tard par M. Madeleine.

Tous ces personnages illustrent la *« fatalité humaine »*, l'*« asphyxie sociale »* dénoncées dans l'exergue.

• **Certains tentent cependant de briser le cercle infernal.** Les Amis de l'ABC défendent les droits du peuple sur les barricades, en vain cette année-là, mais Enjolras croit en l'avenir.

Jean Valjean fait fortune dans l'industrie. M. Madeleine devra disparaître, mais son argent continuera à assurer une vie décente à M. Fauchelevent. Il convient malgré tout de tempérer cet apparent éloge de la créativité mis au service du capital, dans un système séduisant où, parti de quelques sous, on peut devenir un notable grâce à ses qualités personnelles. N'oublions pas que, tandis que Jean Valjean monte, Fantine, elle, dans le même temps, descend : l'essor industriel ne porte pas en lui la solution à la misère.

En revanche, la fraternité et l'amour peuvent à coup sûr sauver les hommes : l'ex-bagnard est remis par Mgr Myriel sur le droit chemin, qui se trouve être à la fois celui du bien moral et de la richesse matérielle. L'enfant martyre trouve le bonheur auprès d'un père adoptif.

• **Ceux-là doivent s'opposer à la société, accablante pour le misérable.** Enjolras fait la révolution, Mgr Myriel fait un faux témoignage pour sauver Jean Valjean des griffes des gendarmes, et l'ex-forçat ne devient M. Madeleine qu'en rompant son ban•, raison pour laquelle le tuteur de Cosette devra toujours se cacher de la police.

Et quand ce ne sont pas les lois qui oppriment, c'est l'opinion publique : Fantine était presque sortie d'affaire après son embauche à Montreuil-sur-mer, Mme Victurnien et sa

« morale » la font replonger. Et c'est bien cette « opinion » qui fait vieillir Jean Valjean dans la misère de la solitude : la police, en la personne de Javert, a cessé de le poursuivre, mais Marius n'a pas l'esprit ni le cœur assez larges pour accueillir le réprouvé.

• **Aussi l'écrivain fut-il également un député engagé contre l'injustice sociale.** Si la charité et la générosité individuelles ont toujours été considérées par Hugo comme des devoirs envers les malheureux, l'écrivain n'a pas pour autant sous-estimé la dimension politique du problème. Député après la révolution de 1848, il prononce le 9 juillet 1849, à l'Assemblée, un discours sur la misère où il reconnaît une part de vrai dans les théories socialistes :

> Il faut profiter de l'ordre reconquis pour relever le travail, pour créer sur une vaste échelle la prévoyance sociale ; pour substituer à l'aumône qui dégrade l'assistance qui fortifie [...]. Il y a au fond du socialisme une partie des réalités douloureuses de notre temps et de tous les temps [...]. Il y a cette attitude nouvelle donnée à l'homme par nos révolutions, qui ont constaté si hautement et placé si haut la dignité humaine et la souveraineté populaire, de sorte que l'homme du peuple aujourd'hui souffre avec le sentiment double et contradictoire de sa misère résultant du fait et de sa grandeur résultant du droit. [...]
> Je ne suis pas, messieurs, de ceux qui croient qu'on peut supprimer la souffrance en ce monde, la souffrance est une loi divine, mais je suis de ceux qui pensent et qui affirment qu'on peut détruire la misère. [...]
> Vous venez, avec le concours de la garde nationale, de l'armée et de toutes les forces vives du pays, vous venez de raffermir l'État ébranlé encore une fois [...]. Eh bien ! vous n'avez rien fait ! [...] Vous n'avez rien fait, tant que l'esprit de révolution a pour auxiliaire la souffrance publique ! vous n'avez rien fait, rien fait, tant que dans cette œuvre de destruction et de ténèbres, qui se continue souterrainement, l'homme méchant a pour collaborateur fatal l'homme malheureux !

Hugo ne sera pourtant jamais socialiste, et la fin de *Claude Gueux* est instructive sur ce point : il veut limiter la pauvreté, policer le peuple par l'instruction, mais ne recule pas devant l'idée de le pacifier par la religion « opium du peuple » :

> Quoi que vous fassiez, le sort de la grande foule, de la multitude, de la majorité, sera toujours relativement pauvre, et malheureux, et triste. À elle le dur travail, les fardeaux à pousser, les fardeaux à traîner, les fardeaux à porter. [...] Donnez au peuple pour qui ce monde-ci est mauvais la croyance à un meilleur monde fait pour

lui. Il sera tranquille, il sera patient. La patience est faite d'espérance. Donc ensemencez les villages d'évangiles.

Victor Hugo, *Claude Gueux*, 1834.

Ces affirmations peuvent être gênantes pour des démocrates modernes, même si la date de l'ouvrage (1834) laisse à penser que, peut-être, il s'agit là d'une étape dans l'évolution de ses idées et que cet homme jeune, en train de «faire carrière», souhaitait ne pas trop choquer ses lecteurs bien-pensants. En fait, les engagements les plus forts de Hugo se trouvent moins dans ses déclarations politiques que dans son œuvre littéraire, dans les aspirations à l'idéal de personnages comme Gauvain (*Quatrevingt-treize*) ou Enjolras, et dans le ton de certaines digressions du narrateur des *Misérables* : «*Humanité, c'est identité. Tous les hommes sont la même argile*» (II, VII, 2).

PARCOURS THÉMATIQUE

DOCUMENTS

XVIIe siècle : misère paysanne
•

• **Des animaux ? non, des hommes !** La pauvreté a fait longtemps partie du paysage quotidien, comme un phénomène inévitable dont on s'émouvait peu. La Bruyère est un des rares écrivains, avant les philosophes du XVIIIe siècle, à évoquer l'idée d'une possible injustice.

> *L'on voit certains animaux farouches, des mâles et des femelles, répandus par la campagne, noirs, livides et tout brûlés du soleil, attachés à la terre qu'ils fouillent et qu'ils remuent avec une opiniâtreté invincible; ils ont comme une voix articulée, et, quand ils se lèvent sur leurs pieds, ils montrent une face humaine, et en effet ils sont des hommes; ils se retirent la nuit dans des tanières où ils vivent de pain noir, d'eau et de racines; ils épargnent aux autres hommes la peine de semer, de labourer et de recueillir pour vivre, et méritent ainsi de ne pas manquer de ce pain qu'ils ont semé.*

La Bruyère, *Les Caractères*, § 128, 1689.

XVIIIe siècle : égalité, fraternité !
•

• **La misère des uns vient de la richesse des autres.** Gracchus Babeuf (1760 – guillotiné en 1797 à la suite d'un complot pour renverser le Directoire) exposa des théories communistes visant à l'égalité absolue de tous les citoyens. Il s'indigne ici

327

contre une organisation du commerce jugée inacceptable, mais qui pourtant n'a guère changé.

> *Le commerce, disent ses partisans, doit tout vivifier. Il doit porter la nourriture chez tous ses agents, depuis le premier ouvrier qui fait croître et qui dispose les matières premières, jusqu'au chef de manufacture qui dirige les grandes exploitations, jusqu'au commerçant qui fait circuler sur les divers points les produits manufacturés. Oui, voilà ce que devrait faire le commerce, mais il ne le fait pas. Il doit porter le nourriture chez tous ses agents, il doit la porter égale, mais il la porte très inégale. Je me demande ce que sont ces quatre-vingt-dix-neuf hommes mal vêtus sur cent que je rencontre soit dans nos campagnes, soit dans nos villes ? [...] Pourquoi les premiers agents, ceux qui font le travail créateur, le travail essentiel, en retirent-ils incomparablement moins d'avantages que les derniers, que les marchands, par exemple, qui à mes yeux, ne font que le travail le plus subalterne, le travail de distribution ? Ah, cela s'explique de soi-même et de la façon la plus simple, c'est que ces derniers abusent et que les autres se laissent abuser ; c'est que spéculateurs et marchands se liguent entre eux pour tenir à leur discrétion le véritable producteur, pour être toujours en position de lui dire : travaille beaucoup, mange peu, ou tu n'auras plus de travail et tu ne mangeras pas du tout.*
> Gracchus Babeuf, « Lettre à Charles Germain » (28 juillet 1795), dans *Babeuf, Textes choisis,* Éditions Sociales, 1976.

XIXe siècle : misère ouvrière
•

• **Nous ne sommes pas des hommes comme les autres.** La notion d'exclusion est déjà très présente dans ces revendications d'un ouvrier qui dénonce ici la mauvaise foi de la classe bourgeoise :

> *Nous travaillons 14 et 18 heures par jour, dans l'attitude la plus pénible ; notre corps se déforme et se casse ; nos membres s'engourdissent et perdent leur agilité, leur vigueur ; notre santé se ruine, et nous ne quittons l'atelier que pour entrer à l'hôpital. Comment consacrer quelques heures de la vie à l'instruction ? Comment exercer notre intelligence, éclairer notre esprit, adoucir nos mœurs ? Il nous faut rester exposés au mépris des insolents, à la friponnerie des hommes adroits, et, si l'excès de nos malheurs et de nos humiliations nous rend parfois violents et colères, on nous traite de brigands et de canailles ; alors il faut des lois martiales, des sergents de ville, des geôliers, des bourreaux pour comprimer ce peuple mutin et rebelle : telle a été jusqu'ici la justice des gouvernants et des riches ; l'ignorance mène à la dépravation, et ils*

voudraient que nous fussions dépravés pour donner cours à leur cupidité, sous des mesures apparentes d'ordre public.

Tous conviennent de la nécessité de l'instruction, et ils cherchent à nous abrutir par un travail qui absorbe à la fois notre temps, nos forces et nos facultés ; de même ils conviennent de la nécessité du travail, et ils vivent dans le loisir, ils se gorgent de superfluités : à nous seuls il est défendu de goûter le moindre plaisir. Pour nous, malheureux, le plaisir c'est un sommeil de quelques heures sur un grabat en lambeaux, dans un taudis humide... Le plaisir ! mais nous ne sommes pas des hommes comme les autres.

Grignon, ouvrier tailleur, membre de la Société des Droits de
l'Homme (1833), cité dans *La Parole ouvrière*, A. Faure
et J. Rancière, Union Générale d'Éditions, 1976.

• **La canaille des bas-fonds, sujet pittoresque pour les romanciers.** Les problèmes de la pauvreté et de la criminalité urbaines sont tels qu'ils apparaissent un peu partout en Europe dans la littérature (cf. Dickens). Les romanciers peignent la misère, mais pas toujours, ou pas seulement, pour la dénoncer. Eugène Sue ne cherche d'abord qu'à distraire le beau monde en lui racontant des horreurs !

Un tapis-franc, en argot de vol et de meurtre, signifie un estaminet ou un cabaret du plus bas étage.

Un repris de justice, qui, dans cette langue immonde, s'appelle un ogre, ou une femme de même dégradation, qui s'appelle une ogresse, tiennent ordinairement ces tavernes, hantées par le rebut de la population parisienne ; forçats libérés, escrocs, voleurs, assassins y abondent.

Un crime a-t-il été commis, la police jette, si cela se peut dire, son filet dans cette fange ; presque toujours elle y prend les coupables. Ce début annonce au lecteur qu'il doit assister à de sinistres scènes ; s'il y consent, il pénétrera dans des régions horribles, inconnues ; des types hideux, effrayants, fourmilleront dans ces cloaques impurs comme les reptiles dans les marais.

Tout le monde a lu les admirables pages dans lesquelles Cooper, le Walter Scott américain, a tracé les mœurs féroces des sauvages, leur langue pittoresque, poétique, les mille ruses à l'aide desquelles ils fuient ou poursuivent leurs ennemis.

On a frémi pour les colons et pour les habitants des villes, en songeant que si près d'eux vivaient et rôdaient ces tribus barbares, que leurs habitudes sanguinaires rejetaient si loin de la civilisation.

Nous allons essayer de mettre sous les yeux du lecteur quelques épisodes de la vie d'autres barbares aussi en dehors de la civilisation que les sauvages peuplades si bien peintes par Cooper.

Seulement les barbares dont nous parlons sont au milieu de nous ;

> *nous pouvons les coudoyer en nous aventurant dans les repaires où*
> *ils vivent, où ils se rassemblent pour concerter le meurtre, le vol,*
> *pour se partager enfin les dépouilles de leurs victimes.*
> Eugène Sue, *Les Mystères de Paris*, chap. I, 1842-1843.

• **Les intellectuels au secours du peuple.** Des voix s'élèvent
pourtant, parmi les plus grands penseurs de l'époque, pour
défendre ce qui n'est encore au début des *Mystères de Paris*
qu'une populace à la fois vile et redoutable, mais qui devient
peu à peu le Peuple.

> *Moi, pauvre rêveur solitaire, que pouvais-je donner à ce grand*
> *peuple muet! ce que j'avais, une voix... Que ce soit leur première*
> *entrée dans la Cité du droit, dont ils sont exclus jusqu'ici.*
> *J'ai fait parler dans ce livre ceux qui n'en seront pas même à*
> *savoir s'ils ont un droit au monde. Tous ceux-là qui gémissent ou*
> *souffrent en silence, tout ce qui aspire et monte à la vie, c'est mon*
> *peuple... C'est le Peuple. – Qu'ils viennent tous avec moi.*
> *Que ne puis-je agrandir la Cité afin qu'elle soit solide! Elle*
> *branle, elle croule, tant qu'elle est incomplète, exclusive, injuste.*
> *Sa justice, c'est sa solidité. Si elle ne veut être que juste, elle ne*
> *sera pas même juste. Il faut qu'elle soit sainte et divine, fondée sur*
> *celui qui seul fonde.*
> *Elle sera divine, si au lieu de fermer jalousement ses portes, elle*
> *rallie tout ce qu'il y a d'enfants de Dieu, les derniers, les plus*
> *humbles (malheur à qui rougira de son frère!). Tous, sans distinc-*
> *tion de classe ni classification, faibles ou forts, simples ou sages,*
> *qu'ils apportent ici leur sagesse et leur instinct. Ces impuissants,*
> *ces incapables, ces miserabiles personae, qui ne peuvent rien*
> *pour eux-mêmes, ils peuvent beaucoup pour nous. Ils ont en eux*
> *un mystère de puissance inconnue, une fécondité cachée, des*
> *sources vives au fond de leur nature. La Cité, en les appelant,*
> *appelle la vie, qui seule peut la renouveler.*
> Jules Michelet, *Le Peuple*, 1846.

xxᵉ siècle : la loi de l'économie
•

• **Ce n'est pas nous, c'est le monstre.** Au xxᵉ siècle, la démocratie s'impose dans le monde occidental, mais, si le suffrage
universel assure l'égalité civique, l'opposition riches/pauvres
demeure et les premiers invoquent maintenant la loi de
l'économie : c'est elle, dit-on, et non plus la volonté des
patrons, qui entraîne le maintien de bas salaires, le licencie-
ment des ouvriers ou, comme dans le texte américain de John
Steinbeck, l'expulsion des petits paysans.

> – *C'est mon grand-père qui a pris cette terre, et il a fallu qu'il tue*

les Indiens, qu'il les chasse. Et mon père est né sur cette terre, et il a brûlé les mauvaises herbes et tué les serpents. Et puis il y a eu une mauvaise année, et il lui a fallu emprunter une petite somme. Et nous on est nés ici. Là, sur la porte... nos enfants aussi sont nés ici. Et mon père a été forcé d'emprunter de l'argent. La banque était propriétaire à ce moment-là, mais on nous y laissait et avec ce qu'on cultivait on faisait un petit profit.

– Nous savons ça... Nous savons tout ça. Ce n'est pas nous, c'est la banque. Une banque n'est pas comme un homme. Pas plus qu'un propriétaire de cinquante mille arpents, ce n'est pas comme un homme non plus. C'est ça le monstre.

– D'accord, s'écriaient les métayers, mais c'est notre terre. C'est nous qui l'avons mesurée, qui l'avons défrichée. Nous y sommes nés, nous nous y sommes fait tuer, nous y sommes morts. Quand même elle ne serait plus bonne à rien, elle est toujours à nous. C'est ça qui fait qu'elle est à nous... d'y être nés, d'y avoir travaillé, d'y être enterrés. C'est ça qui donne le droit de propriété, non pas un papier avec des chiffres dessus.

– Nous sommes désolés. Ce n'est pas nous. C'est le monstre. Une banque n'est pas comme un homme.

– Oui, mais la banque n'est faite que d'hommes.

– Non, c'est là que vous faites erreur... complètement. La banque ce n'est pas la même chose que les hommes. Il se trouve que chaque homme dans une banque hait ce que la banque fait, et cependant la banque le fait. La banque est plus que les hommes, je vous le dis. C'est le monstre. C'est les hommes qui l'ont créé, mais ils sont incapables de le diriger.

Les métayers criaient :

– Grand-père a tué les Indiens, Pa a tué les serpents pour le bien de cette terre. Peut-être qu'on pourrait tuer les banques. Elles sont pires que les Indiens, que les serpents. Peut-être qu'il faudrait qu'on se batte pour sauver nos terres comme l'ont fait Grand-père et Pa.

Et maintenant les représentants se fâchaient :

– Il faudra que vous partiez.

– Mais c'est à nous, criaient les métayers. Nous...

– Non, c'est la banque, le monstre, qui est le propriétaire. Il faut partir.

– Nous prendrons nos fusils comme Grand-père quand les Indiens arrivaient. Et alors ?

– Alors... d'abord le shérif, puis la troupe. Vous serez des voleurs si vous essayez de rester et vous serez des assassins si vous tuez pour rester. Le monstre n'est pas un homme, mais il peut faire faire aux hommes ce qu'il veut.

John Steinbeck, *Les Raisins de la colère*, 1939. Traduction de M. Duhamel et M.-E. Coindreau, Gallimard, 1947.

• **Marcel, l'homme sur le banc.** Dans cette fin de siècle, en France, le chômage peut détruire des vies. Marcel, ouvrier peu qualifié, s'est retrouvé sans emploi à cinquante ans. Sa compagne s'est lassée de l'entretenir. Il vit dans la rue depuis trois ans.

Marcel refuse d'aller à l'Armée du Salut, dans tous les lieux provisoires qui ouvrent leurs portes aux premiers froids. Peut-être pour ne pas perdre l'espoir.

Un coup, je me suis pété la cheville. Je me suis fait ramasser volontairement par les bleus parce que si on va direct à l'hôpital de Nanterre, on se fait jeter... On m'a mis dans une salle avec des gens bien, des «civils» comme on les appelle entre nous... Ils ne savaient pas que j'étais clochard. Ils avaient des visites, la famille leur apportait plein de trucs. Moi j'avais rien. Un midi j'en pouvais plus, j'ai ramassé un mégot dans le cendrier, en cachette. Un vieux qui venait de se faire opérer m'a vu : «Laisse ton mégot»... Il a ouvert son placard : «Sers-toi.» C'est rare, mais des fois on tombe bien...

Marcel sort quelques semaines plus tard... À la caisse on lui tend une facture d'un montant de 15 000 francs.

Où voulez-vous que j'aille les chercher? Je n'ai même pas un ticket d'autobus pour repartir sur Paris! Elle a classé le papier en inscrivant «Sans Domicile Fixe». Je lui ai demandé un ticket. Elle m'a regardé droit dans les yeux : «Vous avez du culot! Je viens de vous faire cadeau d'un million et demi, et vous essayez de me taper d'un ticket de métro!»

Il repart à pied et mettra toute une nuit, de sept heures du soir à six heures du matin, pour relier Nanterre à la porte de la Chapelle. [...]

Marcel a cinquante ans. Il a cotisé pendant plus de trente ans à la Sécurité sociale, de 1953 à 1986.

J'espère tenir le coup jusqu'à la retraite, y arriver doucement... Faudra que quelqu'un m'aide à faire les papiers parce que je n'y connais rien du tout... J'ai pas d'adresse alors tout arrive chez l'assistante sociale.

La probabilité de décès entre 35 et 60 ans est de 9 % pour les cadres supérieurs, 11 % pour les techniciens, 13 % pour les employés, 17 % pour les ouvriers. Elle atteint 25 % chez les manœuvres.

Il n'existe pas de statistiques concernant les chômeurs de longue durée, les ouvriers déchus, les déclassés, les S.D.F. (sans domicile fixe), sigle pratique pour masquer le désespoir de tous ces hommes sur le banc, sur la touche. On sait seulement qu'il est rare qu'un clochard survive à cinq ou six hivers dans la rue.

Didier Daeninckx, *En marge*, éd. Denoël, 1994.

Il appartient à Victor Hugo d'avoir introduit l'enfant en littérature. Non pas comme prétexte à une éducation (ainsi Rousseau dans l'*Émile*) ou à confidences sur son passé (c'est le cas des autobiographies), mais pour lui-même. Si l'enfant apparaît dans nombre de ses œuvres, c'est en tout cas ici qu'il offre le plus de facettes et que ses représentants sont les plus connus.

DANS LE ROMAN

Charmes de l'enfant
•

Quelle que soit l'origine sociale de l'enfant, il reçoit dans son berceau grâce, fraîcheur et beauté : quand Fantine confie son enfant à la mère Thénardier (*)[1], Cosette, fille de la pauvre ouvrière, peut *« jouer »* avec Éponine et Azelma, filles de commerçants, grâce à cette perfection physique. Il en ira de même pour les enfants Fléchard, petits paysans, dans *Quatre vingt-treize*. Dans le champ lexical qui décrit tous ces bambins, se mêlent les termes *« gracieusement »*, *« rayonner »*, *« triomphe »*, *« ravi »*, *« délicate »*, *« admirablement »*, *« magnifique »*... Certes la misère dégrade ce rayonnement : Cosette à huit ans n'est plus que l'ombre d'elle-même, *« laide »*, *« maigre et blême »* et parmi les rares détails physiques sur Gavroche figurent *« blême »* et *« maladif »*. Pourtant Éponine garde, dans sa déchéance, une certaine grâce de l'enfance, *« un pâle soleil qui s'éteint sous d'affreuses nuées »*.
À cette grâce physique s'allient de précieuses qualités morales : innocence, candeur, confiance, enthousiasme... que la misère n'entame pas. Cosette rêve autant que les autres fillettes sur l'inaccessible poupée, elle est encore capable de confiance et d'émerveillement ; Gavroche, qui n'a rien reçu, sait donner aux autres, à ces deux enfants perdus qu'il héberge, et même aux adultes dont son ingrat de père.
On pourrait reprocher à Hugo d'avoir présenté des enfants idéalisés, d'avoir ignoré la cruauté dont ils sont capables (celle que dénonceront Flaubert dans *Mémoires d'un fou* ou W. Golding dans *Sa Majesté des mouches*) ou l'amoralisme qui leur fait adopter l'attitude la plus avantageuse pour eux (comme le montre sans complaisance Sartre).
Cependant l'amour que Hugo porte aux enfants ne le rend pas

---

1. Cet astérisque entre parenthèses indique que le passage relevé ne figure pas dans la présente édition.

complètement aveugle : les petites Thénardier sont déjà pleines de *« dédain »* envers Cosette et s'indignent qu'elle leur ait emprunté leur poupée. Autre preuve de ses qualités d'observateur : les jeux des enfants qu'il décrit avec justesse. Ils s'y réfugient, s'y isolent, s'y passionnent, et le monde cruel des adultes disparaît.

L'enfant martyr
•

Si Cosette est si célèbre, c'est, hélas !, à son malheur qu'elle le doit. Car l'enfant est aussi faiblesse, fragilité dont les adultes abusent : Gavroche n'a reçu aucune affection, Éponine et Azelma, qui paraissent préservées dans l'enfance, vont connaître une adolescence misérable. En revanche, l'enfance de Marius ne nous est guère décrite, peut-être justement parce qu'il a *« des yeux heureux et confiants »* (*).
Cette souffrance n'est pas seulement due à la cruauté des adultes, en l'occurrence les Thénardier. Certes ce sont eux qui abandonnent Gavroche, eux qui font travailler Cosette et la battent, mais il est une autre oppression, bien plus grave, dont les enfants sont victimes : la misère sociale.
Dès l'exergue, en effet, Hugo dénonce *« l'atrophie de l'enfant par la nuit »*. Si Cosette, à huit ans, en parait six, c'est à cause des préjugés qui obligent l'ouvrière Fantine à cacher sa fille, des conditions de salaire déplorables qui ne lui permettent plus de subvenir aux exigences des Thénardier. La responsabilité des individus n'est pas niée (Thénardier est *« le mauvais pauvre »* que rien ne rachète ni n'absout) mais elle n'est pas seule en cause : Hugo dénonce *« une société qui admet la misère »*. C'est elle, avant tout elle, qui fait *« la nuit »*.

L'enfant sauveur
•

Cet enfant bafoué, maltraité, c'est paradoxalement lui qui sauve les hommes. Il est explicitement dit que l'amour que Jean Valjean porte à Cosette est *« ce ravitaillement pour persévérer dans le bien »* dont il a besoin. La rédemption de ce forçat s'accomplit par l'amour paternel. Quand celui-ci sera menacé par l'idylle entre Cosette et Marius, tout le personnage vacillera, prêt à retomber dans la violence et la haine. Il lui faudra alors une grande force d'âme pour continuer son ascension morale.
D'autres pères et mères hugoliens se régénèrent et sont absous par l'amour de leurs enfants : Triboulet dans *Le Roi s'amuse*,

334

Lucrèce Borgia dans la pièce du même nom et la Flécharde dans *Quatrevingt-treize*. Il n'est jusqu'à la Thénardier qui n'ait trouvé un instant quelque grâce : « *Les créatures les plus féroces sont désarmées par la caresse à leurs petits.* », avait dit d'elle Hugo (*).

Quant à Gavroche, il ne sauve pas d'individus. Car lui, personne ne l'adopte (même si Enjolras puis Marius essaient de le sauver en l'éloignant de la barricade), personne n'a le temps de l'aimer. Il ne sauve pas d'individus, il sauve l'humanité... Cette figure, devenue célèbre, du gamin parisien transcende les caractéristiques enfantines, parvenant à concilier les contraires : il vit dans la rue sans sombrer dans le crime, il incarne l'espoir alors qu'il connaît tous les abandons, il vit aussi bien qu'il meurt pour la liberté : « *Il a dans l'âme une perle, l'innocence, et les perles ne se dissolvent pas dans la boue* » (*). Sur la barricade, il symbolise l'esprit révolutionnaire toujours « *vivace* » qui se rit de la force. Il chante quand le lecteur tremble, et s'envole quand il pleure. Il remplit à merveille cette « *fonction de l'enfant* » figurant dans *La Légende des Siècles* : « *Il met du jour dans nos cœurs pleins d'orage et de nuit* [...]. *On croit voir une fleur d'où sort un coup de foudre.* »

DOCUMENTS

Enfant choyé ou maltraité
•

Jean-Jacques Rousseau, dans ses *Confessions*, exprime sa nostalgie d'une enfance heureuse :

> [...] *Les enfants des rois ne sauraient être soignés avec plus de zèle que je le fus durant mes premiers ans, idolâtré de tout ce qui m'environnait, et toujours, ce qui est bien plus rare, traité en enfant chéri, jamais en enfant gâté. Jamais une seule fois, jusqu'à ma sortie de la maison paternelle, on ne m'a laissé courir seul dans la rue avec les autres enfants, jamais on n'eut à réprimer en moi ni à satisfaire aucune de ces fantasques humeurs qu'on impute à la nature, et qui naissent toutes de la seule éducation. J'avais les défauts de mon âge ; j'étais babillard, gourmand, quelquefois menteur. J'aurais volé des fruits, des bonbons, de la mangeaille ; mais jamais je n'ai pris plaisir à faire du mal, du dégât, à charger les autres, à tourmenter de pauvres animaux. [...] Comment serais-je devenu méchant, quand je n'avais sous les yeux que des exemples de douceur, et autour de moi que les meilleurs gens du monde ?*

> Jean-Jacques Rousseau, *Les Confessions*, 1782.

Jules Vallès, dans le premier roman de sa « trilogie »,
commence ainsi :

> *Ai-je été nourri par ma mère ? Est-ce une paysanne qui m'a donné*
> *son lait ? Je n'en sais rien. Quel que soit le sein que j'ai mordu, je ne*
> *me rappelle pas une caresse du temps où j'étais tout petit ; je n'ai*
> *pas été dorloté, tapoté, baisoté ; j'ai été beaucoup fouetté.*
> *Ma mère dit qu'il ne faut pas gâter les enfants, et elle me fouette*
> *tous les matins ; quand elle n'a pas le temps le matin, c'est pour*
> *midi, rarement plus tard que quatre heures.*
>
> Jules Vallès, L'Enfant, 1879.

Les sentiments de l'enfance
•

L'historien Philippe Ariès analyse ainsi l'évolution du « *sentiment de l'enfance* » dans la société française :

> *Dans la société médiévale, que nous prenons pour point de départ,*
> *le sentiment de l'enfance n'existait pas ; cela ne signifie pas que les*
> *enfants étaient négligés, abandonnés ou méprisés. Le sentiment de*
> *l'enfance ne se confond pas avec l'affection des enfants : il corres-*
> *pond à une conscience de la particularité enfantine, cette parti-*
> *cularité qui distingue essentiellement l'enfant de l'adulte même*
> *jeune. Cette conscience n'existait pas. C'est pourquoi, dès que*
> *l'enfant pouvait vivre sans la sollicitude constante de sa mère, de*
> *sa nourrice ou de sa remueuse, il appartenait à la société des*
> *adultes et ne s'en distinguait plus.*
> *[Au XVIIᵉ siècle] Un sentiment nouveau de l'enfance est apparu,*
> *où l'enfant devient par sa naïveté, sa gentillesse et sa drôlerie, une*
> *source d'amusement et de détente pour l'adulte, ce qu'on pourrait*
> *appeler le « mignotage ». C'est à l'origine un sentiment de femmes,*
> *de femmes chargées du soin des enfants, mères ou nourrices. [...]*
> *Chez les moralistes et éducateurs du XVIIᵉ siècle, on voit se former*
> *cet autre sentiment de l'enfance [...] qui a inspiré toute l'éducation*
> *jusqu'au XXᵉ siècle, tant à la ville qu'à la campagne, dans la*
> *bourgeoisie et dans le peuple. L'attachement à l'enfance et à sa*
> *particularité ne s'exprime plus par l'amusement, la « badinerie »,*
> *mais par l'intérêt psychologique et le souci moral. L'enfant n'est ni*
> *amusant ni agréable. [...] Car cette légèreté de l'enfance, il ne*
> *convient pas de s'en accommoder : c'est l'erreur ancienne. Il faut*
> *d'abord la mieux connaître, pour la rectifier, et les textes de la fin*
> *du XVIᵉ et du XVIIᵉ siècle sont remplis de remarques de psychologie*
> *enfantine. On s'efforce de pénétrer la mentalité des enfants pour*
> *mieux adapter à leur niveau les méthodes d'éducation.*
>
> Philippe Ariès, L'enfant et la vie familiale sous l'Ancien régime,
> Seuil, 1973.

Droits de l'enfant
●

En 1989, les États membres de l'O.N.U. ont adopté une Convention internationale des Droits de l'enfant qui insiste notamment sur le droit à l'éducation :

Article 29

Les États parties conviennent que l'éducation doit viser à :

a) Favoriser l'épanouissement de la personnalité de l'enfant et le développement de ses dons et de ses aptitudes mentales et physiques, dans toute la mesure de leurs potentialités ;

b) Inculquer à l'enfant le respect des droits de l'homme et des libertés fondamentales, et des principes consacrés dans la Charte des Nations Unies ;

c) Inculquer à l'enfant le respect de ses parents, de son identité, de sa langue et de ses valeurs culturelles, ainsi que le respect des valeurs nationales du pays dans lequel il vit, du pays duquel il peut être originaire et des civilisations différentes de la sienne ;

d) Préparer l'enfant à assumer les responsabilités de la vie dans une société libre, dans un esprit de compréhension, de paix, de tolérance, d'égalité entre les sexes et d'amitié entre tous les peuples et groupes ethniques, nationaux et religieux, et avec les personnes d'origine autochtone ;

e) Inculquer à l'enfant le respect du milieu naturel.

Article 31

Les États parties reconnaissent à l'enfant le droit au repos et aux loisirs, de se livrer au jeu et à des activités récréatives propres à son âge, et de participer librement à la vie culturelle et artistique.
    Convention internationale des Droits de l'enfant, 1989.

Parmi les nombreux commentaires qu'a suscités cette Convention, voici celui du pédagogue Pierre Kahn qui rejoint les exemples vus dans notre roman :

Il semble en somme qu'au long du XIXe siècle, la famille et l'enfant aient été le lieu d'une formidable contradiction : d'une part, la valeur de l'intimité familiale, centrée sur ces êtres frêles et de plus en plus adorables qui la cimentent et qui la fondent ; d'autre part Gavroche, Cosette, tous ces enfants abandonnés et ceux, plus nombreux encore, condamnés dès le plus jeune âge à l'asservissement du «bagne industriel». Contradiction, en somme, entre l'enfance comme condition et l'enfant comme individu. Car c'est lui, au bout du compte, que le XIXe siècle invente. L'enfance se psychologise ; on prend en compte ses besoins, ses désirs ou ses sentiments ; la fragilité même qu'on lui reconnaît le renvoie à ses demandes affectives. Sur ce passage de l'enfance à l'enfant

*s'articule le souci juridique dont le monde enfantin devient pro-
gressivement, au XIXe siècle, l'objet. V. Hugo, qui crée l'enfant
comme personnage littéraire en dénonçant le travail « haï des
mères », est bien alors la conscience du siècle. Mais il n'est pas le
seul. [...]*

*Il faudra donc [que les enfants] ne meurent plus. L'hygiène y
pourvoira, que le siècle invente. L'école aussi, qui isole l'enfance,
la prolonge et veut pallier les carences familiales. Le droit, enfin,
qui refuse le travail trop précoce ou trop dur, ou les abus de
l'autorité paternelle.*

Pierre Kahn, article « *De l'enfance à l'enfant : éléments d'une
préhistoire des droits de l'enfant* », paru dans *Ressources 95* n° 2,
premier semestre 1992.

Gavroche, gravure de Yon et Perrichon.

AMOUR/PASSION
•

• **Dans le roman :** amour entre homme et femme ou entre parents et enfants, ce thème parcourt tout le roman, de la légèreté de Fantine, étourdiment amoureuse de Tholomyès, à l'abnégation de Jean Valjean, qui meurt de n'avoir « *plus son ange* ».

Hugo fut lui-même un amoureux fougueux et parfois imprudent (une de ses maîtresses se retrouva emprisonnée pour adultère...). Aussi peint-il les amours de ses personnages avec sympathie et indulgence, mais aussi sans illusions excessives quant à la durée des élans passionnels. Pour le riche Tholomyès, à l'insouciance cynique, Fantine n'est qu'une passade. Marius, lui, est véritablement épris de Cosette, mais combien de temps dureront cette obsession de séduire et cette envie de mourir quand on croit voir l'autre s'éloigner ? Si être amoureux est une *« grande maladie »*, ne doit-on pas un jour en guérir ? Car la passion est ici bien plus une merveilleuse envolée des sens et des sentiments, qu'une union profonde entre deux êtres complémentaires. D'ailleurs on ne sait rien du caractère propre de Cosette, charmante jeune fille sans points communs apparents avec Marius. Il aurait sans doute pu aussi bien aimer Éponine si la malheureuse avait été moins défigurée par la misère. Marius et Cosette, une fois les premiers feux apaisés, ne vivront-ils pas les mêmes infidélités que Victor et Adèle Hugo ?

L'amour maternel ou paternel est aussi irrationnel (Jean Valjean ressent un bouleversement physique à regarder Cosette dormir), mais les pages qui l'évoquent ne présentent pas le ton léger et un peu moqueur d'« *Effet de printemps* ». Car l'amour pour les enfants est un sentiment intense qui engage pour la vie et jusqu'au sacrifice de soi. Fantine se vend, Pontmercy pleure en cachette à Saint-Sulpice, Jean Valjean se déchire le cœur pour le bonheur de Cosette. Même M. Gillenormand sacrifiera son intransigeance royaliste pour retrouver l'affection de Marius. Généreux, cet amour est pourtant mal payé de retour : Marius ne s'intéressera à son père qu'après sa mort, et l'inconsciente Cosette est affreusement cruelle avec Jean Valjean : « *êtes-vous content ?* » demande-t-elle au malheureux le jour de son mariage. Et, sans les remords de Marius, elle aurait laissé son père adoptif mourir seul, sans même s'apercevoir que les visites du vieil homme s'étaient étrangement espacées. Mais l'égoïsme n'est pas propre à l'amour filial, il sous-tend aussi l'amour paternel de Jean Valjean : lorsqu'il adopte Cosette, il a autant besoin d'elle qu'elle de lui, et lorsqu'elle tombe amoureuse, il regrette ce temps où elle « *n'avait que lui au monde* ». La loi de la vie est pourtant dans le dépassement de cet égoïsme : « *Il y a le bien-aimé, je ne suis que le père* » (IV, xv, 1).

L'amour pour les enfants n'est pas naturel à tous : Tholomyès abandonne sa petite fille et la Thénardier n'aime pas Gavroche. Et si la plupart des personnages éprouvent au moins une forme quelconque de tendresse, qu'elle soit maternelle, filiale ou amoureuse, les exceptions sont d'autant plus significatives. Thénardier confirme sur ce point sa mauvaise nature : aucune scène ne décrit chez lui un élan de tendresse ; il ne se soucie pas de Gavroche et mêle ses filles à la pègre des bas-fonds. À l'autre extrémité, Javert et Enjolras ne sont ni père ni amants : chasteté terrible qui fait les hommes rigides, inhumains et malheureux. Dans le roman, elle les condamne à mort.

• **Rapprochements :** on pourra étudier le thème de la rencontre amoureuse à travers les siècles ; par exemple, la beauté parfaite de la jeune fille dans *Le Conte du Graal* (Chrétien de Troyes, v. 1772 à 1843) ; le coup de foudre entre deux nobles personnages dans *La Princesse de Clèves* (Madame de Lafayette) ; les amours adolescentes dans le poème d'Arthur Rimbaud, *Roman* ; Colin en séducteur timide au début de *L'Écume des jours* (Boris Vian, chap. XI) ; le mélange de grotesque et de sublime lors du rendez-vous de Solal et Ariane, dans *Belle du Seigneur* (Albert Cohen, chap. XLV). Le sacrifice des parents pour leurs enfants est le thème central du *Père Goriot* (Balzac). Le thème de l'amour paternel est fréquent chez Hugo, dans des romans comme *L'Homme qui rit* (Ursus adopte Gwynplaine et Dea) ou des poèmes (*L'Art d'être grand-père*, mais aussi les poèmes à la mémoire de Léopoldine : *À Villequier* ou *Demain, dès l'aube...*).

CHARITÉ
•

• **Dans le roman :** les héros donnent beaucoup et gardent peu pour eux. Mgr Myriel donne sa maison et presque tous ses revenus aux pauvres ; Marius paie le loyer des Thénardier alors qu'il est lui-même très démuni et donne cinq francs à Éponine sur les cinq francs et seize sous qu'il lui reste ; Gavroche le va-nu-pieds offre le gîte et le couvert à deux enfants égarés ; devenu riche, Jean Valjean mène une vie simple et se montre généreux envers tous : M. Madeleine et M. Fauchelevent (le « *philanthrope* ») secourent tous deux les indigents. Ce dernier est d'ailleurs victime de sa charité puisque le pauvre secouru, loin d'être reconnaissant, l'attire dans un guet-apens pour lui soutirer plus d'argent. Pour Thénardier, la seule valeur est le profit à tout prix, et la générosité de Jean Valjean semble totalement décalée, inadaptée dans ce contexte des bas-fonds. Hugo attachait de l'importance à la vertu de charité et lui-même consacra toujours une part de ses revenus aux nécessiteux ; mais si cet état d'esprit se retrouve dans le roman, y apparaît aussi l'évidence que la charité ne peut tout résoudre : elle ne changera pas l'infâme Thénardier, elle n'a pas suffi à faire vivre Fantine. Aussi certains vont-ils réclamer sur les barricades non plus l'aumône, assistance ponctuelle et humiliante, mais l'égalité et la fraternité.

On retrouve chez le riche Jean Valjean les scrupules du bourgeois aisé qu'était Victor Hugo. Sur le plan de la morale, chrétienne en particulier, les riches sont toujours plus ou moins suspectés de s'intéresser plus aux biens matériels qu'aux valeurs spirituelles d'une part, d'exploiter ou de voler les pauvres d'autre part. M. Fauchelevent a de l'argent, mais il vit pauvrement, ne dépensant que pour Cosette. Et la crainte de se faire remarquer ne peut être une explication suffisante, puisque l'honorable M. Madeleine menait une existence aussi simple. Train de vie modeste et charité semblent donc les moyens de se faire «pardonner» son argent, comme Booz, ce personnage de *La Légende des siècles* qui «*était, quoique riche, à la justice enclin*» (c'est nous qui soulignons).

• **Rapprochements :** cette problématique de la charité se retrouve chez Tolstoï, et l'on pourra comparer les idées de Hugo avec l'analyse des rapports entre seigneurs et serfs dans *La Matinée d'un propriétaire* ou *Polikouchka*, où les efforts de générosité du maître aboutissent à l'échec. On pourra également se référer à certains passages de *Germinal* d'Émile Zola : offrande de la brioche aux enfants de la Maheude, assassinat par Bonnemort de Cécile, venue lui faire la charité. On trouvera également chez Sartre, dans *Le Diable et le bon Dieu*, une réflexion sur l'Église face à la révolte des pauvres. Chez Hugo, le discours de 1849 sur la misère (cf. p. 326) évoque «*l'aumône qui dégrade*», alors que le poème *Le Mendiant* évoque la grandeur des pauvres et de la fraternité humaine.

DIEU
•

• **Dans le roman :** le premier personnage du roman est «*l'infini*», a écrit Hugo. Et certes, Dieu est très présent dans ce livre qui s'ouvre sur la biographie d'un évêque et s'organise autour d'un héros fréquemment comparé au Christ (il «*porte sa croix*» dans les égouts, la «*Tempête sous un crâne*» évoque explicitement la nuit du Mont des Oliviers...).
Dieu est d'abord la valeur de référence, l'œil sous lequel se déroulent les débats de conscience de Jean Valjean. Il est la transcendance qui justifie le sacrifice de soi. Car «*la terre n'est bien vue que du haut du ciel*», écrit Hugo dans *Philosophie, commencement d'un livre*, texte conçu comme une longue préface aux *Misérables* (projet abandonné) ; la lutte contre la misère, poursuit-il, et la croyance au progrès impliquent une double foi : «*Foi à l'avenir de l'homme sur la terre, c'est-à-dire à son amélioration comme homme ; foi à l'avenir de l'homme hors de la terre, c'est-à-dire à son amélioration comme esprit. En d'autres termes, il faut, la misère étant matérialiste, que le livre de la misère soit spiritualiste.*» Faute d'avoir découvert assez tôt ce bien absolu qui existe au-dessus des lois, Javert est acculé au suicide : «*Comment s'y prendre pour donner sa démission à Dieu ?*» Enjolras, en revanche, a l'idéalisme de ceux qui se battent pour des valeurs dépassant l'individu et qui croient aux bonheurs futurs : «*Frères, qui meurt ici meurt dans le rayonnement de l'avenir*» (I, v, 1) ; il se passe de religion mais invoque «*Dieu prêtre direct*» (ibid.) et son ardeur militante fait de lui un «*prêtre de l'idéal*» (III, IV, 1).
L'image du Christ, liée au personnage de Jean Valjean, introduit la

notion de rédemption : l'homme rachète ses fautes par la souffrance, le sacrifice de soi. Et, à terme, Dieu est celui qui récompense le juste : un ange attend l'âme de Jean Valjean.

Dieu existe aussi, dans le roman, comme Providence : c'est lui qui envoie Jean Valjean à Cosette épuisée dans la forêt, c'est lui encore qui abrite Gavroche dans l'éléphant de la Bastille. Mais cette notion n'est que secondaire, et il ne pouvait en être autrement dans un roman qui dénonce la misère : à quoi bon ce livre si une providence divine veille à tout ?

• **Rapprochements :** Rousseau a exprimé, en particulier dans *Profession de foi du Vicaire savoyard*, un déisme libéré des entraves d'un dogme religieux précis, ainsi que sa confiance en l'instinct naturel de la conscience : *« Conscience ! conscience ! instinct divin [...], juge infaillible du bien et du mal. »* Au-delà des points communs, la comparaison des deux auteurs mettra en évidence leurs spécificités, la croyance fondamentale chez Rousseau en une Nature bonne, les thèmes hugoliens plus noirs de la souffrance et du sacrifice. On pourra leur opposer le déisme plus rationaliste de Voltaire et étudier dans *Candide* la satire de la notion de Providence. Au xxᵉ siècle, Albert Camus s'est révolté dans *La Peste* contre le scandale de la souffrance, de celle des enfants en particulier, et son héros Rieux s'oppose en ce sens au prêtre Paneloux qui loue la valeur rédemptrice de la maladie et prêche la soumission totale à Dieu : ici, la lutte humanitaire est montrée, non plus comme liée à la croyance en un au-delà, mais au contraire comme incompatible avec elle. Dès 1844, Marx avait dénoncé *« la religion opium du peuple »*, comme étant donc un frein au progrès social. Les écrivains engagés qui marquent les deux premiers tiers du xxᵉ siècle (Camus, Sartre, Malraux, Aragon) seront pour un idéal humaniste, sans référence à Dieu.

ÉDUCATION
•

• **Dans le roman :** dès l'exergue, le problème du mal-ignorance est posé. Les Amis de l'ABC veulent éduquer le peuple et l'auteur-narrateur appuie ce combat : *« Détruisez la cave Ignorance, vous détruisez la taupe Crime »* (III, vii, 2). Revendication démocratique donc, car *« de l'école identique sort la société égale »* (Enjolras) mais aussi nécessité sociale : prévenir une criminalité dont les chiffres ont terriblement augmenté au xixᵉ siècle.

Pourtant, dans le roman, ce souci d'instruction publique semble affirmé de manière abstraite plutôt qu'illustré par l'histoire des personnages. Thénardier a de l'instruction, voire une certaine culture, ce qui ne l'empêche pas d'être un misérable au double sens du terme. Éponine sait lire et écrire, mais cela ne l'avance guère. C'est que le problème est plus vaste : être alphabétisé ne suffit pas pour sortir de la misère, encore faut-il avoir reçu une éducation civique et morale. C'est cette « leçon » que Jean Valjean a la chance de recevoir de Mgr Myriel, et c'est en cela qu'Éponine est tragiquement différente de Cosette. L'éducation pour tous a d'abord pour but de donner à tous les membres de la société la même langue (l'école bannit l'argot) et le même système de valeurs.

• **Rapprochements :** c'est au XVIIIe siècle, avec les aspirations démocratiques, que l'idée d'une éducation pour tous s'impose vraiment. Le *Rapport sur l'instruction publique* de Condorcet (1792) affirme les grands principes qui restent ceux de nos républiques contemporaines : assurer à tous une formation professionnelle, morale et personnelle (épanouissement de ses talents). Chez les philosophes du siècle des Lumières, c'était la formation morale et civique qui était considérée comme essentielle. Dans *De l'esprit des lois* (Livre IV, chap. 4 et 5), Montesquieu insiste sur l'éducation à la *« vertu politique »*, définie comme *« l'amour des lois et de la patrie »*, essentielle dans les régimes où le gouvernement est confié aux citoyens. Rousseau, dans l'article *« Économie politique »* de l'Encyclopédie, défend des idées proches : les enfants doivent apprendre à respecter les lois, émanations de la volonté générale, s'éduquant ainsi à la fraternité. À la fin du XXe siècle, l'éducation civique est toujours au programme et l'école conserve un rôle d'insertion sociale, mais l'instruction gratuite et obligatoire n'a pas assuré vraiment l'égalité souhaitée par les hommes de 1789 : les sociologues Bourdieu et Passeron ont montré dans *La Reproduction* (1970) à quel point le milieu social influait sur la réussite scolaire.

JUSTICE
•

• **Dans le roman :** Mgr Myriel est *« un juste »*, et, dans ce livre premier, l'adjectif désigne une noblesse morale que la justice n'a pas toujours dans le reste du roman. C'est que l'évêque suit de manière exemplaire le principe évangélique d'amour du prochain, alors que l'intransigeante justice humaine se soucie, non de fraternité, mais de respect des lois et d'ordre social (Mgr Myriel ne dénoncera pas Jean Valjean aux gendarmes).

Même si l'atmosphère du tribunal d'Arras est décrite comme *« auguste »*, ce sont des hommes ordinaires qui y rendent cette *« grande chose divine »* qu'est la justice et, dans l'affaire Champmathieu, leurs jugements s'avèrent incertains et partisans, facilement sévères pour les pauvres gens. Même lorsqu'elle ne se trompe pas, la justice humaine est bien contestable : Jean Valjean passe dix-neuf ans au bagne pour un pain et en ressort plus dangereux qu'il n'y est entré. Ces défauts sont personnifiés en Javert, respectueux de l'ordre établi au point de privilégier sans hésitation le bourgeois contre la fille des rues, incapable de voir autre chose que la stricte application des règles, et atterré par la notion même de grâce : *« Vous m'ennuyez. Tuez-moi plutôt »*, dit-il à Jean Valjean qui le libère (V, 1, 19).

Même lorsqu'elle revêt les traits purs d'Enjolras, la justice est effrayante. Hugo a toujours dénoncé l'horreur et l'inhumanité des exécutions capitales, et celle de Le Cabuc, pour meurtrier qu'il soit, n'en est pas moins bouleversante : « *Il* [Enjolras] *prit par les cheveux Le Cabuc qui se pelotonnait contre ses genoux en hurlant.* » Hugo plaide moins pour un idéal de justice que pour les valeurs de clémence et de fraternité.

• **Rapprochements :** Enjolras exécutant Le Cabuc annonce le Lantenac de *Quatrevingt-treize* (roman postérieur de Hugo) faisant justice sur la corvette *La Claymore* (I, II, 6) : même sens strict de la justice, même autorité incontestée du chef. Ce roman reprend également la problématique de l'intransigeance, avec le personnage de Cimourdain, et de la clémence, avec celui de Gauvain. Le suicide final de Cimourdain pourra être rapproché de celui de Javert.

La partialité de la justice est devenue tristement proverbiale avec la fable de La Fontaine *Les Animaux malades de la peste*. L'idée d'une loi divine supérieure à la loi humaine est le sujet de la pièce de Sophocle, *Antigone*, thème repris par Jean Anouilh. Albert Camus et Dostoïevski, entre autres, ont dénoncé l'atrocité de la peine de mort, respectivement dans *Réflexions sur la guillotine* et le début de *L'Idiot*.

RÉVOLUTION
•

• **Dans le roman :** le rassemblement sur les barricades est un grand mouvement fraternel où tous les âges et toutes les conditions se mêlent. Passer à l'action est excitant et gai : l'enthousiasme de Gavroche symbolise celui de tous les insurgés. Mais la mort frappe cruellement des : jeunes gens, des vieillards (M. Mabeuf), des femmes (Éponine), des enfants (Gavroche). L'insurrection provoque des débordements : Le Cabuc assassine inutilement le portier. Et cette « bavure » conduit à une autre violence, celle d'Enjolras qui le condamne à mort et l'exécute lui-même. Tout cela est-il bien utile ? Oui, dit Enjolras ; la violence est mauvaise mais les révolutions ne peuvent en faire l'économie : il faut se battre pour la liberté et imposer une discipline de fer pour qu'adviennent des lendemains de concorde et d'harmonie, sans talion sanglant. Jean Valjean et Marius sont moins résolus. Le premier aide les insurgés sans tuer personne. Le second ne se décide à intervenir que pour secourir ses amis, obéissant à l'« *appel de l'abîme* », terme à l'opposé des rêves d'Enjolras. Et si Marius est prêt à mourir, c'est que l'insurrection se mêle dans son esprit à la perte de Cosette en un « *cauchemar monstrueux* ». Car le jeune homme, finalement gagné par l'excitation générale, est, à tête reposée, plutôt pacifique et d'opinions politiques mesurées : la révolution de 1830 n'a réussi qu'à moitié (monarchie modérée) mais elle a suffi à calmer ses ardeurs revendicatrices. Le poète Hugo admire le grandiose et le sublime de l'épopée des barricades, mais le bourgeois (il fut garde national*) s'inquiète du trouble de l'ordre public et l'humaniste s'afflige des morts.

• **Rapprochements :** dans son roman *Quatrevingt-treize*, Hugo apparaît toujours aussi bouleversé par la violence, mais son héros Gauvain en admet le caractère inévitable au moment des révolutions, chargées «*d'un si rude balayage!*» (III, VII, 5). Deux ans plus tôt, en 1872, l'écrivain qui venait de vivre les déchirements de la Commune avait évoqué les grandeurs et les atrocités de cette insurrection dans les poèmes de *L'Année terrible*.

Anatole France a traité de la Terreur révolutionnaire dans son roman *Les Dieux ont soif*, montrant comment l'on devient extrémiste. Le héros de *L'Éducation sentimentale*, roman de Flaubert, est à Paris au moment de la révolution de 1848 (III, I), et il est intéressant de comparer la vision épique de Hugo à la froideur quelque peu cynique du réalisme flaubertien. En revanche, on retrouvera l'élan idéaliste dans la très belle chanson de Léo Ferré *Paris, je ne t'aime plus,* écrite en référence aux événements de mai 68.

LES MISÉRABLES En Vente Partout
par Victor HUGO
10ᵉ LA LIVRAISON – 2 LIVRAISONS PAR SEMAINE – LA 1ʳᵉ LIVRAISON GRATIS
OLLENDORFF 53 Chaussée d'Antin, PARIS. 2ᵉ x 3ᵉ LIVRAISONS VENDUES ENSEMBLE 5.

1830 : insurrection qui chasse Charles X, mais que la bourgeoisie fait déboucher sur une monarchie modérée, non sur une république.

abnégation : oubli de soi par dévouement pour les autres.

alcôve : renfoncement dans un mur pour placer un lit.

apocalypse : dans la Bible, vision fantastique de la fin du monde ; Dieu envoie des cavaliers (transformés par Hugo en « char ») pour détruire la Terre, souillée par le péché.

apostrophe : interpellation brusque et peu aimable.

arrêt : jugement définitif, décision d'un tribunal.

auguste : d'une noblesse imposante, inspirant le respect.

austère : d'une morale rigide, grave.

avocat général : magistrat qui soutient l'accusation.

ban (en rupture de) : un prisonnier libéré doit résider à l'endroit que les autorités lui ont assigné, sinon il est « en rupture de ban » (« ban » signifiant « bannissement d'un territoire »). Ainsi, Jean Valjean devait résider à Pontarlier.

bateleur : celui qui fait des tours, de petits spectacles sur les places publiques.

baïonnette : lame qui s'enclenche au bout d'un fusil.

béant : bouche bée, bouche ouverte.

bimbeloterie : bibelots, objets divers que l'on trouve dans un bazar.

brune (à la) : au crépuscule.

cabaret : auberge, café.

calice : coupe, vase à boire ; symboliquement, un calice qu'il faut boire représente un supplice qu'il faut endurer.

camard : plat et écrasé.

carcan : collier de fer ou de bois par lequel on attache un prisonnier.

chasteté (adj. chaste) : fait de s'abstenir de plaisirs sexuels et, plus généralement, chez Hugo, des plaisirs physiques, ce qui procure à l'individu une force peu commune (qu'il peut consacrer à un idéal) mais le rend aussi dur et insensible.

chimère, chimérique : rêve, illusion ; du domaine du rêve, du fantastique.

chiourme : ensemble des condamnés d'un bagne.

cognes : policiers (fam.).

collet : col (d'où « colleter », attraper par le col).

croisée : fenêtre.

cynisme (adj. cynique) : fait de braver les convenances morales pour choquer.

damnation : condamnation, par jugement divin, aux peines de l'enfer.

exploiter, exploiteur : profiter du travail des autres sans le rétribuer à sa juste valeur ; celui qui en profite.

fille publique : prostituée.

fondrière : affaissement du sol.

furtivement : en cachette, à la dérobée.

galères : travaux forcés (à l'origine, condamnation à ramer sur les galères du roi)..

galérien : homme condamné aux galères*, bagnard, forçat.

galetas : logement misérable, généralement sous les combles, mansardé.

garde nationale : milice composée de citoyens aisés aidant l'armée à maintenir l'ordre (un « garde national » est l'un de ces hommes).

garrotter : attacher, lier très solidement.

giberne : boîte à cartouches.

gousset : petite poche.

greffier : fonctionnaire de justice chargé de toutes les écritures.

gueux (fém. *gueuse*) : mendiant, misérable.

huissier : employé chargé du service de certains corps, de certaines assemblées.

inexorable : qu'on ne peut pas fléchir.

interdit : stupéfait, sans pouvoir parler ni agir.

jaser : bavarder ; babiller (en particulier pour les enfants).

liard : monnaie de très faible valeur (le quart d'un sou).

lieue : une lieue vaut 4 km.

magistrat : fonctionnaire exerçant une autorité judiciaire, administrative ou politique ; un maire est un magistrat.

manufacturier : industriel.

marguillier : personne chargée de la gestion des revenus d'une paroisse, des fonds permettant l'entretien de l'église.

miasme : gaz pestilentiel qui s'échappe des déchets en décomposition.

miliaire (*fièvre* ou *suette*) : maladie caractérisée par une forte fièvre et une éruption de boutons.

mouchard : espion, policier.

nippes : vieux vêtements, qui ne valent pas cher.

oisif : qui ne travaille pas, qui ne fait rien.

oratoire : pièce destinée à la prière.

philanthrope : qui aime l'humanité, qui se soucie des autres.

pied : environ 33 cm (le pouce équivaut, lui, à environ 3 cm).

poire à poudre : poche de cuir dans laquelle on met la poudre des fusils.

portefaix : homme dont le métier était de porter des fardeaux.

portière : concierge.

providence : enchaînement heureux de circonstances, conçu comme la réalisation de la volonté divine ; sagesse divine gouvernant le monde.

radier : plancher en maçonnerie ou en charpente pour protéger la construction contre le travail des eaux.

récidive : recommencement d'une même faute, d'un même mal.

redoute : petite fortification.

roide (n. *roideur*, v. *roidir*) : raide (n. *raideur*, v. *raidir*).

roulier : conducteur d'un chariot de marchandises.

saltimbanque : personne qui fait des tours d'adresse, des acrobaties sur les places publiques ou dans les foires.

sept cercles : dans *La Divine Comédie*, le poète italien Dante (1265-1321) décrit l'Enfer comme composé de cercles souterrains, où évoluent les damnés dans la souffrance.

sépulcre (adj. *sépulcral*) : tombeau.

serge : tissu à fines côtes obliques, très ordinaire.

stoïque : qui sait supporter les souffrances.

vénérable : digne de vénération•.

vénération : profond respect pour ce que l'on considère comme saint, sacré.

Voltaire (adj. *voltairien*) : écrivain français (1694-1778) qui critiqua beaucoup les abus de l'Ancien Régime et fut, comme Rousseau et les autres philosophes, à l'origine de la Révolution française ; « *voltairien* » signifie donc « remettant en cause les autorités établies ».

alinéa : retour à la ligne.

allégorie : idée abstraite représentée sous la forme d'un personnage qui l'incarne.

angle de prise de vue : la caméra peut être en face de l'objet filmé, mais aussi au-dessus, en « *plongée* », ou au-dessous, en « *contre-plongée* ».

antithèse : opposition de deux mots, deux idées.

cadrage : délimitation de l'espace et organisation des objets dans l'image, selon le plan* choisi et l'angle de prise de vue*.

champ lexical : ensemble de mots se rapportant à une même notion.

comparaison : procédé mettant en évidence une ressemblance.

complexe : composé de plusieurs éléments différents, parfois contradictoires.

deus ex machina : « *dieu venant d'une machine* » ; dans le théâtre antique, dieu arrivant du ciel (acteur porté par un treuil) pour sauver des hommes d'une situation difficile.

emphatique : se dit d'une tournure où l'on met en valeur un ou plusieurs mots en le(s) détachant et en perturbant l'ordre normal de la phrase.

épopée (adj. *épique*) : récit, embelli par la légende, des exploits de personnages historiques luttant souvent pour un idéal, autour d'un chef et sous l'œil de Dieu ; l'épopée, généralement violente, recherche les effets grandioses et utilise l'antithèse*, l'hyperbole*, l'allégorie* et le merveilleux. « *Épique* », dans un sens plus général, caractérise ce qui donne aux faits ou aux héros une grandeur et une force extraordinaires.

exergue : inscription mise en tête d'un ouvrage.

frontispice : illustration en tête d'un livre.

fantastique : mélange inquiétant de naturel et d'étrange, faisant hésiter entre une interprétation rationnelle et surnaturelle (univers du rêve, des fantômes, des êtres qui se transforment, de l'inanimé qui prend vie...).

focalisation : choix du point de vue* d'où est présenté le récit.

héros, héroïne (adj. *héroïque*) : personnage principal d'un roman ; traditionnellement il était investi de qualités exemplaires, de désirs passionnés, de rôles valorisants : il était alors proprement « *héroïque* ».

hyperbole : emploi de termes exagérés pour produire une forte impression (gigantesque, monstrueux...).

image : comparaison* ou métaphore* qui permet de se représenter visuellement quelque chose.

métaphore : comparaison sous-entendue, sans lien grammatical.

objectif : qui présente les faits tels qu'ils sont, sans que l'auteur ou un personnage exprime ses sentiments personnels.

oxymore : alliance de mots qui habituellement ne vont pas ensemble.

pathétique : qui suscite une vive émotion.

périphrase : expression formée de plusieurs mots pour désigner une seule chose ou personne.

plan : a) suite d'images filmées au cours d'une même prise de vue (sans couper la caméra) ; b) échelle des objets dans l'image : plan d'ensemble (tout le décor), moyen (personnage en pied), américain (à mi-cuisse), rapproché (taille ou poitrine), gros plan (visage seul), ou insert (sur un détail de l'action).

point de vue : point d'où est vue la scène décrite, d'où sont envisagés les événements ; c'est généralement le point de vue d'un auteur-narrateur (qui sait tout ou presque et peut intervenir pour exprimer ses idées et commenter l'histoire), mais ce peut être aussi le regard ou les pensées d'un personnage, ou encore une focalisation* externe, c'est-à-dire le point de vue de personne, mais la présentation objective* des faits.

quiproquo : erreur consistant à prendre une personne, une chose pour une autre.

réalisme (adj. *réaliste*) : manière littéraire tendant, non à exprimer la personnalité de l'auteur ou un idéal auquel il croit, mais à décrire le monde tel qu'il est, en se fondant sur l'observation ; les réalistes privilégient le récit objectif ou présenté par les yeux ou la pensée d'un personnage (« réalisme subjectif* ») auquel ils s'efforcent de donner des idées et des réactions propres. (Cf. aussi p. 304.)

romantisme (adj. *romantique*) : courant littéraire et artistique caractérisé par l'expression passionnée des sentiments, le rejet d'une sagesse raisonnable au profit de la sensibilité et/ou de la poursuite d'un idéal. Les auteurs romantiques aiment le subjectif, la violence des antithèses*, le fantastique*, l'épique*, le mélange de comique et de tragique. (Cf. aussi p. 304.)

rythme : en prose, il dépend du nombre et de la longueur des différents éléments de la phrase (en particulier les pauses imposées par la ponctuation : virgules, points...) et de la disposition des syllabes accentuées.

subjectif : marqué par les sentiments personnels d'un individu (l'auteur ou un personnage).

symbole (adj. *symbolique* ; v. *symboliser*) : élément concret représentant une idée abstraite (ex : eau = pureté ; poing levé = volonté de vaincre).

thème : un des sujets généraux abordés dans une œuvre (l'amour, la misère...) ou élément symbolique* qui revient fréquemment (la lumière, l'obscurité...).

VICTOR HUGO ET SON ŒUVRE

Victor Hugo, *Œuvres complètes*, coll. «Bouquins», éd. Laffont (édition dirigée par Jacques Seebacher). On se reportera en particulier aux volumes suivants :
• Romans, I (pour *Le Dernier jour d'un condamné* et *Claude Gueux*).
• Romans, II (*Les Misérables*).
• Politique (pour les discours et engagements contre la misère).
• Chantiers (pour le Dossier des *Misérables*).
• Critique (pour le texte philosophique prévu comme préface aux *Misérables*).
Jean-Bertrand Barrère, *Victor Hugo*, coll. «Connaissance des Lettres», Hatier, 1959.
Victor Brombert, *Victor Hugo et le roman visionnaire*, P.U.F., 1985.
Claude Gély, *Les Misérables de Hugo*, coll. «Poche critique», Hachette, 1975.
Henri Guillemin, *Victor Hugo par lui-même*, coll. «Écrivains de toujours», Seuil, 1951.
Annette Rosa, *Victor Hugo : l'éclat d'un siècle*, Éd. Messidor / La Farandole, 1985.
Claude Roy, *Victor Hugo témoin de son siècle*, J'ai lu, 1952.
Anne Ubersfeld et Guy Rosa (textes critiques réunis par), *Lire Les Misérables*, José Corti, 1985.
Philippe Van Tieghem, *Victor Hugo, un génie sans frontières* (dictionnaire de sa vie et de son œuvre), Larousse, 1985.

MISÈRE ET CRIMINALITÉ AU XIXe SIÈCLE

Louis Chevalier, *Classes laborieuses et classes dangereuses*, Plon, 1958.

PARIS AU XIXe SIÈCLE

Bernard Champigneulle, *Paris de Napoléon à nos jours*, Hachette, 1969.
Philippe Vigier, *Paris pendant la Monarchie de Juillet*, Association pour la publication d'une Histoire de Paris, Diffusion Hachette, 1991.

ANNEXES

ADAPTATIONS DES *MISÉRABLES*

Au Cinéma
•

Les Misérables, Albert Capellani, France, 1911-1912.
Les Misérables, Frank Lloyd, USA, 1918.
Les Misérables, Henri Fescourt, France, 1925.
Les Misérables, Raymond Bernard, France, 1933. Avec Harry Baur dans le rôle de Jean Valjean et Charles Vanel dans celui de Javert.
Les Misérables, Richard Boleslawski, USA, 1935.
Gavroche, T. Loukatchevitch, URSS, 1937.
El Boassa, Kamal Selim, Égypte, 1944 (transposition dans le monde égyptien du xxᵉ siècle).
Miserabili, Ricardo Freda, Italie, 1947.
The Miserables, Lewis Milestone, USA, 1952.
Les Misérables, D. Ito, M. Makino, S. Hayakawa, Japon, 1952.
Ézai Padum Padi, K. Ramnoth, Inde, 1953.
Les Misérables, Jean-Paul Le Chanois, France, 1957. Avec Jean Gabin dans le rôle de Jean Valjean, Bourvil dans celui du père Thénardier et Sylvia Monfort dans celui d'Éponine.
Les Misérables, Glenn Jordan, USA, 1978.
Les Misérables, Robert Hossein, France, 1982. Avec Lino Ventura dans le rôle de Jean Valjean et Jean Carmet dans celui du père Thénardier.
Les Misérables, Claude Lelouch, France, 1995.

Au Théâtre
•

Les Misérables, comédie musicale de Claude-Michel Schönberg et Alain Boublil, 1980. Cette version vient d'être rééditée sur disque compact.

Imprimé en France, par Hérissey/Qualibris à Évreux (Eure) - N°117930
Dépôt légal : janvier 2012 - Collection n° 65 - Édition n° 07
16/9184/9